KRYSTYNA JANDA
BOŻENA JANICKA

GWIAZDY MAJĄ CZERWONE PAZURY

KRYSTYNA JANDA
BOŻENA JANICKA

GWIAZDY MAJĄ CZERWONE PAZURY

Wydanie II

Warszawa

Spis treści

Kwestionariusz osobowy I

Krystyna Janda

aktorka, urodzona w Starachowicach

– Stan cywilny?
– Zamężna (po raz drugi).

– Mąż?
– Edward Kłosiński, operator filmowy.

– Dzieci?

– Troje. Marysia – studentka, Adaś – uczeń szkoły podstawowej, Jędrek – przedszkolak.

– Znaki szczególne?

– Żadnych. Chociaż nie, chwileczkę; jeśli ktoś woli – same znaki szczególne.

– Czy wolałaby pani zagrać w świetnym filmie za małe pieniądze, czy w kiepskim za duże?

– W obu.

– A jeśli ten kiepski byłby bardzo kiepski?

– To może raz, i za bardzo duże. Żeby potem móc zagrać w bardzo dobrym nawet za darmo. I w sprawie kiepskiego: nigdy nie myślę na początku, że film będzie zły. Nawet jeśli widzę, że coś jest nie tak, wierzę, że da się go jeszcze uratować.

– Czyja ocena roli liczy się dla pani najbardziej: rodziny, przyjaciół, krytyki czy własna?

– Własna.

– Czy przyjaźni się pani chętnie z artystami?

– Wolę z tak zwanymi normalnymi ludźmi.

– Nie lubi pani kolegów?

– Lubię, ale jako partnerów zawodowych, w kontaktach roboczych, na co dzień.

Ja w beciku

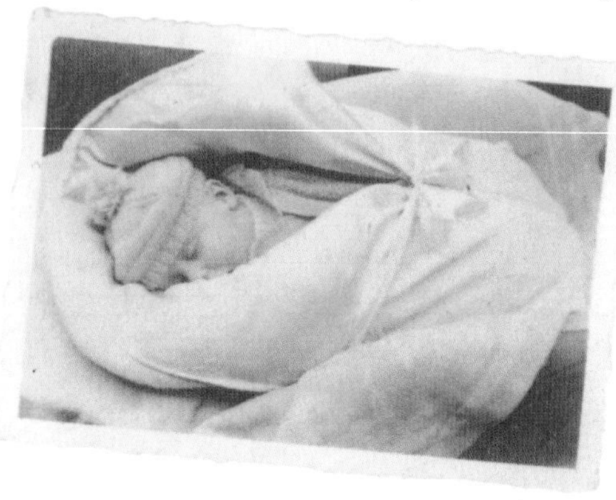

Mama i Tata

– Czy zachowała pani jakąś przyjaźń z podstawówki? Jeśli tak, kim jest dziś ta osoba?

– Tak. Gospodynią domową.

– Jaki film zrobił na pani największe wrażenie w dzieciństwie?

– *Krzyżacy*.

– A program telewizyjny?

– Pierwszy, jaki zobaczyłam: przemówienie Gomułki. Pamiętam, że wysłuchałam całego, a miałam wtedy chyba cztery lata. Byłam jak zahipnotyzowana. Nie Gomułką, lecz telewizorem.

– Czy zanim zdecydowała się pani zdawać do szkoły teatralnej, myślała pani o innym zawodzie?

– O grafice żurnalowej.

– W szkole wierzyła pani w siebie czy wątpiła?

– Zawsze wątpiłam. Chociaż... Może tak: wątpiłam, ale jednocześnie wierzyłam. Ale prawdą jest, że przez całe życie wydawało mi się, iż jestem gorsza.

– Przecież nie do chwili obecnej? Chyba się pani z tego wyleczyła?

– Czasami niewiele mi brakuje, żeby popaść w recydywę.

– W plebiscycie „Filmu" uznano panią za najlepszą polską aktorkę filmową od początku istnienia kina w Polsce. Bądź co bądź, sto lat...

– Wybrano mnie, bo widocznie nie było innego wyjścia. Cieszę się, że za życia.

Ja

Moi chrzestni Mama i Ojciec

Boże! Co to za fryzura?!

– W plebiscycie uczestniczyli krytycy i dziennikarze. Czy gdyby to byli widzowie – odniosłaby się pani do tej nagrody z równym sceptycyzmem?

– Nie, widzom uwierzyłabym bez zastrzeżeń.

– Na pewno od początku zdawała sobie pani sprawę, że o role trzeba walczyć. Czy wyznaczyła pani sobie granicę, której pani nie przekroczy?

– Tego nie da się zrobić teoretycznie, trzeba się znaleźć w takiej sytuacji. Ja się nigdy w podobnej sytuacji nie znalazłam, nie musiałam więc sobie takiej granicy wyznaczać.

– Jeśli nie akceptuje pani pomysłu reżysera, jak pani reaguje?

– Wykonuję dokładnie to, czego reżyser sobie życzy. No, może tylko odrobinę przesadzam, żeby śmieszność wyraźniej rzucała się w oczy.

– Grała pani w filmach za granicą, także w USA. Jaka jest różnica między graniem tam i w Polsce z punktu widzenia aktora?

– Tam cały sztab ludzi pracuje na to, żeby się udało, u nas wręcz przeciwnie: żeby się nie udało. Żaden reżyser u nas nie powiedział mi, że dzięki mojej roli film zyskał.

– Nigdy? Nie do uwierzenia.

– No, raz. Rysiek Bugajski po zmontowaniu *Przesłuchania*. I Andrzej Wajda po *Człowieku z marmuru*, protestując, kiedy sama siebie oskarżałam, że źle gram.

– Czy zdarza się pani wzruszać w kinie?

– Jasne, do łez! Gdyby mi się nie zdarzało, musiałabym się zastanowić, czy wszystko jest ze mną w porządku.

Spodnie

– Jak przyjmuje pani opinie krytyczne?
– Źle, ale z uwagą.

– A – przepraszam – można pani coś wyperswadować?
– Można, jeśli za perswazją stoją argumenty, które mnie przekonają.

– Czy role, które pani zagrała, wzbogaciły pani wiedzę o ludziach?
– Oczywiście.

– A wiedza o ludziach – role?
– Prawie zawsze, kiedy mam zagrać jakąś postać, szukam jej wśród ludzi, których znam, albo których udało mi się kiedyś zaobserwować. Jeśli nie widzę szczegółu – nie widzę roli.

– Czy ma pani w sobie również bezinteresowną ciekawość ludzi?
– Ogromną. Lubię ich spotykać, patrzeć na nich, słuchać. Uwielbiam to, mogę godzinami.

– Czy zdarza się pani myśleć, że popularność nie jest dana na zawsze?
– Często.

– I jak by to było, gdyby ją pani utraciła?
– A nie wiem. Pewnie zwyczajnie, mieszkałabym w Milanówku i tyle.

– Gdyby musiała pani zmienić zawód?
– Już próbuję, reżyserując.

– Gdyby trzeba było zacząć się uczyć czegoś nowego?
– Właśnie się uczę.

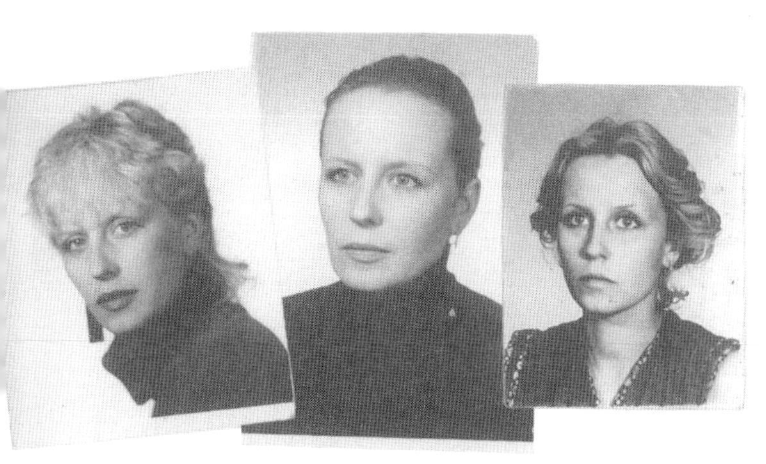

Kolejne zdjęcia do kolejnych paszportów. I pomyśleć, że oni mnie taką sprowadzili aż z Polski. Cudna na każdym!

– Gdyby trzeba było poznać przy tej okazji gorzki smak dezaprobaty?
– Od trzech lat mówi się o mnie źle, to jest modne.

– Co uważa pani za swoją główną zaletę?
– Optymizm – mimo wszystko.

– Wadę?
– Chyba też optymizm.

– Czego najbardziej nie lubi pani u innych?
– Fałszu.

– Czego najbardziej się pani boi?
– Tego, na co nie mam wpływu. Z czym nie mogę poradzić sobie sama.

– Wiadomo, że lubi pani psy. Jakiej rasy?
– Wszystkie bez wyjątku.

– A polityków – jakiej orientacji?
– Żadnej. Ściślej: dziś już żadnej. No, może jednak Unia Wolności.

– Co pani umie zrobić w domu?
– Wszystko.

– Jak pani najlepiej odpoczywa?
– Byleby były obok moje dzieci, reszta obojętna.

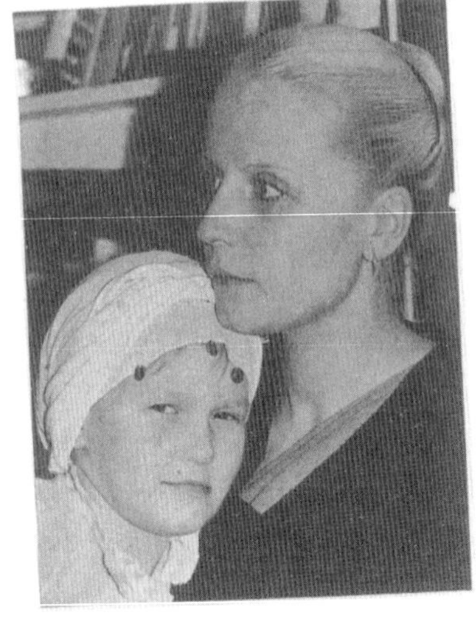

Marysia nie lubiła zdjęć.

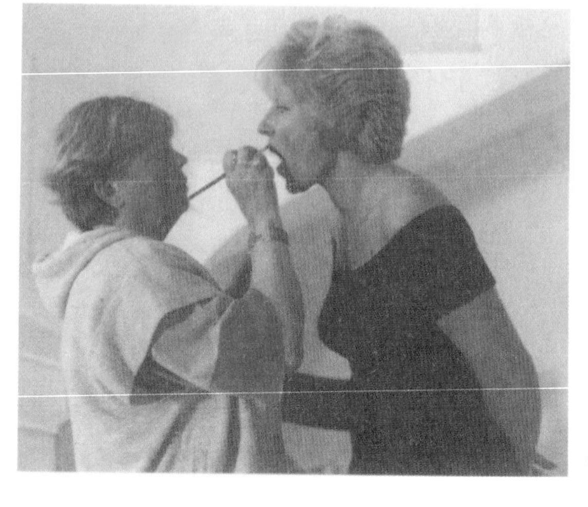

Iwonka maluje mnie w locie.

– Czy posługuje się pani niekiedy talentem aktorskim w życiu?

– Nigdy. Bo jeśli czasami spróbuję – robię to tak beznadziejnie, że sama się wstydzę, i od razu wszystko się sypie.

– Aktorzy odgrywali do niedawna ważną rolę w naszym życiu społecznym. Czy pani żal, że przestali?

– Nie. Dobrze, że dzisiaj nie muszą.

– Czy zgodziłaby się pani wystąpić za wysokie honorarium na prywatnym koncercie dla bogaczy o podejrzanych źródłach dochodów?

– Nie.

– Gdyby mogła pani zaangażować na stałe kilku fachowców z takiej listy: ogrodnik, masażysta, krawiec, psychoterapeuta, nauczyciel języków obcych, mistrz dobrych manier, pielęgniarka, ochroniarz – których by pani wybrała?

– Żadnego. Nie wydaje mi się, żeby mi byli potrzebni.

– Co uważa pani za swoją największą zawodową klęskę?

– Mówią, że przedstawienie *Panny Tutli-Putli*, ale ja nie wiem.

– A największy życiowy sukces?

– Że jest tak, jak jest.

Pytała Bożena Janicka
Warszawa, 1998

Jako Florence Foster Jenkins w „Boskiej”.

Kwestionariusz osobowy II

– Stan cywilny?

– Wdowa. Mąż, Edward Kłosiński, zmarł 6 stycznia 2008 roku.

– Dzieci?

– Marysia – aktorka, dyrektorka Och-Teatru. Adam – świeży dyplomant wydziału operatorskiego katowickiej szkoły filmowej i świeżo upieczony student fizyki na Uniwersytecie Jagiellońskim. Jędrek – student amerykanistyki na Uniwersytecie Warszawskim.

– Zawód?

– Aktorka, reżyser, szefowa artystyczna dwóch teatrów warszawskich, Polonii i Och-Teatru. Także prezes Fundacji Krystyny Jandy na rzecz Kultury.

– W ilu spektaklach w ciągu roku gra pani na scenach obu teatrów Fundacji?

– W około trzystu. Na razie to konieczne. Mam nadzieję, że wkrótce nie będę musiała, będę grała tylko dla przyjemności.

– Reżyserowanie: jakich sztuk najchętniej?

– Komedii i fars. Śmiech jest dziś dla mnie najważniejszy. Na wagę złota.

– Pani wyznanie sprzed lat: „Wydawało mi się zawsze, że jestem gorsza". A dzisiaj?

– Trochę mi przeszło.

– Czy wolałaby pani wystawić sztukę szczególnie wartościową, na którą przyjdzie niewielu widzów, czy kiepską, z gwarancją pełnej widowni?

– Moim zdaniem kryterium jakości jest tu nie na miejscu, chodzi o gatunki: farsa czy dramat. Śmieszne zarabiają na te poważne, trudne.

– A jeśli jakaś kiepska jest dla pani osobiście nie do zaakceptowania?

– To jej nie robię. Kiepskich nie robię w ogóle.

– Gdyby opinia córki i synów różniła się od pani własnej – zostałaby pani przy swojej?

– Nie. Liczę się z ich zdaniem, ustępowałam w wielu sprawach.

– Czy dyrektorka teatru może się przyjaźnić prywatnie z aktorami i reżyserami?

– To jedyna droga do tego, żeby teatr był dobry.

– Podobno może też być odwrotnie?

– To nie ten teatr.

– Kilkanaście lat temu w plebiscycie tygodnika „Film" została pani uznana za najlepszą polską aktorkę filmową wszech czasów. Ostatnio mniej gra pani w filmach. Żal – czy wcale?

– Żal, ale nie można inaczej. W Polsce dostaję marne propozycje, a z powodu obowiązków w Fundacji w ciągu ostatnich siedmiu lat musiałam odmówić zagrania kilku naprawdę ważnych ról za granicą.

– Jakich?

– Między innymi roli w Niemczech, także głównej roli w filmie francuskim, bardzo ciekawym – o relacji matki i syna geja.

– Jako aktorka mogła pani wybierać role, jako założycielka pierwszego prywatnego teatru w Polsce musiała pani zapewne walczyć o teatr. Ciężko było?

– Tak, ale to dawne sprawy. I szybko się przyzwyczaiłam do kłopotów.

– A jeśli czasami trzeba – czym się pani posługuje? Ostrą amunicją czy dyplomacją?

– Zależy, w jakiej sprawie i z kim. Szefowanie takim teatrom to przede wszystkim dogadywanie się z ludźmi.

– Także z aktorami?

– Ich interesy, ich sprawy liczą się najbardziej. Oni – to teatr, to jakość, a to jest dla mnie najważniejsze.

– Nie dochodzi do starć?

– Nie przypominam sobie.

– Czy zdarzyło się pani podjąć jakąś decyzję i potem żałować?

– Tak, ale to nie były ważne sprawy. I nigdy kwestie artystyczne.

– Dyrektor teatru jako rola: trudniejsza od innych?

– Cały czas się tej roli uczę.

– A czy ją pani lubi?

– Tak, bo daje wolność. Artystyczną.

– Gdyby musiała pani wybierać między odpowiedzialnością za ludzi – pracowników teatru i Fundacji – albo losem teatru jako instytucji – co by pani wybrała?

– Tego się nie da oddzielić, Fundacja to ci ludzie.

– Problemem każdego prywatnego teatru są środki potrzebne na jego utrzymanie. Gdyby zadeklarował pomoc finansową biznesmen podejrzewany o nieczyste interesy – czy zgodziłaby się pani przyjąć jego wsparcie?

– Tak. Słowo „podejrzewany" jest tu najważniejsze.

– Dwadzieścia lat temu na podobne pytanie odpowiedziała pani: nie.

– Wtedy nie miałam jeszcze mojego najmłodszego dziecka – teatru, i nie przeżyliśmy trudnych okresów w polskim prawodawstwie i władzach. Miałam kilku przyjaciół w więzieniach, którzy oczyszczeni z zarzutów, wrócili do działalności.

– A gdyby ktoś zadeklarował wsparcie, uzależniając udzielenie pomocy od tego, by jego żona albo życiowa partnerka zagrała w jakiejś sztuce?

– To się nie zdarza, ale gdyby... Proszę bardzo, nauczyłabym ją grać.

– A gdyby to był partner?

– Też.

– Co z pani deklarowaną dawniej główną cechą – optymizmem? Przetrwała?

– Tak.

– A lęk? Przed laty powiedziała pani: „Tylko przed tym, na co nie mam wpływu". Przybył jakiś nowy?

– Nie.

– A lęk przed upływem czasu? Już wysyła pierwsze sygnały czy jeszcze czeka?

– W ogóle się tym nie przejmuję. Nie chciałabym tylko umierać, ale to nieuniknione.

– W czasach internetu każda sławna osoba jest narażona na ataki, na szczęście tylko werbalne, ze strony różnych frustratów, psycholi. Czy panią też to spotyka?

– Od 2000 roku mam stronę internetową, ale na moim forum prawie nie zdarzają się takie sytuacje.

– Prowadzi pani własny blog. Dlaczego, by nie powiedzieć – po co?

– Przede wszystkim po to, by mieć wpływ na swój wizerunek. Poza tym to teraz naturalny rodzaj komunikacji. Mam 260 tysięcy wejść miesięcznie. Pół roku temu włączyłam Facebooka – 25 tysięcy stałych wejść. Gdziekolwiek pojadę ze spektaklem, te osoby są na widowni.

– Czego pani najbardziej nie lubi w ludziach?

– Kłamstwa, nieszczerości.

– A czy jest coś, czego pani nie lubi w sobie?

– Niemało.

– Zawsze miała pani psy. Jakiej rasy jest obecny?

– Mam cztery, wszystkie kundle. I wszystkie przybłąkane lub z przytułków.

– Jakiej orientacji polityków pani nie akceptuje?

– Ja jestem takim dzieckiem „Solidarności". Najbliższy mi jest ciągle pan Tadeusz Mazowiecki.

– Czy poprosiłaby pani jakiegoś polityka o pomoc dla teatru?

– Gdyby mógł mi pomóc – na pewno, ale politycy obecnie w sprawy sztuki się nie angażują.

– Czy zdarza się pani, że coś w działaniach polityków panią – przepraszam – wkurza?

– Oczywiście.

– Jak pani wtedy reaguje?

– Tak jak wszyscy, irytacją.

– Znane osoby ze świata kultury często zabierają głos w sprawach publicznych. Pani tego nie robi. Tylko z braku czasu?

– Po przełomie politycznym sprzed dwudziestu pięciu lat powiedziałam sobie: koniec z wypowiadaniem się na te tematy. Mamy demokrację, niech się wszystko toczy tak, jak ma się toczyć. Jeśli zabieram głos publicznie – to tylko w sprawach charytatywnych albo w sprawach dzieci. Jestem także członkinią iluś rad fundacji pomagających chorym.

– Żyje pani w takim nieustającym młynie. Młynarza podobno budzi cisza. Co by było, gdyby młyn ucichł?

– Martwiłabym się tylko, co się stało z młynem.

– Czy ma pani własny sposób na stres?

– Wyjście na scenę. Na scenie mija wszystko.

– Co wspomina pani z przeszłości jako największą radość?

– Chyba zjawianie się na świecie moich kolejnych dzieci.

– A co jest największą radością dzisiaj?

– Niech pomyślę... Nie, nie wiem.

– Czego najbardziej żal?

– Że nie ma już mojego męża.

– Minister kultury i dziedzictwa narodowego nazwał panią kiedyś skarbem kultury narodowej. A czym to wszystko jest dla pani?

– Moim życiem.

Pytała Bożena Janicka
Warszawa, 2013

W wirze czasu

O Krystynie Jandzie, najważniejszej aktorce polskiego kina, postaci trochę legendarnej, jak przed laty Zbyszek Cybulski, wiedziałam, jak mi się wydawało, bardzo dużo. Panią Krystynę – rzeczywistą osobę – zobaczyłam pierwszy raz w Domu Sztuki na Ursynowie po pokazie filmu Waldemara Krzystka *W zawieszeniu*. Weszła na podium szybkim krokiem, z szelestem długiej czarnej spódnicy, wnosząc ze sobą refleks światła odbijającego się w jasnych, związanych z tyłu włosach. Film robił wrażenie, lecz spektakl na żywo w wykonaniu odtwórczyni głównej roli – nieporównanie większe.

Absolutna spontaniczność nie może łączyć się z pełną samokontrolą, podobne zjawisko nie istnieje. A jednak tamta rozmowa Krystyny Jandy z widzami potwierdzała, że owszem. Kiedy rok później prosiłam panią Krystynę o cykl wywiadów, miałam nadzieję, że złożą się na książkę, ale przede wszystkim chciałam jeszcze posłuchać, jak mówi, opowiada o sobie.

Mieszkała wtedy wraz z rodziną przy ulicy Bukszpanowej, w osiedlu domów jednorodzinnych pod mokotowską skarpą, trochę przypominającym wieś z japońskiego filmu *Kobieta z wydm*. Lato spędzała na wsi, sto kilometrów od Warszawy; stary, drewniany dom z przylegającym doń laskiem wielkości ogródka; we wsi stacyjka kolejowa, na której dwa razy dziennie zatrzymuje się pociąg osobowy.

Spotykałyśmy się potem w skromnej garderobie Teatru Powszechnego na Pradze, w antraktach *Dwojga na huśtawce* i *Shirley Valentine*. Na planie *Kuchni polskiej* Jacka Bromskiego, kiedy wróciła z Cannes ze Złotą Palmą i ekipa powitała ją ogromnym bukietem pąsowych róż. W czasie zdjęć do *Zwolnionych z życia* Waldemara Krzystka, gdzie gra w podartym, posklejanym kawałkami plastra płaszczu przeciwdeszczowym. Adres na Bukszpanowej szybko przestał być aktualny, pojawił się nowy: Milanówek. W olbrzymim, zabytkowym budynku trwał nieustający remont, synek Adaś, niedawno jeszcze karmiony przez smoczek, biegał wśród kubłów z farbą, oczekiwany był i wkrótce przyszedł na świat młodszy syn, Andrzej. Powtarzająca się informacja brzmiała: wyjeżdżam do Niemiec (albo do Francji czy do Stanów), wracam za tydzień (lub za trzy miesiące).

Kiedy wokół kogoś tak wiruje czas, doznaje się wrażenia, że niczego nie można uchwycić na gorąco. Każde opowiadanie jest o czymś, co stało się wczoraj, dnia dzisiejszego nie udaje się dogonić nigdy. Z dziennikarskiego nawyku notowałam po każdym spotkaniu jakiś niekoniecznie ważny szczegół, który – jak mi się wydawało – oddawał koloryt chwili. Te krótkie notatki poprzedzają teraz relacje pani Krystyny.

Tylko w czasie ostatniej wizyty w Milanówku magnetofon stał nie przed nią, lecz pomiędzy nami, pośrodku, i zapisywał rozmowę, w której próbowałyśmy pozbierać i skomentować wszystkie wątki, pytając również, ja panią Krystynę, a ona samą siebie: co dalej?

Warszawa, listopad 1992
Bożena Janicka

Od listopada 1992 roku minęło sześć lat, wczorajsze „dalej" jest już dniem dzisiejszym. Krystyna Janda, narratorka tamtej opowieści i moja rozmówczyni, w zamykającym książkę wywiadzie, pisze dziś o sobie – już bez mojego pośrednictwa – we własnych felietonach, zamieszczanych w „Szpilkach", a potem w „Urodzie". Znajdą się w tej książce również, lecz najpierw

– jak opowiadała o swoim, ale i naszym „wczoraj", gdy zmieniał się wokół nas świat

Warszawa, listopad 1997
Bożena Janicka

Gdy ponad dwadzieścia lat temu poprosiłam panią Krystynę o pierwsze spotkanie, była już gwiazdą, widzom upamiętniła się jednak przede wszystkim jako Agnieszka z *Człowieka z marmuru* i *Człowieka z żelaza* Andrzeja Wajdy. Filmy twórcy *Popiołu i diamentu* od początku traktowaliśmy jako coś więcej niż kino, Agnieszka stała się więc także kimś więcej niż postacią z ekranu. Pomyślałam, że opowiadając o sobie, pani Krystyna dopełni Agnieszkę, podobnie jak Agnieszka wzbogaciła zapewne czymś panią Krystynę. Zakończyłyśmy tę serię spotkań w listopadzie 1992 roku długim wywiadem. Zapisał się w końcówce tamtej rozmowy niepokój początków lat dziewięćdziesiątych. Wywiad nosił tytuł: *Byliśmy artystami ubogich*, a kończył tak: „Nie wiem, jak się w tym odnaleźć".

Kiedy w listopadzie 1997 roku usiadłyśmy przed magnetofonem, by zrekapitulować minione pięć lat, świat wokół nas wyglądał już inaczej. Poświadcza to tytuł wywiadu: *W innej skórze*. A kończył się: „Na razie tyle". Było oczywiste, że czas biegnie teraz o wiele szybciej, poczekajmy, co będzie dalej.

Nie mogło mi się jednak nawet przyśnić, że następną poważną rozmowę przeprowadzimy za lat piętnaście i że pani Krystyna, pozostając nadal aktorką, będzie prezesem Fundacji Krystyny Jandy na rzecz Kultury oraz szefową dwóch teatrów tej Fundacji. Trzeci wywiad, opatrzony datą: 2013, nosi tytuł: *Poczułam, że jestem na swoim.*

Nikt nie prosił ducha czasu, żeby wyreżyserował ten ciąg trzech wywiadów, ale wygląda na to, że tak właśnie zrobił. Co przygotowuje jako ciąg dalszy? Spytałam o to panią Krystynę na zakończenie rozmowy. Odpowiedziała: „Zapytaj mnie o to za następne dwadzieścia lat".

Warszawa, lipiec 2013
Bożena Janicka

Z domu pod wiśnią

Moja Babcia i Dziadek – oni mnie wychowali.

Rajskim ogrodem mojego dzieciństwa był wiśniowy sad. Otaczał dom dziadków na przedmieściu Starachowic. Kiedy miałam półtora roku, ojca przeniesiono służbowo do Ursusa. Rodzice wyjechali z moją młodszą siostrą, ja zostałam.

Opiekowały się mną cztery osoby: babcia, dziadek, młoda ciotka i jej narzeczony, a wkrótce mąż, Romek. Najsilniejszą osobowością w tym domu była babcia. Chociaż takie określenie jest chyba zbyt blade.

Babcia miała kilka sióstr, żadnej nie brakowało charakteru. W tej rodzinie liczyły się tylko kobiety. Mężów kochały, dbały o nich, ale mężczyzna – to był zawsze ten głupszy. One decydowały o wszystkich domowych sprawach, a innych właściwie nie było. Żadna z tych kobiet nie pracowała zawodowo. Gotowały, sprzątały, prasowały mężom koszule, wychowywały dzieci – i rządziły. Kierowały się zbiorem jedynie słusznych zasad, które czerpały ze skarbnicy

mądrości pokoleń. Wiedziały, na czym polega honor kobiety (zajmować w domu pierwsze miejsce), rola mężczyzny (zapewnić kobiecie wygodne życie), jak się zachowywać, ubierać, spędzać czas. Miały gotową odpowiedź na każde pytanie. Kiedy skończyłam cztery lata, babka uznała, że już pora wbić mi do głowy prawdę podstawową: że psu, koniowi i mężczyźnie nie wolno wierzyć nigdy. Mówiła do mnie tak: córciu, zapamiętaj na całe życie, że chłop przed ślubem rzuci w kałużę marynarkę, żebyś przeszła suchą nogą, a po ślubie każe, żebyś go przeniosła. Pamiętam babcine oracje do dziś.

Co najdziwniejsze, mężowie ogromnie te swoje żony kochali. Dziadek wysłuchiwał co wieczór krytycznych uwag pod adresem swojego rozumu, uśmiechał się pobłażliwie i mył babci nogi. Dosłownie, bo pod koniec życia trudno jej się było schylać. Mąż jednej z babcinych sióstr nigdy nie zdobył się na protest przeciwko obyczajom żony, chociaż były trochę dziwne: przez cały dzień, oparta łokciami na stole, czytała książki i pożerała kiełbasę. Była potwornie gruba, odchudzała się więc i nic nie jadła, oprócz tej kiełbasy oczywiście. Chyba że musiała spróbować zupy, którą gotowała dla męża, ale wtedy próbowała na spodeczku. Inna sprawa, że kilkadziesiąt razy. I tak spędziła całe życie.

Siostry niespecjalnie się kochały. Rodzinne wizyty były traktowane jak przykry obowiązek. Babcia nie przepadała też za wnukami sióstr, uważała je za źle wychowane. Lubiła tylko mnie i Jacka, synka ciotki i Romka. Kiedy inne dzieci z rodziny przychodziły na imieniny babci, pytała mnie po cichu: kiedy oni sobie pójdą?

Pamiętam pewną Wigilię w dużym domu sióstr babki w osiedlu na Majówce. Do wigilijnego stołu siadały zawsze razem, ale ponieważ ciągle się na siebie gniewały, nie porozumiały się, co która przyniesie, i wszystkie przyniosły to samo: rolmopsy. W czasie innej Wigilii wybuchła awantura, bo któraś z babcinych sióstr ośmieliła się powiedzieć, że jej wnuczka jest ładniejsza ode mnie. Dziadek wstał i oświadczył, że z takimi babami, które pogubiły oczy, przy jednym stole siedział nie będzie. Nigdy więcej już tam na Wigilię nie poszliśmy. Stosunki się rozluźniły, ku wielkiemu mojemu żalowi, bo uwielbiałam słuchać rozmów babci i jej sióstr. Wiedziały, co działo się w promieniu kilku kilometrów, i komentowały wszystko wyczerpująco i solennie. Potem, kiedy babcia przestała w ogóle wychodzić poza obręb ogrodu, posyłała mnie do miasta po drobne sprawunki, ale przede wszystkim po to, żebym zdała relację, co widziałam po drodze. Miałam patrzeć i zapamiętać, a potem wszystko dokładnie opowiedzieć. Odpytywała mnie po powrocie, co kwitnie w ogródkach, czy zza płotów szczekały na mnie psy, jak potraktowała mnie pani na poczcie, co powiedziała ekspedientka w sklepie, jak były ubrane klientki, czy pani w aptece ma ufarbowane włosy i na jaki kolor, z czym była kanapka, którą jadł listonosz. A kiedy posyłała mnie na targ, musiałam odpowiadać, czy Helenka sprzedawała dziś marchew, a Józia kapustę (babka kupowała zawsze u tych samych osób), czy Wojciech z Majówki przywiózł na targ cielę i czy je sprzedał.

Babcia już wtedy prawie nie wstawała z łóżka, które dziadek ustawiał dla niej w sadzie pod wiśnią. Lubiłam siedzieć obok na ławeczce i robić sweterki dla białej kotki. Kiedy się ją ubrało w jakieś szmatki i położyło do wózka dla lalek, leżała spokojnie na grzbiecie, z łapkami na wierzchu.

To był nasz świat – babki, dziadka i mój. Liczyło się jedynie to, co można zobaczyć na własne oczy albo o czym da się zasięgnąć wiarygodnej informacji. Telewizorów jeszcze w Starachowicach nie było, w radiu słuchało się tylko Matysiaków. W sobotę, kiedy dziadek wynosił do sadu cynową wannę i zaczynała się kąpiel, z otwartych okien domu dobiegały rozmowy na Dobrej.

Na niedzielę sprzątało się tak, żeby wszystko błyszczało jak lustro. Dwie czynności wykonywali mężczyźni: szorowali podłogi i czyścili wszystkim buty. Resztę robiły kobiety. Pamiętam wilgotny zapach szorowanych desek i terpentynowy pasty, szelest rozkładanego na stole obrusa, dotyk pościeli krochmalonej na sztywno, jak tektura. W niedzielę do wszystkich woni dołączał się zapach rosołu, przypiekanej na blasze przekrojonej na pół cebuli, cukru waniliowego, którym posypywano ciasto z jabłkami, i oszałamiający odór wody kolońskiej Carmen, którą zlewał się dziadek.

Dziś może się to wydawać dziwne, ale wszyscy mieli masę czasu. Dużo się czytało, chociaż inaczej i co innego niż obecnie. Kiedy zaczynała się zima, dziadek kładł na stole, obok lampy, *Pana Tadeusza* i czytał go aż do wiosny. Każdej zimy tylko tę książkę. To była jego książka zimowa. Co czytała babka, zorientowałam się dopiero po latach, kiedy przyjeżdżałam do babcinego domu na wakacje. Na półce w pokoju babki stali głównie Żeromski i Wańkowicz; o dziwo, nie było Sienkiewicza. Mnie książki dla dzieci czytali głośno ciotka

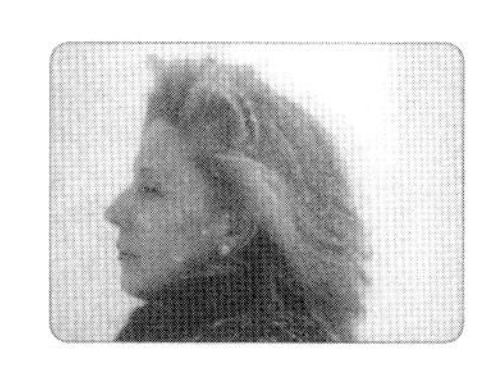

i Romek. Mogłabym dziś jeszcze opowiedzieć scena po scenie *Serce* Amicisa, *W pustyni i w puszczy*, *Anię z Zielonego Wzgórza*. Zestaw przedwojenny, solidny, sprawdzony, bez nowomodnych wymysłów w rodzaju *Kubusia Puchatka*. Ciotka dobrze czytała, miała prawdę w głosie. Ton zgadzał się z treścią, nie było fałszu. Nad losami bohaterów płakałyśmy razem.

Jednak najważniejszy był dla mnie dziadek, czyli drugi mąż mojej babki. Czekał na babcię kilkanaście lat, mógł się z nią ożenić, dopiero kiedy owdowiała. I zrobił to, chociaż miała już troje dzieci. Pobrali się tuż po wybuchu wojny. Dziadek chodził ze mną na długie spacery do pobliskich lasów; biegł z nami zawsze pies Tropek. Dziadek znał las doskonale z czasów wojny, był w partyzantce. W jego opowiadaniach splatały się dwa wątki, partyzancki i rodzinny. Dom stał na skraju lasu, babcine dzieci przenosiły wiadomości i meldunki. Dziadek mówił ze zgrozą o Ukraińcach, o Niemcach dobrze. Domy babki i jej sióstr były duże, kwaterowali więc tam stale jacyś niemieccy wojskowi i chociaż orientowali się, że mężczyźni w kożuchach przychodzą z lasu, nigdy nie zrobili z tego użytku. Płacili za żywność i sprzątanie, nie upijali się, słowem, zachowywali się przyzwoicie. Może to dziwne, ale dziadek tak właśnie o tym opowiadał.

Historię rodziny ze strony mamy znałam doskonale, o rodzinie ojca wiedziałam mniej. Obie moje babki nie znosiły się wzajemnie. Babcia ze strony mamy wygadywała na temat tej drugiej niebywałe złośliwości, najczęściej potwornie niesprawiedliwe, i sprawiało jej to najwyraźniej ogromną przyjemność; dostawało się zresztą również matce jej drugiego zięcia, Romana. Pozwalała mi odwiedzać drugą babkę tylko z okazji imienin i świąt. Odprowadzał mnie dziadek, dzwonił do drzwi, ale sam nie wchodził. Wracał po mnie za godzinę. Tamta babcia nie ubiegała się zresztą specjalnie o towarzystwo wnuczki. Córka i syn tych skłóconych domów, czyli moi rodzice, nic sobie z tych nienawiści nie robili.

Mieszkali już zresztą gdzie indziej, w Ursusie, dokąd zabrali i mnie, kiedy skończyłam siedem lat. Trzeba było pójść do szkoły.

W naszym bloku w Ursusie na parterze mieściła się biblioteka. Czytałam wtedy według katalogu, zaczynając od litery A. Przeciętnie dwie książki dziennie, kończąc nocą, z latarką pod kołdrą. Wracałyśmy z siostrą ze szkoły i biegłyśmy po książki, a potem kładłyśmy się z książką, bułkami, butelką mleka oraz kotem i psem i czytałyśmy aż do powrotu rodziców. Przychodzili późno, około szóstej, siódmej. Zapamiętywałam teraz książki inaczej niż wtedy, kiedy czytywała mi ciotka. Już nie zdarzenia, lecz ludzi. Postacie, charaktery. Rodzice zorientowali się, że marnujemy czas, pochłaniając książki bez wyboru. Pojawiły się dodatkowe zajęcia: lekcje języków, muzyki, a kiedy zaczęłam chodzić do szkoły muzycznej – również chór. Tylko w niedzielę wychodziłam się bawić na podwórko. Najbardziej lubiłam robić przezrocza.

Nie wiem, czy dzisiejsze dziewczynki jeszcze znają tę zabawę. Trzeba wygrzebać płaski dołek, ułożyć w nim jakieś śliczne rzeczy: sreberko, kolorowe papierki, piórko, skrawek koronki, przykryć to wszystko kawałkiem stłuczonej szyby i zasypać ziemią. A potem szuka się z drżeniem serca, czy przezrocze nie zniknęło. Wyczuwa się pod palcami szkło, zdrapuje ziemię – i ogląda. Po latach lubiłam robić przezrocza na wsi razem z moją córką Marysią. Za każdym razem doznawałam podobnego skurczu serca, kiedy usuwałyśmy ziemię, a spod szybki błyskał nietknięty skarb.

Był jeszcze pies Filip, który nienawidził pijaków i mundurowych. W pobliżu naszego domu stała budka z piwem. Kiedy wyprowadzałyśmy Filipa na spacer, pijaczkowie ze strachu wskakiwali na siatkę. Zresztą nie gryzł, tylko szczypał zębami w tyłek. Gdy wracałam wieczorem ze szkoły muzycznej, mama wychodziła po mnie na dworzec z Filipem; z nim czułyśmy się zupełnie bezpieczne. Znano go w całym mieście.

Wtedy, w podstawówce, byłam tak zwaną rozsądną dziewczynką. Rodzice zapisali mnie do szkoły muzycznej, chodziłam więc, chociaż nie lubiłam ani śpiewać w chórze, ani grać. Cała prawda o mojej nauce muzyki jest taka: młody nauczyciel, który przychodził na lekcje do domu, odwalał wprawki za mnie i za moją siostrę, a my płaciłyśmy mu chlebem ze smalcem i z musztardą. Mama słuchała z drugiego pokoju i była zachwycona naszą pracowitością. Do dziś nienawidzę fortepianu.

W swoim pokoju mogłyśmy robić, cośmy chciały, nie nadużywałyśmy jednak wolności. Owszem, ściany malowałyśmy plakatówką w najrozmaitsze wzory i kolory, ale mama malowała razem z nami. I bez przerwy przerabiałyśmy meble, dzieląc je na części i odpiłowując nogi. We wszystkim brała udział

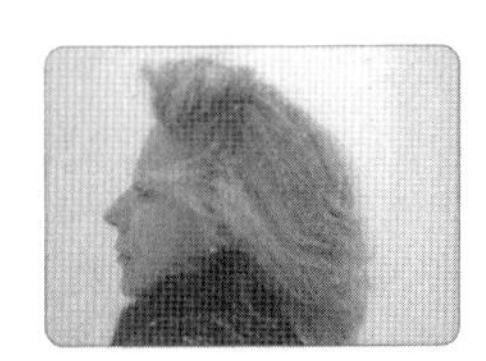

mama. Myślę, że główną cechę mojego charakteru – pewnego rodzaju luz – odziedziczyłam po mamie.

Ojciec znosił nasze pomysły gorzej. I trudno mu się dziwić; mało który ojciec byłby zachwycony, gdyby córka zaprosiła do domu czterdziestu hipisów. Zdarzyło się to później, kiedy chodziłam już do liceum plastycznego. Zresztą wtedy nie powiedział nic, wybuchnął dopiero, kiedy uszyłam sobie spodnie w kwiaty. Spodni zaakceptować nie mógł, bo spodnie widać. Chodziłam w kwiecistych spodniach po ulicy, a Ursus jest miastem konserwatywnym. Dosyć smutnym miastem, z którego chciałam się wyrwać.

Myślę, że właśnie dlatego wybrałam jako szkołę średnią liceum plastyczne. Dostać się do sławnej szkoły w warszawskich Łazienkach – to było coś. Nie zniechęciła mnie wiadomość, że na jedno miejsce przypada dwudziestu kandydatów, a już zupełnie nie przejmowałam się tym, że przedtem właściwie nigdy nic nie narysowałam.

Nie miałam wymaganej teczki, trochę rysunków jednak zrobiłam, trochę pozbierałam od kolegów i poszłam na egzamin. O dziwo – przyjęli mnie. A co jeszcze dziwniejsze – dawałam sobie potem nieźle radę. Zarzucali mi tylko, że moje malowanie jest strasznie teatralne. Jeśli martwa natura – nie wystarczały mi błyszczący dzbanek i coś matowego, musiały być dzbanek i zwiędły kwiat. Wszystko musiało coś znaczyć.

Siedziałam w jednej ławce z Jurkiem Janiszewskim, tym, który później wymyślił znak Solidarności. Dojeżdżałam z Ursusa, on był z Płocka. Nosił spodnie z frędzlami u dołu nogawek, kamizelkę z frędzlami i nawet buty z frędzlami. W Płocku stanowiło to zapewne szczyt elegancji, w Warszawie wręcz przeciwnie. Był z moich rejonów, mniej więcej.

Byliśmy podobni – równie „nowi" w tym świecie warszawskiej, elitarnej młodzieży, która już wcześniej chodziła na wystawy, miała sprecyzowane gusty malarskie, i do tego wiedziała, dlaczego są takie a nie inne, i skąd jej się to wzięło. Oboje, ja i Jurek, wpatrywaliśmy się w ten świat z podziwem, uśmiechaliśmy się do niego z całą naiwnością. Nie mieliśmy tradycji ani świetnego gustu, ale też żadnych zobowiązań. Ja nie mogłam namalować obrazu abstrakcyjnego, ponieważ przekraczało to moje możliwości intelektualne, i byłam w tym szczera, prawdziwa i pokorna, a Jurek dalej chodził we frędzlach. Ile razy zajrzałam mu przez ramię do zeszytu, rysował taki sam rysunek: Mick Jagger, tyłem, z długimi włosami, w zamszowej kamizelce z frędzlami, siedzący po turecku, z mikrofonem w prawej ręce. Rysunek ten, wzorowany na bardzo znanym wtedy zdjęciu, miał pod spodem zawsze ten sam podpis: MICK JAGGER, wypisany Jurkowymi „spuchniętymi" literkami. Wiele lat później, kiedy pierwszy raz zobaczyłam napis SOLIDARNOŚĆ, jakieś niejasne uczucie przeszyło mi serce. A jeszcze później, w Paryżu, spotkałam Jurka. Przyszedł zapytać, czy nie pomogłabym mu załatwić praw autorskich do tego napisu, bo „cały świat to drukuje, używa tego, jak chce, prywaciarze robią koszulki, długopisy, zbijają forsę, a ja nic z tego nie mam".

W 1980 roku mieszkał w Gdańsku, blisko stoczni. Przyszli w nocy, poprosili, żeby napisał: Solidarność. To napisał. Wszystko odbyło się szybko, nie było czasu na myślenie. Zastanawiali się tylko, w którą stronę chorągiewka, to znaczy, czy napis ma „iść" na wschód, czy na zachód. Zrobili na wschód, bo lepiej wyglądało.

Nie wiem, gdzie jest Jurek, co się z nim teraz dzieje i czy ma prawa do napisu i liternictwa, które potem otrzymało nazwę „gdański gotyk". Napis SOLIDARNOŚĆ jest częścią naszego życia, wywołuje wiele wspomnień i tysiące emocji, a ja wciąż nic nie mogę poradzić na to, że gdy go widzę, myślę: Mick Jagger.

Chodziłam więc do liceum w Łazienkach i dawałam sobie nieźle radę. Malowałam w nocy, w dzień nie miałam czasu. W łazience, żeby nikogo nie budzić. Opierałam blejtram o sedes i machałam pędzlem do północy. Niosłam zawsze do szkoły mokry obraz.

Dziś wiem, że gdybym chciała zająć się tym poważnie, musiałabym wybrać nie malarstwo, lecz grafikę żurnalową. Wyczuwałam dobrze kompozycję, proporcje, kreskę też. Moda – toby mnie interesowało naprawdę.

W tamtych latach najważniejsze było jednak dla mnie coś innego: kontakty towarzyskie. Zaprzyjaźniłam się z dwójką moich rówieśników, którzy stracili rodziców w wypadku samochodowym. Mieszkali sami, czasami tylko zaglądał do nich opiekun. Pamiętam spotkania w tamtym domu bez dorosłych:

siedzieliśmy na podłodze, łamaliśmy się chlebem, piliśmy wodę i słuchaliśmy jednego dźwięku z magnetofonu. Albo nagranych na taśmę przemówień Hitlera, których oczywiście nikt nie rozumiał. Chodziło o to, żeby się wprowadzić w jakiś dziwny stan. Rodzaj narkotycznego transu, tylko bez narkotyków.

Nie był to jedyny krąg moich przyjaciół, zainteresowania miałam rozległe i zróżnicowane. W poniedziałek poznawałam grupę hipisów, we wtorek reprezentację Polski w piłce nożnej. Szkoła też nie była jedna. Pewnego dnia przeczytałam w gazecie, że ogłoszono zapisy do studia baletowego przy Operetce Warszawskiej i pobiegłam tam zaraz. Kazali mi się rozebrać do trykotu, trochę się poruszać – i przyjęli. Nie wiem dlaczego, bo zupełnie nie miałam talentu.

Z tańcem było tak jak ze śpiewem: nie mogłam zrozumieć, o co chodzi. Śpiewa się wokalizę, czyli jakieś nuty bez tekstu, trzeba je utrzymać na określonej wysokości, ale właściwie po co? Udawało mi się tylko wtedy, kiedy zmuszałam się, by nie myśleć o niczym. Jeśli tylko wkradała się jakaś myśl, zaczynałam fałszować. Wytłumaczył mi kiedyś Marek Grechuta, na czym to polega: musi się uformować jakby słup powietrza z mózgu do nieba. Znika myśl, cały organizm staje się instrumentem. Rozumiem, ale ja bym się wstydziła.

Wstydziłam się śpiewać i tańczyć dla samego śpiewu i tańca, wydawało mi się, że to jest jakby po nic. Mogę śpiewać i tańczyć, ale musi to być część roli, sposób wyrażenia pewnych treści. Podobnie było przy malowaniu: nie byłam w stanie namalować abstrakcyjnego obrazu. Jest we mnie coś takiego, co nie pozwala mi przekroczyć bariery abstrakcji. Mogłabym śpiewać długie nuty, mam odpowiednią przeponę, mocne struny głosowe, ale kiedy ciągnę dźwięk zbyt długo, wpadam w panikę. Czuję pożar w mózgu.

Chodziłam więc przedpołudniami do liceum plastycznego, a popołudnia spędzałam w studium baletowym. Wracałam do Ursusa około dziesiątej wieczorem. Część lekcji odrabiałam między szkołą a Operetką, w kawiarni na Marszałkowskiej, przy bitej śmietanie (kelnerki już mnie znały, bo zamawiałam zawsze to samo), część w domu, siedząc w kąpieli i kładąc książki na deseczce umocowanej nad wanną. Zdarzało mi się zasnąć ze zmęczenia, bo taniec jest ciężką pracą. Okazało się jednak, że mam coś nie w porządku z kręgosłupem i muszę natychmiast naukę tańca przerwać.

Tymczasem zdałam maturę i pojawiło się pytanie, co dalej. Myślałam naturalnie o ASP. Moja koleżanka Zosia Dziwirska wybierała się do szkoły teatralnej i poprosiła, żebym z nią poszła na zwiady, bo sama się boi. Chciałyśmy zasięgnąć informacji w punkcie konsultacyjnym. Siedziałyśmy trzy godziny pod drzwiami i nikt nas nie wezwał. Byłyśmy po zajęciach w szkole, bez obiadu, zmęczone i głodne. Nie było rady, trzeba było wejść i zrobić awanturę. Poszłam więc ja jako niezainteresowana.

Zastałam w środku kilka osób, był tam także profesor Bardini. Właśnie profesor powiedział, że to ja powinnam zdawać. Kompletnie mnie zaskoczył, bo o szkole teatralnej nigdy nie myślałam. Nie wygłaszałam wierszy na akademiach, nie należałam do kółek teatralnych. A tu nagle... Zapytałam, jakie mogą mi dać gwarancje, bo mam w planie ASP. Wybuchnęli śmiechem: gwarancji nie ma, ale radzimy pani zdawać.

Zaczęłam się zastanawiać, co robić. Korciło mnie, żeby się sprawdzić, nie zwierzałam się jednak ze swoich planów nikomu. Bałam się, że mi powiedzą: czyś ty zwariowała? Idź na ASP, a jeśli cię nie przyjmą, to na polonistykę albo na psychologię.

I rzeczywiście usłyszałam coś podobnego od pierwszej osoby, do której zwróciłam się po radę. Musiałam przygotować na egzamin fragment prozy i wiersz, a nie miałam pojęcia, co wybrać. Przy Zakładach Mechanicznych w Ursusie działało kółko teatralne, które prowadziła pani Regina Skoczek, zaprzyjaźniona z moją sąsiadką. Zapytałam, czy nie mogłaby mi poradzić, czego mam się nauczyć na egzamin. Pani Regina wylała na mnie kubeł zimnej wody. Powiedziała, że się nie nadaję, absolutnie! Jestem ostatnią osobą, która mogłaby o tej szkole myśleć. Kierowała się dobrym sercem, chciała mnie uratować od rozczarowań i klęsk, ale przyjemne to nie było. Usłyszałam, że jestem brzydka, głupia, mam niedobrą cerę i krosty. Mówiła mi to wszystko bez owijania w bawełnę. Urocza kobieta. Ponieważ się uparłam, pomogła mi w końcu wybrać, co trzeba, i doradziła bardzo dobrze. Przesłuchawszy mnie, zorientowała się od razu, jaki rodzaj tekstów będzie dla mnie najkorzystniejszy. Zaproponowała wiersz Tuwima „Wiosna", bardzo ostry w wymowie. Pamiętam takie miejsce: „Na ławce, psiakrew, na trawce naróbcie Polsce bachorów", albo: „Wyjdziecie dziś na rogi ulic, o kochanki, sprzedawać się obleśnym, trzęsącym się starcom".

Dla kontrastu wybrała łagodny wiersz Gałczyńskiego o złotych żabkach, które wytapiał mistrz Benvenuto. Jako fragment prozy zaproponowała listy miłosne Zapolskiej do Stanisława Janowskiego.

Pierwszego dnia przyszłam na egzamin w czarnej sukni prawie do kostek, ze związanymi włosami. Wyglądałam jak zakonnica. Lubiłam ten styl, trzymałam się go potem przez całe lata. Szkoła plastyczna wyrabia gust, upodobania, wiedziałam już, jak się ubrać.

W tej surowej czarnej sukni walnęłam komisji z całego serca wiersz o rui i porubstwie. Potem pan Andrzej Łapicki kazał mi usiąść naprzeciwko i powiedzieć wprost do niego list Zapolskiej. A były tam takie słowa: „Stachu, przyjedź do mnie, ja cię tak upieszczę" – i dosyć dokładnie, co mu zrobi. Obok Łapickiego siedziała Ryszarda Hanin w czerwonym kapeluszu, dalej inne wielkie panie, a ja miałam patrzeć w oczy Łapickiemu i mówić ten trochę erotomański tekst.

Właściwie nic z tego egzaminu nie pamiętam: tylko to, że byłam na krawędzi łez, i czerwony kapelusz pani Ryszardy Hanin.

Po pierwszym etapie egzaminów nie pojechałam sprawdzić, czy zakwalifikowałam się do drugiego. Ktoś znajomy znalazł moje nazwisko na tablicy ogłoszeń i zadzwonił z wiadomością, że za godzinę moja kolej. Z pośpiechu i zdenerwowania zapomniałam włożyć majtki. Ubrałam się w spódniczkę mini, włożyłam rajstopy, ale o majtkach zapomniałam. Zorientowałam się w drodze, kiedy już było za późno. To był egzamin z podstawowych działań aktorskich i bałam się panicznie, że może trzeba będzie biegać, usiąść, a ja mogę tylko stać, sztywno i równo. Na szczęście dostałam zadanie stojące: zadzwonić z budki do narzeczonego, który nie przyszedł na spotkanie.

Potem było jeszcze przepytywanie z przedmiotów teoretycznych. Zabłysnęłam francuskim, tłumacząc pewne zdanie zamiast „rankiem najlepiej się myśli" – „ranki są najlepsze do miłości", i... zdałam.

Dowiedziałam się z wywieszonej listy, że zostałam przyjęta, wyskoczywszy na chwilę z taksówki, która wiozła mnie z mamą na dworzec. Jechałyśmy do Łącka na wakacje. Mama powiedziała: twoje życie, zrobisz, co zechcesz, babcia natomiast nie przebolała do końca. Ostatnie zdanie, jakie powiedziała, umierając, brzmiało: a Krysia została aktorką... Był to dla niej prawdziwy wstyd, wielki dramat.

W październiku zaczęły się zajęcia Już po dwóch tygodniach wiedziałam, że znalazłam to, czego szukałam w szkole muzycznej, w liceum plastycznym, w studium baletowym. Po raz pierwszy liczyła się tylko szkoła, nic innego nie było ważne. Dałabym się wtedy zabić za to, co właśnie odkrywałam. Rzuciłam narzeczonego, bo rozpraszało mnie, że siedzi na dole i czeka na mnie po zajęciach. Nie miałam już zresztą o czym z nim rozmawiać; nie znał świata, który pochłonął mnie całkowicie.

Pamiętam zajęcia z Janem Kreczmarem, moim pierwszym profesorem. Spotkania te polegały na opisywaniu, reżyserowaniu i graniu najbardziej intymnych i dramatycznych przeżyć z naszego życia. Przychodziliśmy w trykotach, dziewczęta nieumalowane, niczego nie dało się ukryć. Czego tam nie było! Gwałty, porwania, pijani ojcowie, rozstania. Reżyserowaliśmy się nawzajem, zdradzając najintymniejsze szczegóły z naszych biografii, sprzedając całe swoje życie...

Któregoś dnia profesor Kreczmar zaczął coś w rodzaju psychozabawy. Zadawał pytania z ciemności, w której zawsze siedział, a my odpowiadaliśmy, stojąc w pełnym świetle na scenie. Były to pytania na tyle intymne, by stworzyć atmosferę skupienia, napięcia. Stałam na scenie i odpowiadałam. Obok było otwarte okno, za którym śpiewały ptaki. Zaczynało się lato. W sali panowała kamienna cisza. Padło kolejne pytanie. Nie umiałam na nie odpowiedzieć. Wstydziłam się? Nie chciałam? Nie wiem. Nagle usłyszałam, że Kreczmar wstaje i idzie w moim kierunku. Długo szedł (był już bardzo chory), stanął w świetle i wyciągnął rękę, żeby mnie pogłaskać. Nie wytrzymałam i w momencie kiedy prawie mnie dotykał, wyskoczyłam z wysokiego parteru przez okno... Wstydziłam się tego długo. On też. Już właściwie nigdy potem ze sobą nie rozmawialiśmy. W jakim musiałam być napięciu! Co ta szkoła, te zajęcia, dla mnie znaczyły? Czy dziś wyskoczyłabym przez okno (nawet gdyby to był niski parter) z jakiegokolwiek powodu, czy ktokolwiek i cokolwiek doprowadziłoby mnie do takiego stanu?

Okazało się, że z poprzednich szkół wyniosłam jednak wiadomości bardzo pożyteczne. Znałam historię muzyki, malarstwa, tańca; mogłam się skupić na zajęciach praktycznych. Zaczęłam jednocześnie uczyć się teatru i kochać teatr.

Byłam przedtem w teatrze tylko na dwóch przedstawieniach: *Weselu* w reżyserii Hanuszkiewicza i *Dziadach* – Swinarskiego. W czasie *Wesela* tak się całowałam z jednym chłopakiem, że przewróciliśmy ostatni rząd krzeseł. Na

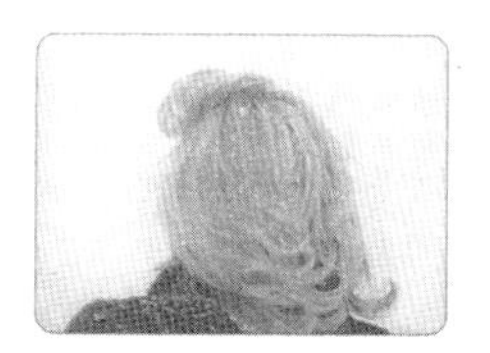

Dziadach zasnęłam, bo wizyta w teatrze była zakończeniem szkolnej wycieczki, przedtem cały dzień zwiedzaliśmy Kraków. Pamiętam tylko pierwszy monolog w wykonaniu Treli, nic więcej. Obudziło mnie uderzenie pioruna, który zabił Doktora, ale zaraz zasnęłam znowu. Teraz zaczęłam chodzić do teatru co wieczór. Niektóre przedstawienia oglądałam kilkanaście razy i nie miałam dosyć. To była chyba najważniejsza część mojej aktorskiej edukacji.

W szkole chciałam jak najwięcej grać, ale nie miałam z kim. Koledzy nie bardzo znosili moje pomysły i mój temperament, tylko Joasia Szczepkowska dawała się uprosić. Spotykałyśmy się po zajęciach w pustym audytorium, ustalałyśmy kierunki („Ja stoję tam, ty podchodzisz") i grałyśmy do upadłego. Joasia wiedziała o teatrze wszystko, wyniosła ogromną tradycję z domu, a ja nie miałam o niczym zielonego pojęcia. Ona była w tym świecie u siebie, ja czułam się przybyszem, obcym.

Jeszcze w czasie studiów profesor Bardini zaproponował mi rolę w *Trzech siostrach* w TV. Zagrałam Maszę.

Szkołę ukończyłam z wyróżnieniem.

Latem na wsi

Upał, wakacje. Dom na wsi: duży, stary, drewniany. Każdy pokój ma własny ganek lub balkon, w każdym stoi gliniana kuchnia. Nad drzwiami blaszane numerki; to dawny pensjonat, wieś Bosewo miała przed wojną charakter letniskowy. Ale te kuchnie? Wyjaśnienie okazuje się proste: przyjeżdżali tu ludzie niezbyt zamożni, z rodzinami, gotowali sobie sami.

Na obiad jest kartoflanka z zacierkami, kopytka, pieczarki i pomidor. Do picia sok rozcieńczony wodą ze studni. Może być kawa.

Przy stole: nieprzeciętnie miła osoba – mama, komentujący ostatnie wydarzenia polityczne ojciec, kilkunastoletnia siostrzenica Karolina, niespełna roczny synek Adaś. Brakuje męża Edwarda (za granicą) i córki Marysi (w górach). Dodatkowo dwójka wakacyjnych gości: Marta i Andrzej, bliźnięta z domu dziecka.

– One nie są upośledzone psychicznie – odpowiada potem na moje pytanie pani Krystyna – to jest upośledzenie społeczne, nabyte. Miesiąc w rodzinie może w podobnym przypadku bardzo pomóc.

Bliźnięta nie mają pojęcia, kim są osoby udzielające im gościny, ale chyba rzeczywiście nie zbywa im na bystrości, bo okazują posłuszeństwo tylko wobec pani Krystyny. Słyszę, jak Marta mówi do brata w ogródku: „Nie rób tak, Krysia nie kazała".

W miniaturowym lasku koło domu, dobrym na spacery perypatetyków, pani Krystyna opowiada o swoich kontaktach z Komitetem Obrony Praw Dziecka. Wyprasza dla Komitetu pomoc, kiedy robi filmy za granicą. Prosi na przyjęciach; im wystawniejszy bankiet, tym większa gwarancja, że będą się wstydzili odmówić.

Z błyskiem w oku mówi o ostatnim sukcesie członkiń Komitetu. Uzyskały uniewinnienie kobiety, która zabiła męża: zarąbała go siekierą. Nie ukrywam zdumienia: uniewinnienie? Oczywiście, maltretował nie tylko ją, lecz i dzieci! I pani Krystyna dorzuca argument nie do odparcia: kto by się tymi dziećmi zajął, gdyby ją posadzili?

Eliza i profesor Higgins

Andrzej Seweryn był w PWST asystentem Tadeusza Łomnickiego, ale uczył inną grupę. Widywałam go tylko na korytarzach i bardzo mi się nie podobał. Kiedy zaczęłam chodzić co wieczór do teatru, spotykałam go coraz częściej. W tamtych latach stale było w teatrach coś do obejrzenia. On oglądał wszystko, ja także. Zbliżył nas też nieżyjący już Piotrek Zaborowski, z którym się przyjaźniłam, a Piotrek z kolei był zaprzyjaźniony z ówczesną żoną Andrzeja. Pewną rolę odegrał również bufet w szkole teatralnej. Przesiadywałam tam przy kawie, bo miałam wolne przedpołudnia, zaliczono mi część zajęć teoretycznych. Niebawem weszłam w skład swojego rodzaju loży, do której należał też Andrzej. Ta sama grupa przyjaciół przeniosła się wkrótce na salony – i ja razem z nimi. Trafiałam nieustannie na jakieś odpryski z jego życia.

Przełomowym momentem naszej znajomości stał się pewien wieczór w Starej Prochowni. Andrzej tam wtedy grał. Wyjątkowo; było to przedstawienie *Hyde Parku*, przeniesione z teatru Ateneum. Nie zrobił na mnie zresztą specjalnego wrażenia. Po spektaklu znów spotkaliśmy się w pewnym domu. Po tym wieczorze zaczął mnie szukać, dzwonić. Umawialiśmy się na spotkania, najczęściej w sprawie książek. Pamiętam, że pożyczył mi *Ferdydurke* Gombrowicza. Później zachorowałam, a on zaczął telefonować codziennie, nic więcej jednak się nie działo. Aż do pewnego wieczoru, kiedy przyjechał do Ursusa, tym razem bez żadnego pretekstu. I właśnie wtedy – jak by to powiedzieć – stało się to, co się stało.

Zaczęłam się w tę sprawę wciągać. Poznawałam coraz lepiej jego życie (nie było wolne od komplikacji), pasje, zainteresowania. Musiałam go bronić, bo ani moi rodzice, ani przyjaciele nie przepadali za nim. Rodzicom nie podobało się w nim wszystko. Ja też nie byłam nim zresztą zachwycona. Zafascynował mnie jednak ogromnie krąg jego znajomych, środowisko, w którym się obracał, życiorys. W 1968 roku siedział w więzieniu, a do swoich przyjaciół zaliczał ludzi, których nazwiska miały niebawem stać się bardzo znane z działalności opozycyjnej. Dzięki Andrzejowi weszłam w świat, który przedtem był dla mnie zamknięty.

Bez niego nie znalazłabym tej furtki. Moi rodzice polityką się nie interesowali. Ciężko pracowali, kończąc jednocześnie studia. Nie mieli łatwego życia, wszystko, co osiągnęli, wymagało ogromnego wysiłku, brakowało im już siły do buntu przeciwko potęgom tego świata. W domu nie prowadziło się rozmów na tematy polityczne, rodzice uważali, że wystarczy uczciwie żyć. Kiedy jeszcze w szkole podstawowej pytałam ojca, jak to było z tym SDKPiL-em, albo dlaczego Nowotkę zrzucono na spadochronie, bo kompletnie tego nie rozumiałam, ojciec odpowiadał: tego się nie da zrozumieć, trzeba się nauczyć na pamięć, wystarczy.

Andrzej wprowadził mnie w nowy świat W tym środowisku byłam tylko kimś na przyczepkę do Andrzeja. Poznałam ludzi, którzy siedzieli latami w więzieniach, poświęcili życie wielkiej sprawie. Spotykali się najczęściej w mieszkaniach na osiedlu Za Żelazną Bramą. To były małe mieszkania, stali więc stłoczeni, a na podłodze, między nogami dorosłych, przeciskały się na czworakach dzieciaki. Pewnego dnia ja też zeszłam na czworaki pomiędzy dzieci i w pewnym sensie tam zostałam. Chowałam się gdzieś w kącie i stamtąd chłonęłam opowieści i rozmowy. Mogłam tego słuchać godzinami Wreszcie koło drugiej zasypiałam ze zmęczenia i Andrzej zabierał mnie do domu.

Zaczęłam rozumieć, jaki to wartościowy, pracowity człowiek, i zaczęłam go szanować, a w końcu pokochałam. Albo tak mi się wydawało; byłam przecież bardzo młoda.

Kiedy już byliśmy małżeństwem, przestałam mu towarzyszyć w wypadach na kombatanckie spotkania. Chodził sam, ja zajmowałam się domem i dzieckiem. Domem z firankami, dywanem i fotelem. Zresztą bardzo zwyczajnym, tyle że czystym. Przyjaciołom Andrzeja wydawał się mieszczański, prawie kołtuński. Była tam również gosposia, Honorata.

O Honoracie powinno się napisać osobną książkę. Kiedy ją poznałam, skończyła siedemdziesiąt lat, mówiła gwarą, której prawie nie rozumiałam, nie umiała czytać i nie znała się na zegarze. Niegdyś miała duże gospodarstwo, ale po śmierci męża oddała je wychowankowi i przyjechała do rodziny do Warszawy. Przez dwanaście lat niańczyła tam dzieci i opiekowała się chorą krewniaczką.

Kiedy już była u mnie – bo w końcu wymówiono jej dom – powiedziała, że najgorsze było rozstanie z tamtymi dziećmi.

Nie potrzebowałam gosposi, ale ktoś przyszedł z wiadomością, że jakaś stara kobieta siedzi w kościele i płacze, bo nie ma dokąd pójść, wzięliśmy ją więc z Andrzejem do siebie. Wynajmowaliśmy wtedy przy placu Zbawiciela jeden pokój. Honorata jeździła na noc do moich rodziców do Ursusa, do nas przyjeżdżała na dzień. Później doszłam do wniosku, że podjęłam tę decyzję albo w natchnieniu, albo wmieszała się w to Opatrzność.

Honorata była wielką, niezwykłą indywidualnością. To ona ukształtowała mnie jako osobę, człowieka, a może nawet jako aktorkę. Dzieliła ze mną życie na pewno pełniej niż mąż. Kochała moje dziecko i mnie ogromną, wierną miłością.

Stworzyłam więc dom, byłam w ciąży, urodziłam dziecko. Siedziałam z Marysią na kolanach w bujanym fotelu i czekałam, kiedy Andrzej wróci z wieczornego spektaklu. Zupełnie zapomniałam, że ja też miałam zostać aktorką. Mój mąż aktorki we mnie nie widział, a więc i ja nie widziałam jej w sobie. Uważałam, że to już wszystko: mąż, dziecko, dom (mieliśmy teraz własne mieszkanie na Stegnach). Dalej pójść nie można, niczego więcej nie będzie. Honorata też była szczęśliwa.

Zaczęłam sobie jednak uświadamiać, że gdyby nie Honorata, musiałabym troszczyć się o wszystko sama. Marysia urodziła się w marcu, a w lipcu Andrzej powiedział, że jedzie odpocząć po ciężkim roku pracy. Do Bułgarii, beze mnie. Na pozór wszystko wydawało się w porządku; dziecko jest małe, więc ja zostaję, a on jedzie wypocząć. Jednak było w tym coś dziwnego. Odprowadziłam go na lotnisko.

Od tego wyjazdu coś się zaczęło psuć.

Po wakacjach Marysia skończyła pół roku, a ja dostałam propozycję zagrania Anieli w *Ślubach panieńskich* w Ateneum i głównej roli w *Portrecie Doriana Graya* na Małej Scenie Teatru Narodowego. Nie mogę powiedzieć, żeby Andrzej patrzył na moje plany zawodowe nieprzychylnie, lecz nie traktował ich poważnie, raczej z przymrużeniem oka. Sam był od dawna cenionym aktorem, dużo grał. W *Ślubach* miałam wystąpić obok Śląskiej, Świderskiego, Barszczewskiej, Borowskiego. Grał też Andrzej.

Sprawiałam im na próbach masę kłopotów. Źle mówiłam wiersz: po prostu tak, jak czułam. Grałam z serca, na pełny gaz, nie zastanawiając się nad tym, że Aniela – to od anioła, jak mi stale powtarzał Świderski. Po prostu grałam – całą sobą.

W dniu premiery spuchłam ze zdenerwowania, dostałam wysypki, na dekolcie miałam czerwone plamy wielkości pięści. Oczywiście pomyliłam się, zamiast: „co ja bym takie listy pisać miała" powiedziałam: „co ja bym takie pisty lizać miała". Oni ze śmiechu nie mogli grać dalej, a ja nawet nie zauważyłam pomyłki.

Andrzej kazał mi ćwiczyć w domu dykcję. Oskarżał mnie, że za mało pracuję i mam niewybaczalnie nonszalancki stosunek do zawodu. Zapisywał błędy, które – jego zdaniem – popełniałam w trakcie przedstawienia, i przedstawiał mi je po powrocie do domu, kiedy siadaliśmy do kolacji. Denerwował mnie.

Popołudniami przygotowywałam *Portret Doriana Graya* na Małej Scenie w Narodowym. Obie premiery odbyły się w odstępie dwóch tygodni. Recenzje po *Ślubach panieńskich* miałam doskonałe, pisano o mnie, że „płomień, serce" i tak dalej. *Dorian Gray* też był sukcesem. W tym samym miesiącu dostałam propozycję zagrania Agnieszki w *Człowieku z marmuru* Wajdy. Mój mąż uważał Wajdę za kogoś w rodzaju Pana Boga: byli tuż po *Ziemi obiecanej*. Tymczasem ja oświadczyłam, że na próbne zdjęcia nie pójdę. Wyrządzono mi masę przykrości podczas poprzednich prób filmowych i postanowiłam, że nigdy więcej.

Siedziałam w wannie, kiedy zadzwoniono z produkcji od Wajdy. Odpowiedziałam przez drzwi, że nie ma mowy. Andrzej z przedpokoju prowadził mediacje, a ściślej ryczał na mnie, że to skandal i hucpa. Potem zgodziłam się, poszłam i dostałam tę rolę. Andrzej bardzo się ucieszył, ale zapytał, czy umiem zagrać coś bez krzyku.

Grałam już wtedy dużo w telewizji, spektakl za spektaklem. Rok skończył się występem w Opolu i *Gumą do żucia*.

Zaczynał się rodzić poważny problem: wymykałam się mojemu mężowi-profesorowi.

Pamiętam, że obudził mnie kiedyś o drugiej w nocy i chciał wiedzieć, dlaczego nie pytam go, jak grać. Odpowiedziałam zaspana: bo wiem, odwróciłam się na drugi bok i zasnęłam. Ale ciągle stanowiliśmy zawodowy tandem. Kiedy

mieliśmy grać, Andrzej przynosił sterty książek, spotykał się z różnymi mądrymi ludźmi, żeby wypytać ich o wszystko, co mogło się wiązać z jego rolą. Ja mówiłam: Boże uchowaj, jeszcze mi coś zepsują, moja wizja jest może głupia, ale własna. Wolałam oglądać serial z porucznikiem Colombo, mój ulubiony. Kiedyś – mieliśmy tego wieczoru premierę *Czajki* – po prostu wyłączył mi telewizor. Denerwował go mój sposób uprawiania zawodu.

To była różnica temperamentów, osobowości, ale także wychowania. Przygotowując się do tego samego spektaklu, czytaliśmy książki skrajnie różne. On – coś, co dotyczyło autora lub epoki, ja – *Klimaty* Maurois. Wykreślał swoje role cyrklem i linijką, co budziło we mnie szacunek, ale sama postępowałam zupełnie inaczej, czego z kolei on nie mógł zrozumieć. Przed premierą Andrzej był chory ze zdenerwowania, ja słuchałam Drupiego i tańczyłam z malutką Marysią, darłyśmy się przy tym obie na całe gardło. Denerwowałam męża coraz bardziej.

Myślę, że zawiodłam go przede wszystkim jako uczennica. Miał wobec mnie do końca zapędy wychowawcze. Któregoś wieczoru grałam w jakimś spektaklu bez niego, a on przyszedł na przedstawienie, żeby zapisać moje błędy w dykcji. Miał rację, zrobiłam te błędy, tylko że to nie było dla mnie najważniejsze.

Nieuchronny koniec naszego związku zaczął się rysować na horyzoncie po premierze *Granicy* Rybkowskiego. Andrzej włożył w ten film masę pracy, a chwalono mnie. Byłam wściekła na recenzentów, że psują mi małżeństwo. Zaczęłam jednak rozumieć, że muszę iść swoją drogą, a on – że wymknęłam mu się z rąk.

Wreszcie zdarzył się pewien wieczór u Jacka Kuronia po premierze *Człowieka z marmuru*. Jacek na mój widok zaczął wrzeszczeć i rzucił mi się na szyję. W tamtym środowisku miałam przezwisko: Wdowa Mozart (wymyślił je Krzysztof Śliwiński). W tym momencie zdałam sobie sprawę, że Wdowa Mozart odeszła w przeszłość.

Moje małżeństwo dogasało. Zagraliśmy jeszcze razem w *Bez znieczulenia*, co tylko pogłębiło konflikt, potem Andrzej robił filmy osobno. Zostawał poza Warszawą również na niedzielę, mówił, że musi odpocząć. Czuł się lepiej beze mnie. Więź słabła, on robił swoje, ja swoje. Ostateczna katastrofa nadeszła, kiedy odczuł potrzebę, żeby coś sobie udowodnić.

W tym czasie poznawałam coraz lepiej mojego obecnego męża. Był operatorem *Człowieka z marmuru* i *Bez znieczulenia,* brakowało mi go przy *Dyrygencie*. Ten film przyniósł koniec mojego małżeństwa. Łączę to z tytułem filmu, bo myślę, że sprawy zawodowe odgrywały jednak w tym wszystkim rolę najważniejszą. Poznawałam więc coraz lepiej Edwarda. Wiedziałam, że podoba mu się mój styl gry, zauważyłam też, że stara się pomagać mi na planie. Fotografował mnie tak, żebym wypadła korzystnie, w dyskusjach z Wajdą bronił moich racji. Narodziło się między nami coś bardzo dla mnie miłego, ale jeszcze nie stało się to, co ważne. Wspaniale było wiedzieć, że mam kogoś, na kim mogę się oprzeć, kto pomoże, kiedy poproszę. Honorata zaczęła mówić: wiesz co, przychodzi tu taki czarniawy, okno nam się zepsuło, to może on by coś na to poradził. Któregoś dnia przyniósł worek nieosiągalnego wtedy papieru toaletowego, co na Honoracie zrobiło wstrząsające wrażenie. Tak się to powoli jakoś układało – aż do dnia katastrofy.

W *Dyrygencie* jeszcze raz zagraliśmy z Andrzejem razem. W jednej ze scen Andrzej, który nie pił w ogóle, miał być pijany. Żeby zbliżyć się maksymalnie do prawdy, przed ujęciem wypił naraz pół litra. Chodził po ścianach, trzeba było wezwać pogotowie. Tego dnia przyszłam na plan z dzieckiem, Marysia miała zagrać. Kiedy pogotowie odjechało, podszedł do mnie Wajda i powiedział: idź do niego, to jest twój mąż. A ja odpowiedziałam: nie, ty idź do niego, to jest twój aktor.

Uświadomiłam sobie bowiem wówczas sprawę najważniejszą: że to jest właśnie aktor, przede wszystkim aktor, i że tak będzie zawsze. Rozmyślałam o tym, siedząc w kącie z Marysią, która znalazła się tu dlatego, że Andrzej się uparł. Ja się nie zgadzałam, żeby grała. Czułam zawsze – a siedząc w kącie z dzieckiem na kolanach, sformułowałam to sobie ostatecznie – że żaden film na świecie nie jest wart, by coś dla niego zrobić kosztem dziecka. Pomyślałam: koniec, nie ma o czym mówić. Dłużej z nim nie zostanę. Zrobiłam, co należało: zawiozłam Andrzeja do domu, napoiłam kawą z cytryną, wezwałam lekarza. Wieczorem odwiozłam go do teatru; grał tego dnia w *Żeglarzu* Szaniawskiego. Siedziałam na widowni do końca przedstawienia, aby mieć pewność, że wszystko jest w porządku – a później wyszłam sama i pojechałam nie do domu, lecz zupełnie gdzie indziej. Potem wróciłam, ale było po wszystkim.

On wiedział, że jest ktoś w moim życiu, ja dowiedziałam się niebawem, że w jego życiu też. Moje skrupuły, wyrzuty sumienia przestały mieć znaczenie.

Wyprowadziłam się ostatecznie po wielkiej awanturze, zresztą jedynej między nami. O drugiej w nocy Honorata wyszła ze swojego pokoju i powiedziała do mnie: dosyć tego, idziemy do tatusiów. Moi rodzice mieszkali już wtedy w Warszawie, dwie ulice dalej. Honorata ubrała dziecko, przyniosła moją sukienkę, pantofle i kazała mi je włożyć. Właściwie ona podjęła ostateczną decyzję.

Mieszkałyśmy teraz z Marysią w jedenastometrowym pokoju. Honorata z Karolinką (to moja siostrzenica) w drugim, a rodzice w trzecim. Przeżyłam w ten sposób pół roku, niczym nieobciążona, bo wyszłam z domu, tak jak stałam, tylko z dzieckiem na ręku. Jedenastometrowy pokoik w porównaniu z tamtym ogromnym mieszkaniem wydawał mi się pełnym szczęścia rajem.

W czasie moich przenosin do rodziców Edwarda nie było w Polsce, pracował w Niemczech. Nie mogłam przewidzieć, co na to powie, lecz wiedziałam, co mówił przedtem. Był doroślejszy niż ja, powtarzał od początku, że sprawa między nami to nie są żarty, nie można bawić się bezkarnie bez końca. Teraz nie zadzwoniłam do Edwarda ani nie napisałam. Dowiedział się o moim rozstaniu z Andrzejem po trzech miesiącach, przypadkowo, od kogoś ze znajomych. Przerwał pracę i wrócił do Polski. Nie znał adresu moich rodziców, ale jakoś trafił. Otworzyła mu mama. Poprosił o moją rękę.

Minęło już od tamtej chwili kilkanaście lat, lecz ciągle mam uczucie, że moje drugie małżeństwo jest podejrzane, jakby nielegalne. Przynajmniej tak oceniłyby to Starachowice. W Starachowicach nikt się nie rozwodził. Kiedy babcia gniewała się na dziadka, załatwiała sprawę inaczej: odcinała się na wspólnym zdjęciu nożyczkami. Wiele takich zdjęć sklejałam potem plastrem.

Mieszkałam nadal z rodzicami, widywaliśmy się z Edwardem na mieście. Po roku Edward dostał kawalerkę. Postanowiliśmy, że wprowadzę się pierwsza, z Marysią i Honoratą. Urządziłam mieszkanie, Edward zaczął nas odwiedzać. Po sześciu miesiącach zapytałam Marysię – miała wtedy cztery i pół roku – czy Edward może zostać, bo nie ma gdzie mieszkać (co zresztą było prawdą). I Marysia powiedziała, że tak.

Najpierw rozstawiał sobie na noc polowe łóżko w przedpokoju, potem wstawaliśmy oboje, zanim Marysia się obudziła, i szliśmy do kuchni, żeby dziecko nie widziało nas razem w łóżku. W tym czasie zaczął nas odwiedzać Andrzej, o szóstej rano, bo uważał, że to jest najlepsza pora widywania się z córką. I tak się to ciągnęło aż do momentu, kiedy Wajda zaproponował Andrzejowi rolę we Francji, a właściwie go wywiózł.

Andrzej Wajda nie był zresztą entuzjastą mojego związku z Edwardem. Tłumaczył mu tak: Krysia jest wspaniałą aktorką, wspaniałą kobietą, ale zupełnie nie nadaje się na żonę. Pamiętam koleżeńską Wigilię, na której był cały Zespół Filmowy X. Wajda powiedział do mnie wtedy: jeśli mu zrobisz krzywdę, to cię zabiję. Ty sobie dasz radę, Seweryn da sobie radę, ale dla Edwarda ta sprawa jest poważna. Zamknęłam się potem w ubikacji i nie chciałam wyjść przez cały wieczór. Edward zresztą nie podzielał obaw Wajdy, mówił, że nie ma nic przeciwko temu, by mieć żonę bombę zegarową.

Zaczęłam być szczęśliwa, a może po prostu szczęśliwsza. Zasadnicza różnica między obu moimi małżeństwami polegała na tym, że Andrzej mnie nie akceptował jako aktorki, tymczasem Edward uważa, że jestem ja... a za mną już tylko ciemność. Z zahukanej Elizy, strofowanej przez profesora Higginsa, zaczęłam stawać się kimś, komu wolno wypowiadać własny sąd bez obawy, że zaraz zostanie przywołany do porządku. Rozluźniłam się, rozkwitłam, przestałam się bać. Odważyłam się troszkę Edwardowi uwierzyć, co bardzo dobrze zrobiło i mnie, i mojemu aktorstwu.

Zostało mi jednak z poprzedniego małżeństwa coś bardzo cennego: Marysia. W charakterze córki połączyły się pewne cechy moje i Andrzeja. Ma moją – jakby to powiedzieć – lekkość życia, a jednocześnie precyzję i dokładność ojca. Od Honoraty i Edwarda, którzy ją właściwie wychowali, też przejęła to, co w nich najlepsze.

Lubię obserwować stosunek mojej córki do Andrzeja. Jakby poprawiała to wszystko, co w moim małżeństwie układało się źle. Ma z ojcem bardzo dobry kontakt, a jednocześnie traktuje go trochę jak dziecko, wobec którego trzeba być wyrozumiałą. Dostrzega jego śmiesznostki – na przykład bawi ją, że w listach są szczegółowe analizy ról, nie ma natomiast informacji istotniejszych dla niej – nie przeszkadza jej to jednak kochać ojca. Kiedy Andrzej jest w Polsce, chodzą razem do teatru. Teraz to ona poznała dzięki niemu Adama Michnika, Jacka Kuronia... A Andrzej jej nie musztruje. Jest z niej dumny.

W teatralnej garderobie

Zaczął się sezon, w Teatrze Powszechnym idzie *Shirley Valentine*. Do garderoby pani Krystyny bardzo łatwo trafić, pod warunkiem że się pyta. Bileter wyjdzie z holu i pofatyguje się kawałek drogi, by wskazać wejście z tyłu budynku, portierka wychyli się z loży i dopilotuje do właściwych schodów. Te uprzejmości o czymś świadczą.

Jest chyba dzisiaj jedyną aktorką, której nazwisko ściąga do teatru komplety publiczności. Ściślej – nadkomplety, bo widzowie stoją pod ścianami; wiem, stałam. Tylko czy to będzie prawdziwa Janda? – upewniała się pewna pani w kasie teatru w Gdańsku, dokąd *Shirley Valentine* pojechała na gościnne występy.

Rozmawiamy po spektaklu. Ma prawo padać ze zmęczenia, jest w tej roli sama na scenie. Wyjaśnia, że musi mówić tekst bardzo szybko, inaczej cały efekt przepadnie. Nie robi jednak wrażenia zmęczonej, raczej przeciwnie, jakby te dwie i pół godziny dodało jej sił.

Wróciła niedawno z zagranicy, opowiada. Była z mamą i Adasiem, lecieli tym samym samolotem, co prymas Glemp. Czuła do prymasa przez ostatnie lata żal, bo w końcówce stanu wojennego wyznaczył ją, wywołując po nazwisku, do przerwania aktorskiego bojkotu telewizji. Właśnie zamknęła tamtą sprawę; prymas wykonał gest, który wzruszyłby każdą matkę. W samolocie Adaś zaproponował księdzu prymasowi zabawę czerwonym samochodzikiem – i ksiądz prymas się nie uchylił. Powiedział grzecznie: ti-tiiit, ti-tiiit.

Przyszła córka. W drodze z teatru, w samochodzie (czerwony peugeot), Marysia ostrzega: uważaj, z prawej! Jej mama: widzę. Nie byłabym taka pewna. Hamuje jednak w porę i mówi: o, tramwaj!

Wina tramwaju, nie ulega wątpliwości. Mógł przynajmniej zrobić ti-tiiit, ti-tiiit.

Intuicja i komputer

Tuż po dyplomie zaangażowałam się do Ateneum. Szło mi tam źle.

Zaczęłam zastępstwami w dużych rolach, co zespołowi nie mogło się podobać. Zdarzyło mi się usłyszeć od starszej koleżanki, którą miałam zastąpić, że przy myciu podłogi – owszem, ale nie w teatrze. Dyrektor Warmiński zapytał mnie, co bym chciała grać, a ja odpowiedziałam, czego bym nie chciała: Anieli w *Ślubach panieńskich* i Ofelii w *Hamlecie*. I oczywiście pierwszą moją rolą w Ateneum była Aniela. A potem mordowałam się z Niną Zarieczną w *Czajce*.

Nienawidziłam tej postaci. Naprawdę, tak jak można nienawidzić żywego człowieka. Budziłam się rano z myślą: o Boże, wieczorem znów muszę grać tę koszmarną Ninę. To była prawdziwa, fizyczna męka. Na którymś przedstawieniu zeszłam ze sceny, nie powiedziawszy ostatniego monologu, dla którego, jak twierdził Andrzej Seweryn, *Czajka* w ogóle została napisana. „Teraz wiem, Kostia, rozumiem, że w naszej pracy – wszystko jedno, czy gramy na scenie, czy piszemy – najważniejsze to nie sława, nie blask, nie to, o czym marzyłam, tylko po prostu wytrzymałość w cierpieniu. Trzeba dźwigać swój krzyż i wierzyć". Myślę, że byłam po prostu za młoda, aby ten monolog zrozumieć.

Wiele lat później zdarzyło mi się znowu znienawidzić sceniczną postać. Nie znoszę Strindbergowskiej *Panny Julii*, chociaż grałam ją już jako doświadczona aktorka. Na tej roli ciąży jakieś przekleństwo, miały z nią niesamowite problemy różne znakomitości. We Francji na przykład grała pannę Julię Isabelle Adjani; po dziesięciu dniach musiała przerwać występy i leczyć nerwy w klinice psychiatrycznej. Wcale się nie dziwię, ja też pod koniec zaczęłam myśleć, że zwariuję.

Instrumentem aktora jest jego organizm, lecz przede wszystkim własna psychika. Tworzy się postać środkami technicznymi, lecz impulsy płyną z wewnątrz, postać trzeba znaleźć w sobie. Chyba dlatego nie znosiłam grać *Panny Julii*. Mój organizm, moja psychika broniły się przed takim aktem gwałtu.

Usiłowałam znaleźć w postaci Julii jakieś racje, które by mi pozwoliły zrozumieć ją i zaakceptować. Innymi słowy – starałam się zracjonalizować i „zhumanizować" Strindberga. Nie da się jednak zignorować czy obejść bokiem chorobliwości jego sztuki. Próbowałam – i to był mój błąd.

Reżyserował *Pannę Julię* Andrzej Wajda. Prosiłam: Andrzej, pomóż mi, czuję, że jest źle. A on podnosił głowę znad rysunku, który właśnie robił, i odpowiadał: dlaczego źle, mnie się bardzo podoba, Krysiu, jak grasz.

Próbowałam więc wymyślić coś sama. To było beznadziejne, takie dłubanie w mózgu. Kiedy już wydawało mi się, że coś zaczynam rozumieć: oddała się prostakowi i nie potrafi tego znieść – pojawiało się następne pytanie: jak przekonać dzisiejszą publiczność, że perspektywa wyjazdu do Szwajcarii i kupna hotelu jest strasznym nieszczęściem? Myślę, że gdyby reżyserował ktoś inny, załamałabym się całkowicie i przerwałabym próby. Poniosłam w tej roli klęskę. Zawsze wiem, kiedy mi się nie udaje. Gram spontanicznie, ale jednocześnie jakaś część mózgu nieustannie ocenia to, co robię. Analizuję każde słowo, rytm zdania, wysokość i barwę głosu. Moim zadaniem jest odpowiedzieć na pewne impulsy, jakie niesie postać, znaleźć ją w sobie, ale myślę, że jestem w pełni świadoma, co ostatecznie powstaje.

Wiem, że można byłoby zagrać pannę Julię, podobnie jak każdą postać, czysto technicznie, nie ponosząc kosztów psychicznych, ale ja nie potrafię. Może ciągle jestem amatorką, z tą tylko różnicą, że umiem analizować własną pracę? Pierwszy impuls płynie w moim przypadku zawsze z wewnątrz, z intuicji, dopiero potem włącza się komputer mózgu. Decydująca jest temperatura wewnętrzna. Za każdym razem gram inaczej, bo wiem, że nie wolno mi zagrać ani odrobinę mocniej, ostrzej, goręcej, niż pozwala na to w danej chwili mój wewnętrzny regulator. Generalna zasada mojego aktorstwa, której się trzymam konsekwentnie, brzmi tak: żadnego pustego dźwięku, żadnego słowa czy krzyku bez pokrycia w tym, co myślę i czuję. Muszę grać w zgodzie ze sobą. Jeśli jestem tego wieczoru przygaszona – taka będzie i postać, jeśli naładowana – postać też będzie intensywna. Prawda gry – to dla mnie przeciwieństwo nie tyle czegoś sztucznego, ile tego, co puste.

Ten sposób uprawiania zawodu wyczerpuje. Jeśli gram w teatrze częściej niż dziesięć razy w miesiącu, moja psychiczna odporność się kończy, jestem chora, niezdolna do niczego. Koledzy twierdzą, że nie doświadczają takiej huśtawki emocjonalnej, ale ja im nie wierzę. Grałam sto dwadzieścia przedstawień *Z życia glist* z tak świetnym technikiem, jakim jest Zbigniew Zapasiewicz, i patrzyłam co wieczór w jego twarz z odległości ćwierć metra. Może mówić, że nic go to nie kosztuje; widziałam, wiem swoje.

Jeśli aktor ma w sobie dużo żywotności, sił psychicznych, temperamentu, jest w stanie wytrzymać podobną eksploatację własnego organizmu długie lata. Pod jednym warunkiem: że będzie odnosił sukcesy. Inaczej w pewnym momencie zaczyna się oszczędzać, obniża poziom, gra coraz gorzej. Albo już się tylko bawi. Aktor musi jak dziecko wierzyć w to, co robi. Jeśli przychodzi taka chwila, że nie potrafi ani na minutę zapomnieć, że jest na scenie – skończył się. Może jeszcze grać, bo umiejętności zawodowe pozwalają mu robić odpowiednie miny, wykonywać właściwe gesty, ale wewnątrz coś się w nim załamuje. Wyczuwają to reżyser, koledzy, a przede wszystkim publiczność. Zaczyna się zmierzch.

Coś podobnego może się też zdarzyć z konkretną rolą, która nagle staje się martwa. Miałam takie przypadki: wyjechałam na dłużej i wróciłam, rozwiodłam się, urodziłam dziecko – i nie mogłam już znaleźć w sobie postaci, którą grałam przedtem. Próbuje się wtedy oszukiwać siebie i publiczność, ale widzów przychodzi coraz mniej i mniej. Widowni okłamać się nie da. Dziś, kiedy czuję, że postać zaczyna umierać, staram się po prostu, by sztuka jak najprędzej zeszła z afisza.

Na drugim biegunie jest nieporównywalna z niczym radość, kiedy gram rolę, którą naprawdę lubię. Tak było z Gizelą z *Dwojga na huśtawce*, Ritą z *Edukacji Rity*, tak jest z Shirley Valentine. Obyczaje, ludzkie tęsknoty, kobiety, mężczyźni, samotność, zwyczajne życie – to mi przychodzi bez najmniejszego wysiłku. Reżyserował *Dwoje na huśtawce* Andrzej Wajda, robiliśmy tę sztukę z kilkuletnim opóźnieniem. Mieliśmy ją w planach na pierwszą połowę lat osiemdziesiątych, ale Wajdzie zabroniono wówczas reżyserować w teatrze. Został ukarany za to, że był niegrzeczny – wystawił *Wieczernik* w kościele na Żytniej.

Najbardziej lubiłam grać Ritę. Uwielbiałam ją. W dniach, kiedy *Edukacja Rity* szła w teatrze, budziłam się szczęśliwa: gram dziś Ritę! Moment, kiedy przechodziłam z garderoby na scenę, nie stanowił żadnego problemu, organizm

nie musiał się mobilizować, wszystko było przyjemnością. W wypadku takich ról grozi jednak inne niebezpieczeństwo. Trzeba bardzo uważać, jeśli publiczność przez cały czas znakomicie reaguje, śmieje się, coś dopowiada – można dać się zwieść. Rodzi się pokusa, żeby wywoływać śmiech bez przerwy, kosztem treści, prymitywizując wszystko i spłycając. A to się nie opłaca. Im głośniej widownia będzie ryczała ze śmiechu, tym szybciej zapomni.

Właśnie Rita w pewnym momencie wyczerpała się we mnie. Coś się wydarzyło w moim życiu – i poczułam, że już nie mogę wyjść na scenę z takim naiwnym, jasnym uśmiechem. Rita mnie opuściła.

A Shirley? Przede wszystkim to fenomenalny materiał dla aktorki, świetnie napisany tekst. Moja Shirley Valentine stworzona jest z najszczerszej prawdy, chociaż to nie są moje własne doznania. Za wzór posłużyły mi sąsiadki mojej babci, koleżanki moich ciotek. One wszystkie są Valentine. Ta postać nie ma dla mnie tajemnic, bo rozumiem kobiety, których życie tak właśnie wygląda. Myślę, że na widowni jest ich za każdym razem wiele.

Rozróżniam jeszcze, na własny użytek, trzeci rodzaj ról: postacie, które szanuję, jak szanowałabym podobne do nich rzeczywiste osoby, gdybym je znała. To między innymi Medea. Jest w tekście Eurypidesa tyle do przekazania, że aktorstwo staje się nagle czymś innym niż w wypadku tekstów o mniejszej wadze. Lubiłam także fizyczną stronę tej roli, chodzenie po deskach sceny na bosaka, rodzaj ruchu, jakiego wymagała inscenizacja. Kiedy miałam dobry dzień i wierzyłam w Medeę do końca, zapominałam, że płynie czas. Uświadamiały mi to dopiero oklaski.

Grałam Medeę jakby w złym guście. Chciałam ją usprawiedliwić za wszelką cenę, używając wszystkich możliwych sposobów. Wiedziałam oczywiście, że jest to rola klasyczna, o wielkich tradycjach, ale postanowiłam użyć środków ze sztuki współczesnej, bardzo ostrych, licząc na to, że uszlachetni je tekst. Zależało mi na tym, by widzowie zrozumieli tragedię tej kobiety, nawiązali z nią kontakt, jakby była kimś, kto mógłby żyć dzisiaj. Byłam pewna, że widzów nie interesują ani tradycje roli, ani wierzenia starożytnych Greków, lecz że podobnie jak ja chcieliby zrozumieć dramat kobiety, którą doprowadzono do tego, że zabija własne dzieci. Pomyślałam: jeśli to ma być żywe, muszę pokazać cierpienie tak ogromne, że usprawiedliwi wszystko.

Zdawałam sobie sprawę, że taki sposób myślenia jest trochę naiwny: idiotka, która stara się usprawiedliwić Medeę... Zwierzyłam się z moich problemów Ernestowi Bryllowi; był wtedy moim sąsiadem. Uśmiechnął się i powiedział: przecież to proste. Wyobraź sobie, że zakochujesz się w synu Czernienki. Ale ten syn jest opozycjonistą, no wiesz, takim radzieckim Michnikiem. Rzucasz dla niego wszystko, Polskę, rodzinę, przyjaciół i jedziesz do Związku Radzieckiego. Kochasz męża nad życie, rodzisz mu dwóch synów. Nagle zmiana we władzach, Andropow zostaje Pierwszym, mąż cię rzuca, zakochuje się w córce Andropowa. Okazuje się, że nie jest już opozycjonistą, zaczyna gwałtownie robić karierę partyjną, a do tego synów wychowują ci na małych komunistów, i nic na to nie możesz poradzić. Jesteś sama, inni cię nienawidzą, a ty ich. Wszystko, co kochasz, rozumiesz, co jest ci bliskie, zostało daleko i nie ma do tego powrotu, bo „zdradziłaś" dla męża.

Zrozumiałam wszystko.

Nadszedł dzień premiery. Pochyła scena, czarna, monumentalna dekoracja, czarne lustro jako posadzka, kurtyna dymna, kurtyna świetlna, chóry, muzyka – łagodnie to określając – patetyczna, no i na koniec zapadnia. Jeśli się nie uda, to nigdy nam nie darują. Nie wiem, co i jak się działo tego wieczora, grałam jak w transie. Płakałam, krzyczałam, turlałam się, wyłam. Mogłam sobie pozwolić w tej roli na użycie jaskrawych środków, bo wiedziałam, że reżyser, Zygmunt Hübner, pilnuje, żebym nie przesadziła. Mówił: spokojniej, mniej sentymentalnie, mądrzej, mniej tandetnie... Pani jest wszystkim tym, czego nigdy nie lubiłem... Błagałam, żeby w scenie pożegnania Medei z dziećmi pozwolił mi grać bardziej melodramatycznie. Nie pozwalał. Ze sceny widziałam zarys jego sylwetki, z prawej strony na balkonie. Sprawdzał, pilnował. Miał rację. Inna sprawa, że po każdym przedstawieniu mówił: to, co pani robi, jest w najgorszym guście, ale lubię, jak pani gra.

Na przedstawienia przychodziły szkoły, bo *Medea* jest w lekturze. Młodzieży naprawdę podobało się to przedstawienie, nie tylko ze względu na mnie; w spektaklu była wspaniała muzyka Józefa Skrzeka. Grał na żywo.

Oczywiście znawcy mieli mi za złe. Ale ja nigdy nie zdobyłam uznania w tych kręgach. Pisała o mnie tylko prasa filmowa, poważne pisma teatralne – nigdy. Byłam od początku w oczach teatralnego Olimpu podejrzana (chociaż

za rolę Medei dostałam najbardziej chyba prestiżową nagrodę pisma „Teatr"). Mimo to właśnie ja otrzymałam propozycję zagrania Modrzejewskiej w serialu TV. Odezwały się zaraz głosy: Janda jako Modrzejewska? Dlaczego? Czy nie ma innych?

A było to po prostu tak: Janek Łomnicki wpadł na pomysł, żebym ja zagrała, w czasie któregoś wspólnego spaceru z psami. Wyprowadzaliśmy nasze psy na tę samą łączkę pod skocznią.

Nie mogę powiedzieć, żebym przyjęła rolę Modrzejewskiej z lekkim sercem, bez niepokoju. Wiedziałam, że to będzie nobilitacja, wielki honor. Serial miał opowiadać przede wszystkim o życiu Modrzejewskiej, lecz miał być także ilustrowany fragmentami jej ról. Jak to zrobić? Zagrać jak Modrzejewska? Absurd; nie mówiąc o tym, że nikt nie wie, jak właściwie Modrzejewska grała. W dodatku warunki, w jakich film powstawał, zepchnęły mnie na pozycję szczególnie niekorzystną.

Zabieraliśmy się do pracy w momencie, kiedy wszystko się waliło. Wytwórnia w stanie rozpadu, specjaliści: stolarze, malarze, krawcy – odeszli, szansa kupienia potrzebnych tkanin czy przedmiotów – żadna. Zebrała się grupa ostatnich Mohikanów, pamiętających dawne czasy, którzy z jakichś własnych, tajemnych powodów chcieli, żeby taki serial powstał. Na przykład pani Iza Konarzewska robiła moje kostiumy z miłości do teatru, Alfreda Passendorferowa z miłości do epoki wyszukiwała rekwizyty – wydawało się – nieosiągalne. Inni mieli podobne motywacje.

Serial wymaga ogromnej wytrzymałości fizycznej i psychicznej, jest to bieg na długi dystans. Groziły mi różne pułapki, których pewnie bym nie uniknęła, gdyby nie chronił mnie reżyser. Łomnicki realizował przedtem kilka seriali dla TV i wiedział doskonale, jak mi pomóc. Wszyscy starali się mnie chronić, ale znaczną część mego wysiłku pochłaniały sprawy niemające nic wspólnego z aktorstwem ani z Modrzejewską.

Moje kostiumy powstawały w nocy, krawcowe kleciły je z kilku sukien statystek. Czasami były to tylko drobne fragmenty: góra sukni, kołnierzyk. Podobnie z tłem; w wielu scenach organizowano przestrzeń jedynie wokół mojej głowy.

Przyjeżdżałam na plan wczesnym rankiem i szłam do garderoby. Tam wkładano mi suknię, skomponowaną w nocy z kilku innych. Całość zszywano na mnie ręcznie, a czego zszyć się nie udało, zapinano z tyłu na agrafki. Wiedziałam, że nie mogę się odwrócić plecami, muszę bardzo uważać, żeby nic się nie rozlazło. I nie wolno mi robić żadnych histerii, bo nikt z tych ludzi nie jest winien, że pracujemy w takich warunkach.

O próbach scen teatralnych z repertuaru Modrzejewskiej nie mogło być mowy. A przecież miałam zagrać wielkie role z klasyki teatralnej, w których Modrzejewska była niedościgniona.

Nigdy nie grałam postaci, którymi zasłynęła ta aktorka. W ogóle żadnych tak dramatycznych – z wyjątkiem Medei. Walczyłam o Medeę właśnie ze względu na serial: uważałam, że nie mam prawa zagrać Modrzejewskiej, jeśli przynajmniej raz nie spróbuję wyjść na scenę w wielkiej, tragicznej roli, napisanej wierszem.

Powinniśmy mieć do tych fragmentów próby z partnerami, jak w teatrze. Tymczasem przychodziliśmy na plan, stawaliśmy w dekoracjach, kamera ruszała i zaczynaliśmy grać. Partnerowali mi aktorzy, którzy też w tych sztukach nigdy nie grali, nie mówiąc już o tym, że z powodu komplikacji obsadowych czasami na pół dnia zostawałam sama z ekipą i grałam do ścian albo krzeseł, wyobrażając sobie tylko partnerów, którzy już zjechali z planu.

Byłabym śmieszna, gdybym próbowała dorównać Modrzejewskiej. Dziś zresztą nie można grać tak jak sto lat temu.

Wielkość jej aktorstwa, według świadectwa współczesnych, polegała na doskonałości technicznej. Wszystko było wypracowane w najdrobniejszych szczegółach, z głęboką znajomością rzemiosła. Cudowna, genialna maszyna do grania. Lecz gdybym dziś próbowała ją naśladować, uznano by to za nieznośną manierę. Tego jestem pewna.

Przyjęliśmy z Jankiem Łomnickim rozwiązanie połowiczne: kiedy kamera jest daleko – stylizuję gest i ruch, a kiedy wchodzi na scenę – trochę stylizacji ujmuję. Teksty prozą mówię tak, jak mówi się dziś, teksty wierszem – z zachowaniem metrum. A tymczasem trzeba było do końca wyciągnąć wnioski z faktu, że nie robimy filmu dla znawców historii teatru, lecz dla widzów, i zdecydować się na wariant radykalny: grać wszystko współcześnie.

Ważniejsza niż Modrzejewska gwiazda teatru była dla mnie Modrzejewska wykonująca straszliwie ciężki zawód. Chciałam pokazać kogoś, kto swoim

stosunkiem do pracy, sposobem, w jaki ją wykonuje, nadaje profesji aktora godność, wagę posłannictwa.

Była jeszcze Modrzejewska kobieta. Zostawiła pamiętniki – dużo w nich przekłamuje. Prywatna osoba, którą miałam zagrać, rodziła się z różnych wersji zdarzeń, niezgadzających się dat, odmiennych obrazów, jakie wyłaniają się z listów i spisywanych po latach wspomnień. Najwięcej mówiła o Modrzejewskiej konfrontacja faktów z interpretacją, jaką im nadawała...

Myślę, że jeśli chodzi o rysunek osobowości, nie popełniłam błędu. Mieli jednak rację ci, którzy mi wytknęli, że zbyt gwałtownie się poruszam, siadam, wstaję, co nie zgadza się ze sposobem zachowania przyjętym w tamtej epoce. Gdyby serial powstawał w lepszych warunkach, mogłabym się bardziej pilnować; w tym kotle zdarzało się, że do roli wchodziło więcej mnie prywatnej niż Modrzejewskiej. Trudno.

Najbardziej zależało mi na zwykłych widzach. Chciałam, żeby zrozumieli i odczuli, w jakiej męce, cierpieniu i bólu ta kobieta żyła, jakiego ogromnego trudu wymagało osiągnięcie tak wysokiej pozycji zawodowej. Jeśli mogę wierzyć świadectwu listów – chyba się to udało.

Dostawałam w czasie emisji serialu masę korespondencji i telefonów. Do grupy odbiorców, ceniących mnie za *Człowieka z marmuru* czy *Przesłuchanie*, dołączył inny rodzaj widzów, którzy tamtych filmów nie oglądali. Tacy ludzie troszkę staroświeccy, jakby przysypani pudrem, albo bardzo zwyczajni, z ulicy. I... dzieci. W sklepie, w parku, na ulicy słyszałam często takie dialogi między mamą i przedszkolakiem: „Popatrz, kto to jest ta pani?" – „Modrzejewska...".

W mojej ocenie serial jest trochę niekontrolowanym, ale chyba dosyć wiernym odbiciem moich umiejętności zawodowych z tamtego okresu.

Po ostatnim odcinku odezwali się krewni drugiej wielkiej krakowskiej aktorki, Antoniny Hoffman, ukazanej w serialu dość niekorzystnie. Obrazili się. A nam się wydawało, że pokazujemy sprawy, które żyją już tylko na kartach historii...

W Krakowie pamiętają mnóstwo szczegółów z życia Modrzejewskiej. Na przykład, że kiedy przyjechała z Ameryki, częstowała dzieci jakimiś obrzydliwymi cukierkami. Ktoś mi potem wyjaśnił, co to były za cukierki: guma do żucia. Pierwsza, jaka trafiła do Polski.

Bardzo ważna dla mnie była *Biała bluzka,* spektakl, który przyniósł mi – sama nie wiem, jak to nazwać – wiele gorących uczuć ze strony widowni. Nie wiem, czy można w ogóle uznać to przedstawienie za postać teatru. Może raczej rodzaj psychodramy.

Maszynopis leżał u mnie na parapecie bardzo długo. Nie spieszyłam się z lekturą, wiedziałam, że Agnieszka Osiecka dała tekst wielu osobom. Któregoś dnia wzięłam go jednak z parapetu i przeczytałam. To było fascynujące – tylko Agnieszka umiała pisać takim prawdziwym, tramwajowym językiem – lecz akcja tkwiła w miejscu, brakowało dramaturgii.

Mniej więcej w tym czasie Andrzej Kuryłło, animator Przeglądu Piosenki Aktorskiej we Wrocławiu, zaczął mnie namawiać, żebym przygotowała recital piosenkarski. Namowy były konieczne, bo miałam wątpliwości, czy ktoś wytrzyma półtorej godziny mojego śpiewania. I nagle przypomniał mi się tekst Agnieszki. Gdyby tę historię połączyć z muzyką...

Poszłam do Magdy Umer. Uwielbiam jej śpiewanie. Magda ma niezawodny słuch, smak, wielką prostotę i inteligencję. Zostawiłam jej tekst i poprosiłam, żeby dała mi znać, co o tym myśli. Za kilka dni zadzwoniła. Powiedziała: fantastyczne!

W ciągu paru tygodni zrobiła adaptację i wybrała piosenki. Ostateczna wersja różni się ogromnie od *Białej bluzki,* którą napisała Agnieszka. Tekst był mi tak bliski, że bardzo szybko umiałam go na pamięć, właściwie się nie ucząc. Wszedł mi po prostu do głowy, nie wiem kiedy i jak.

Gdy zaczęłam grać *Białą bluzkę* w różnych miastach Polski, zorientowałam się, że jeżdżą za mną całe gromady dziewczyn. Oglądały spektakl dziesiątki razy. Trafiłyśmy chyba – Agnieszka, Magda i ja – w stan ducha młodego pokolenia, tej jego części, która nie widziała przed sobą żadnych perspektyw. Dziewczyny identyfikowały się z tamtą z *Białej bluzki.* Ich depresja nie miała, co prawda, tła alkoholowego, lecz stan niezgody na rzeczywistość i wyobcowanie znały doskonale.

Na dzień przed premierą przyszedł na próbę Andrzej Wajda i powiedział, że nie powinnam tego grać. Jest to rola dla kogoś, kto nie może dać sobie rady sam ze sobą, a więc nie dla mnie.

Pierwszy raz nie posłuchałam Wajdy. Grałam zresztą inaczej, niż odebrał tę postać Andrzej. W moim wykonaniu czuje się, że dziewczyna na pewno

wyjdzie z kryzysu, zmieni swoje życie. Myślę, że dlatego widzowie lubili ten spektakl. Gdybym grała osobę, która już się nie uratuje, jak mówił Wajda, nikt by nie przyszedł. Widziałam kiedyś w telewizji fragment przedstawienia o narkomance, skomponowanego z autentycznych listów. Aktorka płakała naprawdę, nawet się usmarkała. Uwierzyłam jej w stu procentach – i przestraszyłam się. Zdałam sobie wtedy sprawę, że jeśli zagra się sytuację krańcową bez dystansu, nie wolno tego ludziom pokazać, bo będą się bali. Aktor nie może dokumentować nieszczęścia, to nie jest jego zadanie, on ma widza przed nieszczęściem ratować. Nie wolno odbierać nadziei; w banalnych sformułowaniach, że trzeba bronić postaci, chodzi w istocie właśnie o to. Nie odbierać nadziei; na tym opiera się cała moja aktorska wiara.

A potem zmieniły się czasy, atmosfera, ja sama – i nagle z *Białej bluzki* wyrosłam. Już nie mogłam jej grać. Często mnie proszą, żeby chociaż raz. Odmawiam. Została za mną. I myślę, że dziś nie ma już także tamtej widowni.

Teatr jest w ogóle zabawą dość elitarną. Nie uważam, żeby koniecznie musieli się nim interesować na przykład moi bliscy. Ojciec nigdy nie widział mnie na scenie, a w rodzinie wsławił się tym, że zasnął na przedstawieniu *Drzewa umierają stojąc* z Ćwiklińską w roli głównej. Mama po premierze *Czajki* – rola wymagała, żebym w pewnym momencie wybuchnęła płaczem – zapytała, dlaczego płakałam, czy ktoś mi zrobił przykrość. Odparłam, że grałam, na co oświadczyła, że nie chce więcej oglądać moich łez na scenie. Siostra pyta zwykle gdzieś około dwudziestego przedstawienia: może bym poszła zobaczyć, ale czy to jest dobre? Od Marysi nie wymagam chodzenia na premiery, ogląda sztukę, kiedy ma ochotę. Nie celebruje się u mnie w domu ani teatru, ani mnie jako aktorki. Moi bliscy mogliby nawet nie wiedzieć, jaki uprawiam zawód.

Chociaż nie do końca. Od pewnego czasu premiery stały się ciężkim przeżyciem dla mnie samej, co zakłóca spokój rodziny. Przestaję spać, zaczyna mi przeszkadzać skomlenie psa, miauczenie kota, za grubo pokrojona pietruszka do zupy. Edward grozi, że wyjedzie, a Marysia pyta, czy nie mogłabym już iść do teatru, nawet jeśli jest dopiero trzecia po południu. Wreszcie wpadają obydwoje na świetny pomysł: jeżeli położę się przed domem na ulicy, oni mnie przejadą samochodem i nie będę musiała się tak męczyć. Uważają oczywiście, że spełnią w ten sposób dobry uczynek.

Na Krochmalnej

Na planie *Kuchni polskiej* Jacka Bromskiego. Pytam, jak było w Cannes, gdzie dostała Złotą Palmę za rolę w *Przesłuchaniu*. Jak było? Sympatycznie. Popłakała się przy odbiorze, potem zrobiła wszystko, czego się po niej spodziewano, wsiadła do samolotu i wróciła do Polski. Czy oczekiwała tej nagrody? Nie wiedziała dokładnie, co ją wkrótce spotka, ale że coś równie ważnego, była pewna. Dlaczego? Ma to w astrogramie. Zamawia się coś takiego w Paryżu, na pięć lat, kosztuje 120 franków. Kiedy zagląda do prognoz, które dotyczą już przeszłości, odnosi wrażenie, że czyta sprawozdanie ze swego życia. Aktualny astrogram już się kończy, z kolejnej podróży do Paryża musi sobie przywieźć następny (dowiaduję się potem, że nie przywiozła; nie wie dlaczego, ale zrezygnowała).

Na rogu Krochmalnej i Żelaznej: macha do mnie z daleka, jak człowiek zagubiony na pustyni, szczęśliwy, że go odnaleźli. Pomyliła domy, zadzwoniła, żeby ją dopilotować. Początek komunikatu brzmiał następująco: „Dzwonię z cukierni na rogu, było tutaj w nocy włamanie, ukradli dwa worki mąki i worek cukru". Myślę potem: wielu popularnych aktorów boi się przypadkowo poznanych ludzi, jakby taka znajomość mogła naruszyć ich nietykalność fizyczną i psychiczną. Dlaczego nie boi się Krystyna Janda? Może dlatego, że trudno wydziwiać nad gwiazdą, która zamiast celebrować własną osobę, przejmuje się tym, co ukradli cukiernikowi?

Gdzie Wajda ma oczy?

Na zdjęcia próbne *Człowieka z marmuru* przyszłam nieumalowana, ubrana byle jak i oświadczyłam na wstępie, że muszę wyjść za piętnaście minut. Strach przed upokorzeniem – bo bałam się, mając za sobą nieprzyjemne doświadczenia podczas innych próbnych zdjęć – może czasami przybierać postać pychy. Postawiono mnie przed obiektywem, kamera ruszyła. Nie wiem, co się stało, ale natychmiast wyskoczyła z hukiem z szyn, rejestrując przez cały czas moją twarz. Okazało się, że nawet nie mrugnęłam okiem. Potem Wajda podobno powiedział: ona może zabić, ona zagra.

Nikt nie wiedział, jaka ma być ta dziewczyna. Wajda zaprowadził mnie na plan do Agnieszki Holland, która realizowała wtedy *Niedzielne dzieci,* i kazał się jej przypatrzyć. Obejrzałam ją dokładnie, ale w dalszym ciągu nie wiedziałam, kogo mam grać. Przypomniały mi się narwane dziewczyny z liceum plastycznego i pomyślałam, że można by narysować coś podobnego, tylko grubszą kreską, z większym natężeniem emocji. Nie zdawałam sobie sprawy ani z tego, czym ten film się stanie dla mnie, ani także, jakie będzie miał znaczenie w ogóle, rozumiałam tylko jedno: będzie ważny, bo reżyseruje go Wajda.

W ciągu tygodnia runęły wszystkie moje wyobrażenia o zawodzie aktorki. Szkoła teatralna ze swoimi naukami o tym, którą nogą należy wchodzić na scenę, podwyższaniem głosu kobietom i obniżaniem mężczyznom, lansowaniem lokalnych wielkości i stawianiem dwój za brak „ł" przedniojęzykowego – na planie filmowym nie przydaje się do niczego. Tam aktor musi umieć coś absolutnie innego. Zobaczyłam inną technikę aktorską, inny sposób pracy, inny świat.

Wydawało mi się, że będzie jak w teatrze: reżyser przekazuje aktorowi sugestie: tak a tak ma się poruszać, zachowywać, grać. Okazało się, że jest zupełnie inaczej: trzeba błyskawicznie zaproponować własne widzenie postaci, a potem o nią walczyć, bo w ekipie każdy broni swego. Na nauki czy wahania po prostu nie ma czasu, reżyser powie jedynie, czy mu się podoba, czy nie. A jeżeli nie – zmieni aktora albo wytnie scenę lub całą rolę.

Wyrobiłam sobie pewne wyobrażenie o postaci, słuchając, co Wajda mówi o swoim stosunku do historii, polityki, władzy. Pomógł mi bardzo dwiema konkretnymi uwagami. Pierwsza to właściwie był żart. Powiedział, że Amerykanie robią filmy z samymi mężczyznami, i zapytał, czy wobec tego nie mogłabym zagrać mężczyzny. Potem dodał, że muszę zachowywać się tak, żeby widzowie albo mnie pokochali, albo znienawidzili. Jedno albo drugie, wszystko jedno, byle nie pozostali obojętni

Bardzo pomógł mi kostium. W życiu prywatnym moje zachowanie też zależy w dużym stopniu od tego, co mam na sobie. W czasie zdjęć próbnych przymierzyłam najpierw skórzaną spódnicę i kamizelkę z frędzlami – Wajdzie się nie podobało. Później coś innego – kolejny niewypał. Trzecim kostiumem, który kazano mi włożyć, były dżinsy, dżinsowa koszula i szalik. Dużo wtedy paliłam, upchnęłam więc natychmiast w górnej kieszeni paczkę papierosów, rękę wpakowałam do kieszeni, było wygodnie. Wajda zadecydował: dokładnie to. Styl został uchwycony.

Pierwszy dzień zdjęciowy przewidywał scenę na korytarzu w telewizji, z improwizowanym dialogiem. Wajda powiedział, o co mu chodzi, i poszedł na rozmowę z jakimś dyrektorem TV. My mieliśmy w tym czasie próbować.

Od pierwszej chwili zaczęłam grać w taki sposób, jak potem w całym filmie. Pamiętam, że przy którejś próbie, kiedy szłam, a właściwie prawie biegłam, obok Bogusia Sobczuka, mówiąc do niego bez przerwy, zza załomu korytarza wyszedł Wajda. Popatrzył i powiedział: mamy rolę. Rozbawiłam go i chyba zaskoczyłam, ale podjął decyzję od razu. Ujęcie weszło do filmu, musieliśmy tylko zmienić tekst – nie nadawał się ze względów cenzuralnych. To był jedyny postsynchron w *Człowieku z marmuru.*

Worek żeglarski dodała mojej postaci Wiesia Starska, kostiumolog, która miała tyle lat, co ja. Grał potem ze mną w całym filmie. Po kilku dniach Wajda powiedział: ona nosi w tym worku wszystko, co ma w życiu. Wyczuwałam już sama, do czego worek służy. Ale tam, w scenie na korytarzu, jeszcze nie do końca zdawałam sobie sprawę, kogo i co gram. Zrozumiałam to dopiero w następnym ujęciu, kiedy Agnieszka wychodzi z gmachu telewizji.

To ja zaproponowałam, że zrobię gest, którym ostatecznie zaczyna się film. Ekipa była skonsternowana, Wajda się zgodził. W momencie kiedy zginałam

rękę w łokciu i całowałam pięść, wiedziałam już, kim jestem: muszę walczyć sama przeciwko wszystkim.

Kręciliśmy dalej. Ekipa była przerażona. Ktoś przy mnie powiedział głośno: gdzie Wajda ma oczy? Nie rozumiałam, o co chodzi. Zachowywałam się przecież naturalnie, jak wiele dziewczyn i chłopaków, moich przyjaciół. Jem bułkę w muzeum, bo jestem głodna; siedzę w montażowni z podciągniętymi nogami, bo tak jest wygodnie; kiedy zmęczy mnie oglądanie taśm, zasypiam. Wajdę i Edwarda, który był w *Człowieku z marmuru* operatorem, moje zachowanie zaczęło ogromnie bawić. Próbowali wymyślać zachowania jeszcze bardziej nonszalanckie i bezczelne, na przykład, że zjadam montażystce śniadanie i wypijam jej kawę. Potrafiłam ich jednak ciągle zaskakiwać. W pewnej scenie członkowie komisji po obejrzeniu materiałów do filmu Agnieszki chcą wyjść z montażowni, a ona musi ich jakoś zatrzymać. Podeszłam do drzwi, podniosłam nogę i oparłam podeszwę buta o futrynę, na wysokości ich brzuchów. Wajda zawył z zachwytu. Następną godzinę spędził na własnoręcznym przyklejaniu plastrem nogawki moich spodni do buta, żeby nie zsuwała się z łydki, kiedy podnoszę nogę. Ekipa czekała, pukając się w czoło.

Szepty po kątach już mi nie przeszkadzały. Andrzej, Edward, Ścibor-Rylski bawili się mną jak Kaczorem Donaldem. Czułam się akceptowana przez najważniejsze osoby w ekipie; wystarczyło.

Rola Agnieszki zaczęła się rozrastać. Wieczorami u Wajdy, kołysząc się w jego ogrodzie na huśtawce, jedząc, zasypiając, słuchałam rozmów o tym, jakie perypetie wymyślają dla mnie na jutro. Byłam ciągle głodna i stale chciało mi się pić. Mimo że jadłam bez przerwy, schudłam w czasie realizacji filmu siedem kilo. Nie oglądałam tego, co nakręcono, nie pozwalał mi Andrzej.

Któregoś dnia, kiedy nie miałam zdjęć, przyszłam do wytwórni z maleńką Marysią i obejrzałam schodzące materiały. Załamałam się. To była katastrofa. Rozpłakałam się i wyjąkałam, że dalej nie będę grała. Wajda przerwał zdjęcia, wyprowadził mnie poza teren wytwórni, w rosnące tam krzaki, przykucnął, co mnie zdumiało, i powiedział, że jest dobrze, moja rola będzie czymś zupełnie nowym w kinie. Żebym mu zaufała. Uwierzyłam i grałam dalej.

Kiedy film był już prawie gotowy, Wajda doszedł do wniosku, że muszę mieć jedną scenę tylko dla siebie, ponieważ postać nabrała znaczenia.

Pewnego dnia jechaliśmy na plan autobusem. Opowiadałam po drodze o moim dziadku, który zachował przedwojenne wyobrażenia o świecie i nie może uwierzyć, że władza mogłaby działać wbrew rozsądkowi albo przeciwko ludziom. Jest pewien, że musi być w tym wszystkim jakiś wyższy sens. Dziadek przekształcił się następnie w postać filmowego ojca z jego przeświadczeniem, że jeśli władza dała pieniądze na film, widocznie zależy jej na tym, aby powstał. Wajda chciał zresztą wtedy jechać do Starachowic, żeby od razu zobaczyć mojego dziadka i porozmawiać z nim, co mnie zachwyciło. Próbowałam w scenie z ojcem pokazać, że kiedy odbierze się Agnieszce cel, staje się zupełnie inną osobą. Na szczęście tego dnia bolała mnie głowa, to mi pomogło.

I chyba dopiero rozmową z ojcem pozyskała Agnieszka część widzów.

Zdjęcia dobiegły końca, zajęłam się czymś innym. Zaczęłam się jednak interesować okresem stalinowskim, czytać o latach pięćdziesiątych, pytać ludzi. Nieświadomie powtarzałam drogę Agnieszki. Dwa i pół miesiąca spędzone na planie zrobiły ze mnie innego człowieka. Zapamiętałam wszystko, co mówił Wajda, nieważne, na jaki temat. Dziś jeszcze potrafiłabym wskazać miejsce, o którym w drodze na plan powiedział, że stanowiłoby dobre tło dla sceny bitwy. Znałam już dzięki Andrzejowi Sewerynowi różnych interesujących ludzi, lecz nikt nie zrobił na mnie takiego wrażenia swoją ciekawością świata, życia, człowieka. Nie wiedziałam, że można w podobnie twórczy sposób obserwować wszystko, co nas otacza, reagować tak głęboko, a jednocześnie spontanicznie i prawdziwie, wyciągać zaskakująco trafne wnioski. Wajda mówi czasami o sobie, że jest reżyserem zasłyszanego, buduje filmy z czegoś, o czym mu kiedyś opowiadano. Może tak jest naprawdę; z okruchów zdarzeń, obserwacji, słów umie stworzyć na ekranie świat uderzający jedyną w swoim rodzaju, własną prawdą.

Zabawne, ale czym będzie *Człowiek z marmuru* i Wajda w moim życiu, zrozumiałam do końca na festiwalu w Opolu. Wyszłam na scenę, żeby zaśpiewać *Gumę do żucia,* a widownia od razu wybuchnęła oklaskami. Publiczność zaczęła wołać: brawo Wajda! Wajda, nie ja. I wtedy mogłam już zaśpiewać, tak jak zaśpiewałam: fałszując okropnie. Ale odważnie. Akceptowali mnie.

Typ, który stworzyłam w *Człowieku z marmuru,* był czymś nowym. Mogłam się nie podobać – w recenzjach pisano o mojej roli źle – ale zapamiętano mnie,

zwróciłam uwagę. W ciągu kilku miesięcy – premiera *Człowieka z marmuru* odbyła się w marcu, premiera *Ślubów panieńskich* i *Doriana Graya* w lutym, festiwal w Opolu w lipcu – zdobyłam więcej, niż mogłoby mi się przyśnić. A jednocześnie wiedziałam, że nie umiem nic.

Dramatyczna sprawa. Przecież tylko się bawiłam, coś działo się wokół mnie – i nagle czuję na sobie światło reflektorów, które nie wypuszcza mnie ze swego kręgu. Nie umiem nic – a mam nazwisko. Poczułam, że tracę grunt pod nogami.

Telefon dzwonił bez przerwy. Nie widziałam innego wyjścia: postanowiłam grać wszystko. Robiłam po kilka rzeczy naraz. Myliły mi się role, wyjazdy, filmy. Rano zdjęcia, wieczorem teatr, w nocy kabaret. Grałam bez zastanowienia, kierując się tylko instynktem. Przeskakiwałam beztrosko z jednej stylistyki do drugiej, z *Bestii* na motywach Tołstojowskiego *Diabła* do *Doktora Murka* według Dołęgi-Mostowicza. I właściwie był to w moim życiu zawodowym najszczęśliwszy okres. Cudownie beztroski, nieobciążony poczuciem odpowiedzialności, świadomością możliwej klęski.

Próbowałam również dubbingu i radia. Obie formy odrzuciłam natychmiast. Po *Człowieku z marmuru* zostało mi pragnienie wyrazistości, nic połowicznego nie wchodziło w grę.

Chciałam się jak najwięcej nauczyć. Wypytywałam reżyserów o postacie, sens każdej sceny, całego filmu. O środki, jakimi chcą osiągnąć pożądane efekty. Nauczyłam się na pewno jednego: że trzeba starać się zrozumieć wszystkich. Sposób myślenia w przypadku każdego reżysera był tak odmienny, że wyrobiłam w sobie rodzaj elastyczności, umiejętności wychodzenia naprzeciw oczekiwaniom. I chyba dlatego nie zagrałam w tym okresie żadnej znaczącej roli.

Tylko Wajda! Po *Człowieku z marmuru* zagrałam jeszcze w trzech jego filmach: w *Bez znieczulenia*, w *Dyrygencie*, *Człowieku z żelaza* – i tylko one się liczyły. Reszta – to był bal.

Rola w *Bez znieczulenia* jest najbardziej tajemnicza w całej mojej karierze. Grałam wtedy w *Bestii* Jerzego Domaradzkiego. Kręciliśmy akurat scenę w kościele, byłam ubrana w elegancką suknię i kapelusz z woalką. Pojechałam na plan do Wajdy, nie przebierając się, w kostiumie. Wajda dał mi monolog, który napisała Agnieszka Holland.

Przeczytałam i wydał mi się okropny. Była tam mowa o tym, że ojciec gwałcił dziewczynę, którą miałam zagrać, i inne podobne rzeczy. Nie odważyłam się wygłosić swojej opinii wprost, zapytałam tylko, czy w tym filmie wszyscy tak dużo mówią. Wajda chwilę się zastanowił i potwierdził. Zdobyłam się na odwagę i wyraziłam wątpliwość, czy powinnam mówić wszystkie te okropności. Na co Wajda: a umiałabyś zagrać to bez słowa? Zdjęłam z siebie tamten kostium i włożyłam wojskową kurtkę, którą nosił tego dnia Edward. Poprosiłam, żeby nie robiono mi makijażu – za to bardzo bym chciała mieć piegi. Charakteryzatorka rozrobiła akwarelę, wzięła szczoteczkę do zębów i spryskała mi twarz, ramiona i ręce. Usiadłam przy stole z Zapasiewiczem. Mówił on. Jeśli chodzi o mnie, grał tylko duży palec mojej stopy: siedziałam na krześle z podkurczonymi nogami, kamera patrzyła na niego spoza mojej nogi. Dokręciliśmy potem drugą scenę niemą i mój płacz po jego śmierci.

Film był gotowy, wyznaczono termin konferencji prasowej. Zapytałam Andrzeja, co powinnam powiedzieć, jeśli mnie zapytają o rolę. Odpowiedział, żebym się nie przejmowała, bo dziennikarze wymyślą wszystko sami. I miał rację. Pokazał mi potem ze śmiechem francuskie recenzje. W jednej byłam sumieniem narodu, w drugiej aniołem śmierci, w trzeciej, jeśli dobrze pamiętam, emanacją duszy Wschodu...

Kiedy na horyzoncie zaczął się rysować *Dyrygent*, o roli dla mnie nie było na razie mowy. Miał grać Seweryn, przyszedł więc do nas Wajda, żeby porozmawiać. Podałam herbatę i zaczęłam bawić się z Marysią na podłodze, w drugim kącie pokoju, żeby im nie przeszkadzać. Wajda popatrywał na nas od czasu do czasu i nagle powiedział: Krysia jest kobietą, nigdy mi to nie przyszło do głowy! Szukam po całej Polsce aktorki, a przecież mogłabyś zagrać ty. Tak dostałam rolę w *Dyrygencie*.

Ostrzegł mnie: tylko się nie pchaj, to nie o tobie. Zrobiono mi za mało zbliżeń; okazało się potem, że brakuje ich do kontrplanów.

O kim film będzie opowiadał, decydowała u Wajdy wielokrotnie faza montażu. Wajda pracuje metodą w Polsce stosowaną rzadko: robi najpierw *master-shot*, a potem kręci scenę w kilku planach: w planie amerykańskim, w zbliżeniu, w planie pełnym. Można ją zmontować na wiele sposobów. Inni najczęściej realizują ujęcia w planach wymyślonych wcześniej, odcinając sobie możliwość

zarejestrowania niespodzianek. Jeszcze gorzej jest w artystycznym kinie na Zachodzie; przynajmniej francuskim i niemieckim, które znam. Reżyser i operator realizują jakieś bardzo dziwne konstrukcje, aktorom nie wyjaśniają prawie nic. Można się tylko domyślić, o co chodzi. Przepada w ten sposób połowa wartości, które mógłby dodać aktor. Moje rozmowy z niemieckimi reżyserami przebiegają według pewnego schematu. Reżyser mówi na przykład tak: wchodzi pani do pokoju, kładzie kapelusz na łóżku i patrzy w lustro. Ja: ale dlaczego patrzę? On: bo zastanawia się pani nad sobą. Ja: przecież mogę to zagrać na sto sposobów! Czemu mam patrzeć w lustro? A on: bo tak to sobie wymyśliłem. Wtedy odpowiadam już tylko: *jawohl, Herr Regisseur!* A myślę: trudno.

Wajda natomiast - mówiono o tym wiele razy, ale powtórzę, bo to ważne - wciąga do tworzenia filmu wszystkich współpracowników. Umie pobudzić emocje całej ekipy i maksymalnie je wykorzystać. A co zabawne, wielu uważa potem, że to oni wymyślają filmy Wajdy.

Pani Prugarowa zmontowała próbnie *Dyrygenta* najpierw jako opowiadanie o młodym dyrygencie, czyli Sewerynie, potem o starym - Gielgudzie. Po drugiej projekcji powiedziała cichutko: jakkolwiek bym montowała, panie Andrzeju, to jest o niej... Nie dlatego, że tak genialnie zagrałam, po prostu w tę stronę prowadzi akcja: dwaj mężczyźni kręcą się wokół jednej kobiety. Wcale się nie pchałam, tylko nie dało się mnie wyeliminować.

Byłam wtedy zresztą w świetnej formie. Jeśli gra się od szóstej rano do drugiej w nocy, dochodzi się do takiej elastyczności twarzy, ciała, myśli, psychiki, że wydaje się, iż można zagrać wszystko. Teraz trudno mi uwierzyć, że ja z tamtych lat to ta sama osoba, co dzisiaj. Coś mnie pchało do przodu, każąc przeskakiwać kolejne płotki. Nie interesowałam się, jak mnie oceniano, nie czytałam nawet recenzji. Chciałam jedynie grać. Miałam uczucie, że tylko po to istnieję, tylko po to mam twarz, ręce, ciało.

Gielgud patrzył na mnie zdumionymi oczami, jak na dzikusa. Jest to wielki aktor teatralny, specjalista od Szekspira, jedna z żywych legend angielskiego teatru. A tu wirował wokół niego krzykliwy tłum, ludzie opowiadali dowcipy, śmiali się, płakali. Nie wiedział dlaczego, nie rozumiał przecież po polsku. Wydawał się śmiertelnie przerażony. W czasie scen, które graliśmy razem, widziałam przed sobą szklane oczy, dotykałam drewnianej ręki. Miał mnie pocałować w kawiarni; nie chciał. Trzeba było posłużyć się sposobem, fotografując mnie przez inną głowę. Nie chciał mnie pocałować, w ogóle nic nie chciał. Pewnie marzył o jednym: żeby wrócić do Anglii. Zresztą powiedział o mnie potem jakieś miłe słowa, a nawet przysłał mi perfumy.

Nie lubię oglądać *Dyrygenta*; przedostało się tam za dużo z mojego życia prywatnego. Zaraz po filmie rozwiodłam się z Andrzejem Sewerynem. Widać na ekranie, że boję się go naprawdę. Zarejestrowały się prawdziwe, niekontrolowane uczucia, a tak być nie powinno.

Moją rolę w *Dyrygencie* ceniono na Zachodzie, lecz dla mnie ważniejsza była drugoplanowa właściwie rola w *Człowieku z żelaza*. Pięć lat po *Człowieku z marmuru* dopowiedzieliśmy historię młodego Birkuta i Agnieszki.

W sierpniu 1980 roku, kiedy rozgrywały się wydarzenia, o których opowiada film, byłam w Budapeszcie, gdzie Szabo kręcił *Mefista*. Grałam niewielką rolę obok Klausa Marii Brandauera. Nie znałam wtedy jeszcze niemieckiego, którym posługiwała się ekipa. Zorientowałam się, że w Polsce coś się dzieje, kiedy pod oknami hotelu przeszła manifestacja, wykrzykując: *Lengyelország, Lengyelország!* Wyszłam na ulicę i zobaczyłam, że tłum kieruje się w stronę pomnika Bema. Pobiegłam do Ośrodka Kultury Polskiej, ale zastałam drzwi zamknięte na głucho. Następnego dnia przyjechał z Wiednia Brandauer i powiedział mi, że w Polsce wybuchła rewolucja, na czele stoi jakiś Waleza, podstawiony agent Moskwy, a głupi Polacy mu wierzą. Powoływał się na kanclerza Brunona Kreisky'ego, od którego podobno usłyszał tę rewelację w czasie proszonego obiadu. Było dla mnie jasne, że tak nie może być, ale nie wiedziałam, co się dzieje naprawdę. Wreszcie spotkałam na ulicy jakąś dziewczynę z Polski, i ona mi powiedziała o wydarzeniach na Wybrzeżu. Resztę usłyszałam od mamy, która przyjechała z Marysią.

Siedziałam więc w luksusowym hotelu, odcięta od kraju, i łowiłam wiadomości z Polski; Agnieszka siedzi w areszcie i nasłuchuje wiadomości ze stoczni. Wajda nie od razu wiedział, gdzie ją ulokować: na terenie stoczni czy gdzieś indziej? Jeśli w stoczni, co by tam miała robić? Nie mogła przecież być przywódczynią strajku. Agnieszka po pięciu latach powinna się zmienić, ale jak? Wreszcie wymyślili dla mnie rolę takiej trochę matki Polki. Lubiłam historię miłości z tego filmu. Ubłagałam Andrzeja, żebym mogła w scenie, kiedy

witam się z Jurkiem Radziwiłowiczem na dworcu, biec do niego i rzucić mu się w ramiona, najlepiej na zwolnionych zdjęciach. Wajda śmiał się z mojego złego gustu, ale pozwolił; niestety, na zwolnione zdjęcia namówić się nie dał... Swoją drogą, gdyby pozwolono mi reżyserować własne role, składałyby się prawdopodobnie z samego rzucania się w ramiona i zwolnionych zdjęć. Na szczęście reżyserzy czuwają.

Człowiek z żelaza dopełnił moją edukację obywatelską. Ugruntował sposób myślenia o kraju, o dramacie naszej historii. Czasami uświadamiam sobie ze zgrozą, że gdybym nie poznała właściwych ludzi, nie przeczytała odpowiednich książek, pozostałabym kretynką, która o niczym nie ma pojęcia. W filmie jest podobny wątek: Agnieszka dzięki Birkutowi wchodzi w środowisko ludzi myślących, co ją całkowicie zmienia.

Nie mogłam sobie w tej roli pozwolić na moje ukochane ekstrawagancje i rozumiałam doskonale, że tak być musi. Rewolucję robią mężczyźni, kobieta ma stanowić punkt oparcia, starać się o to, żeby dom nie zawiódł. Grałam jednocześnie dojrzałą, mądrą Agnieszkę i symbol.

Scenariusz był szkicowy, film rodził się w montażu. Zdjęcia dobiegały już końca, kiedy Andrzej dał mi w wytwórni kartkę, na której spisano w punktach, o czym mam mówić w długim monologu do dziennikarza. Zeszliśmy na dół do pomieszczeń biurowych. Jeden pokój stał pusty. Panowie z ekipy wnosili metalową szafę i stół, ja w tym czasie czytałam dyspozycję i zapamiętywałam, o co chodzi. Nakręciliśmy cztery godziny improwizacji, Andrzej zmontował pół godziny. Mówił potem o moim monologu: jakaś baba gada i gada, okropne, nigdy bym tak tego nie nakręcił, gdybym nie musiał. A musiał, bo w moim gadaniu wyjaśniały się sprawy najważniejsze.

Kamera zarejestrowała jeszcze jedno: jej, Agnieszki, ale także moją, niezależność, poczucie wewnętrznej wolności. Chyba całe moje pokolenie jest podobne. Kiedy robiliśmy *Człowieka z marmuru*, Andrzej mówił: widz musi odczuć, że jutro przyjdą tacy, którzy nie będą prosili, by im otworzono drzwi, lecz rozwalą je kopniakiem. I o tym, jak je rozwalili, opowiadał *Człowiek z żelaza*.

W białej toyocie

W nowym, białym samochodzie słucham, co się stało z czerwonym peugeotem. Pani Krystyna trafiła w karambol na Trasie Łazienkowskiej. Nie bała się o siebie, lecz o synka; spodziewa się dziecka, wie, że znowu będzie syn. Wyszła z katastrofy bez szwanku, chociaż zszokowana. Usiadła na słupku, po chwili przyszedł policjant z zaproszeniem do radiowozu; będzie jej wygodniej. Pozwoliła się zaprowadzić. Uznała, że się pozbiera, jeśli poprawi makijaż. Szuka w torebce – nie ma szminki. Policjant pyta, co zginęło, na co pani Krystyna: szminka, austriacka, rzadki kolor. Chyba jeszcze była w szoku, bo ta szminka wydawała jej się najważniejsza.

Siedzi sama, nagle odzywa się radiotelefon. Zdyszany policjant przybiegł po minucie. Dialog: „Co wy tam, k..., śpicie?". – „Nie, szukamy szminki". – „Jakiej znowu, k..., szminki?". – „Austriackiej, rzadki kolor". – „Co wy, k..., pieprzycie? Na mózg wam padło?".

Ale znaleźli. Na trawniku, koło samochodu.

Nazajutrz wysłała do policji list z podziękowaniem. Za kilka dni policja oddzwoniła: chyba wszystkie biuletyny wewnętrzne plus gazeta policyjna poprosiły ją o wywiad. Odmówiła.

Grzeczność za grzeczność, ale nie przesadzajmy. Policja to policja.

Peugeot rozbity w drobny mak, a tu próby w teatrze, mąż za granicą, i do tego ta ciąża. Pojechała do Intraco. Wędruje po piętrach, wszędzie mówią: samochód? Może być za tydzień. W jednej z firm urzędniczka właśnie rozmawiała z klientem, który zgłosił się po odbiór. Popatrzyła na panią Krystynę, zauważyła chyba tę ciążę i oświadczyła klientowi: proszę pana, źle pan zrozumiał, proszę przyjść w przyszłym tygodniu.

Pani Krystyna wróciła do domu samochodem.

Pytam: to już Zachód czy jeszcze Wschód? Odpowiada: Wschód, oczywiście. Na Zachodzie nie do pomyślenia.

Marzenie o zwycięstwie

To nie ja miałam grać w filmie Bugajskiego, lecz ktoś inny. Wcale nie byłam pewna, czy tę rolę dostanę. Od początku ogromnie chciałam. Po przeczytaniu scenariusza zdałam sobie sprawę, że stoję przed niezwykłą szansą, jaka aktorce zdarza się raz w życiu.

Scenariusz przewidywał, że w jednej scenie Tonia musi się rozebrać. Aktorka, o której myślał Bugajski, nie chciała – i rola była moja. Przed laty na podobnej zasadzie Stasia Celińska otrzymała rolę w *Krajobrazie po bitwie*: aktorka, o której myślał Wajda, nie zgodziła się pokazać biustu. Zagrała Stasia – cudownie.

Zdjęcia do *Przesłuchania* trwały dwa miesiące, ostatnią scenę kręciliśmy w przeddzień wybuchu stanu wojennego. Kończyliśmy w pośpiechu. Czuliśmy, że coś się stanie. Nie tylko my. Dyrektor więzienia na Rakowieckiej, gdzie kręciliśmy sceny na korytarzach, chodził za nami zmartwiony i pytał, czy nie wiemy, co się dzieje, bo mu gwałtownie opróżniają więzienie.

Nic w *Przesłuchaniu* nie jest udawane. Kiedy rzucają mnie na podłogę celi – nikt mnie nie oszczędza; kiedy dostaję w twarz – biją naprawdę; gdy polewają wodą – to ja stoję pod strumieniem z węża, nie dublerka.

Równolegle z *Przesłuchaniem* grałam w filmie francuskim, obok Lina Ventury, rolę eleganckiej kobiety. Kazali mi przyjeżdżać na dwa dni przed terminem, bo tyle trwało doprowadzenie mnie do normalnego wyglądu. Kosmetyczki, manikiurzystki, fryzjerka musiały nade mną ciężko pracować, żeby można mnie było pokazać na ich ekranie. Pytali: co ty tam grasz w tej Polsce, że tak wyglądasz? A ja odpowiadałam: taką jedną, co siedzi w więzieniu. Oni na to: ale przecież grasz, nie siedzisz, więc dlaczego tak wyglądasz?

Patrzyłam wtedy na nich jak na miłe dzieciaki. Myślałam: przyjemnie sobie żyją, a ja zrobiłabym o wiele więcej, niż robię, byle tylko tamten film mógł powstać. W 1981 roku działo się w kraju tyle fascynujących spraw, tak ciekawe było wszystko, czym żyliśmy, że urocza nieważność tego, co robiłam we Francji, wydawała mi się rozbrajająca.

Dzisiaj nie umiałabym zagrać tak jak w *Przesłuchaniu*. To, co tam gram, wykracza poza sprawność zawodową, a podobnego stanu emocjonalnego teraz bym już w sobie chyba nie znalazła. Chciałam, żeby w roli Toni znalazło się wszystko, co wiem o tym strasznym systemie, co wobec niego czuję. Miał to być film dla ludzi młodych, dlatego uważałam, że tamta dziewczyna musi mieć cechy im bliskie. Wyposażyłam ją w reakcje, które mogłyby podobać się młodym.

Budowałam postać swojej bohaterki świadomie, pokazując w początkowych scenach jej witalność, spontaniczność, radość życia. Dopiero zderzenie z absurdem zła wyzwala w niej reakcję elementarną: protest, o którym marzyłam i ja, i widzowie. Grałam to, co odczuwali wtedy wszyscy: nienawiść do systemu. I marzenie o zwycięstwie.

Reżyser był moimi pomysłami przerażony. Za dużo wiedział, z lektur i rodzinnych przekazów, jak podobne sprawy przebiegały naprawdę. Konsultantki, byłe więźniarki Rakowieckiej, potwierdzały, że nikt nie odważyłby się podobnie zachowywać w śledztwie. Ale ja czułam, że tego chcieliby ludzie na widowni. Pragnęli, by tak zachowywała się ich bohaterka.

Dochodziło na planie do awantur. Rysiek nienawidził mnie, a ja jego, lecz dzięki temu film jest gorący.

Bugajski umiał nasze kłótnie racjonalnie wykorzystać. Analizował wszystko, co powstawało na planie, przewidywał konsekwencje i wprowadzał zmiany do scenariusza. Wydawało mi się, że film zmierza we właściwym kierunku. Mimo naszych sporów, a może dzięki nim.

W pierwszych scenach filmu Tonia śpiewa głupiutką piosenkę: „Zgadnij, kotku, co mam w środku...". Ma ona swoją historię. Rysiek już się zgodził, żebym coś takiego zaśpiewała, ale piosenki nie mieliśmy. Obiecałam, że zaraz przywiozę, i pojechałam do Jacka Janczarskiego. Powiedziałam do niego mniej więcej tak: Jacuś, my tu z Basią (Wrzesińską – jego żoną) wypijemy herbatę, a ty w tym czasie napiszesz tekst. Najgłupsze wesołe słowa, jakie ci przyjdą do głowy. Jacek pyta: a o czym ten film jest? Ja mu na to: przesłuchują mnie, siedzę w więzieniu. Za kwadrans tekst był gotowy. Wzięłam kartkę i pojechałam do Jurka Satanowskiego. Jurek popatrzył i wystukał melodyjkę. Wróciłam z piosenką na Chełmską. A potem, w stanie wojennym, jechałam kiedyś samochodem i zatrzymała mnie milicja. Na tylnym siedzeniu leżał magnetofon z naklejką:

„Człowiek z żelaza". Napis wystylizowany był na wzór plakietek Solidarności. Milicjant od razu się rozwścieczył. Pokazuje palcem i mówi: proszę to włączyć. Wcisnęłam klawisz i magnetofon zaryczał: „Zgadnij, kotku, co mam w środku, co się dzieje w duszy mej...". Milicjant dostał szału, myślałam, że mnie pobije. Uznał to za prowokację.

Skończyliśmy zdjęcia i cała ekipa spotkała się w barze przy wytwórni. Wiedziałam, że zrobiliśmy coś najważniejszego w życiu. Nie piję właściwie w ogóle, mój mąż również, ale wtedy upiliśmy się oboje. Wracaliśmy do domu samochodem. Mieszkaliśmy dwie ulice dalej, myśleliśmy więc, że jakoś się uda. Oczywiście złapała nas zaraz milicja i kazali Edwardowi dmuchać w balonik. Pamiętam, że wysiadłam za nim i zaczęłam ich radośnie przekonywać, że sytuacja jest wyjątkowa, wypiliśmy, owszem, ale po to, żeby uczcić zakończenie zdjęć do filmu, o którym na pewno usłyszą.

I chyba usłyszeli.

W niedzielę 13 grudnia zaczął się stan wojenny, a 17 grudnia, specjalnym rejsem samolotowym, z dziećmi, papugami i psami dyplomatów, poleciałam do Francji. Producent za pośrednictwem agencji TASS – nie działały przecież połączenia telefoniczne – wyciągnął mnie z kraju na ostatni dzień zdjęciowy filmu.

Byłam pierwszą Polką, która po 13 grudnia przyleciała do Paryża. Prosto z lotniska zawieziono mnie do telewizji, żeby zrobić ze mną wywiad w głównym wydaniu Dziennika. Posadzono mnie przed kamerą i zaczęto pytać: czy w Polsce strzelają, kogo zamknięto w więzieniu, co z moim dzieckiem, które zostało w kraju. Nie odpowiedziałam na żadne pytanie, zaczęłam płakać. Dali mi spokój i poleciały normalne wiadomości, ale co kilka minut wracali do mnie. Informacje z całego świata, a kamera punktuje mną płaczącą. Tyle tylko mogłam wtedy dla nas zrobić. Myślę, że była to jedna z moich najlepszych ról. Nazajutrz przysłano mi do hotelu mnóstwo kwiatów, pewien rzeźnik – parę kilogramów mięsa, a dyrektor najbardziej ekskluzywnego szpitala, leczącego również depresje i nerwice, zaproponował mi bezpłatną kurację.

Zagrałam moją brakującą scenę w filmie i następnego dnia – ku zdumieniu producenta – odleciałam do Warszawy. Po powrocie czekało mnie przesłuchanie i nauki dotyczące sposobu udzielania wywiadów.

Dwa miesiące później, w lutym, miałam zacząć na Lazurowym Wybrzeżu zdjęcia do serialu TV. Trzy półtoragodzinne odcinki, ośmiomiesięczny kontrakt, podpisany wcześniej między francuską TV a Filmem Polskim. Mnie nie robiono trudności, lecz odmówiono zgody na wyjazd Marysi. Minął termin rozpoczęcia zdjęć, a biuro paszportowe ciągle mówiło: nie. Edwarda nie było w kraju, pracował wtedy w Niemczech. Nie mogłam wyjechać bez dziecka.

Wreszcie się zgodzili, po francuskich interwencjach na wysokim szczeblu. O czwartej po południu zawiadomiono mnie, że paszport Marysi jest do odebrania, a o wpół do piątej siedziałam w samochodzie i jechałam do Paryża. Z dzieckiem, z psem, z bagażnikiem wypełnionym rzeczami, które wrzuciłam luzem, jak popadło. Dom zostawiłam pod opieką Honoraty i kota.

Zaraz za Warszawą zaczęły mnie zatrzymywać patrole wojskowe. Pytali, dokąd jadę, a ja odpowiadałam, że do Paryża. Wtedy oni wybuchali śmiechem, ja pokazywałam paszport i ruszałam w dalszą drogę. Tuż przed godziną policyjną przypomniałam sobie, że wiozę w torebce dowód rejestracyjny cudzego samochodu; był mi do czegoś potrzebny poprzedniego dnia. Zatrzymałam się przy pierwszym patrolu i oświadczyłam dowódcy, że właśnie wyjeżdżam z kraju, a ten dokument musi wrócić do Warszawy. Trzeba go odwieźć jutro na ulicę Puławską i oddać do rąk własnych pani Barbarze Pec-Ślesickiej. Jak mi potem opowiadano, nazajutrz zjawił się w Zespole Filmowym X oddelegowany żołnierz i wręczył przerażonej Basi ów dowód.

Przenocowałam po polskiej stronie w pensjonacie, gdzie od 13 grudnia nie pojawił się żaden gość. Panie przyjęły mnie jak kogoś z rodziny. Nakarmiły, położyły Marysię spać, nie miały za złe, że pies nasikał na dywan. Jakiś pan ofiarował mi dwa litry benzyny, która była na wagę złota, żebym mogła dojechać do granicy.

O świcie polscy wopiści zobaczyli dziecko, psa, bałagan w bagażniku, niczego nie sprawdzali i życzyli mi szerokiej drogi. Po drugiej stronie szlabanu było inaczej. NRD-owcy zażądali świadectwa szczepienia psa. Pokazałam, ale oni oświadczyli, że psa należało zaszczepić tuż przed wyjazdem. O pierwszej po południu przyjedzie weterynarz, zaszczepi psa ponownie i będę mogła jechać dalej.

Pół dnia na granicy, z dzieckiem, bez choćby szklanki herbaty, bo nie miałam marek wschodnich. A we Francji od dwóch tygodni czeka na mnie ekipa.

Wróciłam na polską stronę. Dowódca wopistów wysłuchał mojej relacji i poszedł ze mną do stanowiska NRD-owców. Powiedział do tamtych: widzicie waszą ciężarówkę, tę, która stoi po naszej stronie? Zobaczycie, co z nią zrobimy, jeśli – tu wskazał na mnie – ona natychmiast stąd nie odjedzie, razem z dzieckiem i psem. I odjechałam.

Miałam tylko w drodze powrotnej przywieźć lekarstwo dla dziecka dowódcy wopistów (jakaś przewlekła choroba oczu). Przywiozłam.

Marysia ledwie umiała wtedy czytać, znała tylko litery. Trzymała na kolanach mapę i szukała miasta na D (jechałyśmy chyba przez Dortmund). Oczywiście źle wjechałam na autostradę. Postanowiłam jechać tyłem. Zaraz pojawiła się policja. Zrozumieli tylko, że jadę z Polski i chcę się dostać do Paryża. Pomogli mi się wycofać, asekurując mnie trzema policyjnymi samochodami.

Po dwudziestu dwóch godzinach jazdy, w nocy, zgasiłam silnik na Place d'Etoile. Stałam pod znakiem zakazu postoju, ale było mi wszystko jedno. Na karteczce miałam telefony Edwarda, Wajdy, który wtedy robił w Paryżu *Dantona*, mojego reżysera, producenta. Nie zadzwoniłam do nikogo, zwinęłam się na siedzeniu i zasnęłam. Spało dziecko, spał pies, spałam ja. Dojechałam i czułam się szczęśliwa.

Zaczął się najdziwniejszy okres w moim życiu. W Polsce stan wojenny, koledzy trwali w bojkocie telewizji, a ja z mężem i przyjaciółmi robiłam przyjemny film we wspaniałych kostiumach, mając wokół siebie wille milionerów na Lazurowym Wybrzeżu. Pewnego popołudnia dotarł tam do mnie stenogram z kolaudacji *Przesłuchania*. Czytaliśmy go razem z Edwardem. Kraj, z którego ten dokument nadszedł, wydawał nam się nierzeczywisty.

Pamiętam dokładnie: wiał leciutki wiatr, trzymałam w ręku skąpaną w słońcu kartkę i czytałam wszystkie te absurdalne, zionące nienawiścią słowa. O sobie, o swojej roli: „Kim jest ta k... na ekranie? Co to za symbol pokolenia akowskiego?".

Pod koniec tamtego roku wracałam do Polski. Sama, Edward wyjechał wcześniej z Marysią, ja musiałam ukończyć postsynchrony. Ludzie, których spotykałam na stacjach benzynowych, w przejściach granicznych, przydrożnych barach, widząc moją rejestrację i kierunek, w którym się udaję, chcieli mnie za wszelką cenę skłonić, żebym nie jechała dalej. Na końcu, tuż przed granicą NRD, zobaczyłam na murze wielki napis, który mnie zdumiał najbardziej:

Gustaw-Konrad stop! Widocznie zostawił go jakiś zdesperowany Polak, który dopiero w tym punkcie zawrócił. Zatrzymałam się na poboczu, zrobiłam siusiu, wsiadłam z powrotem do samochodu i przejechałam granicę. Przekreślając, jak krzyczała do mnie w Paryżu moja agentka, „życie i karierę".

Pod koniec ponurego roku 1982 zaczął się rysować na horyzoncie film, który miał mi przynieść zupełnie nowe doświadczenie: *Kochankowie mojej mamy*.

Najpierw zadzwonił Andrzej Wajda i powiedział, że powinnam w tym zagrać. Zresztą potem zmienił zdanie; bawił się, oglądając *Kochanków*, jednak uznał, że Agnieszka z *Człowieka z...* podobnych postaci grać nie powinna, jeszcze na to za wcześnie. Ale wtedy po telefonie Andrzeja przyszedł Sławek Piwowarski i powiedział, że Wajda kazał mu mnie zaangażować. Zostawił scenariusz i poszedł.

Szukałam od wielu miesięcy czegoś podobnego. Powtarzałam we wszystkich wywiadach, że najważniejsze są obecnie podstawowe wartości, tylko one nam pozostały. Marzył mi się film o miłości: namawiałam Wajdę, żeby spróbował. Odpowiedział: za trudne, chyba bym nie potrafił. Uważał, że należałoby zrobić *Nad Niemnem*: o miłości, ale i o czymś jeszcze. Miał rację. Film według *Nad Niemnem* wkrótce naprawdę powstał – zrealizował go kto inny – i odniósł sukces.

Przeczytałam *Kochanków mojej mamy* i wiedziałam już, że to jest to, czego szukam. Historia miłości, lecz o wiele pełniejszej niż uczucie między mężczyzną i kobietą. I na pewno mniej banalnej. Nie mogłam sobie przypomnieć, żebym widziała kiedyś podobny film albo czytała podobną książkę. Natychmiast się zgodziłam.

Przegadaliśmy ze Sławkiem wiele wieczorów, zasypując się nawzajem pomysłami i szalejąc z radości. Sławek ma wyczucie dialogu, potrafi połączyć sentyment i żart, umie wzruszać. W jego pierwszym filmie, *Yesterday*, było wszystko: genialne pomysły i prostota, tragizm i dowcip, melodramat i prawda życia. Pamiętałam bitelsów z tamtego filmu Sławka, ale także ciotkę. Jej uczuciowy związek z chłopcem został zarysowany pięknie, ciepło, niezwykle. Aż było żal, że nie ma osobnego filmu o tych dwojgu. Wydawało mi się, że siedzi przede mną reżyser, na którego czekałam.

Zaczęły się zdjęcia. Po pięciu dniach wiedziałam już, że to nie będzie wielki film. Reżyser zanadto był ze mnie zadowolony. Aktor jest tak skonstruowany, że

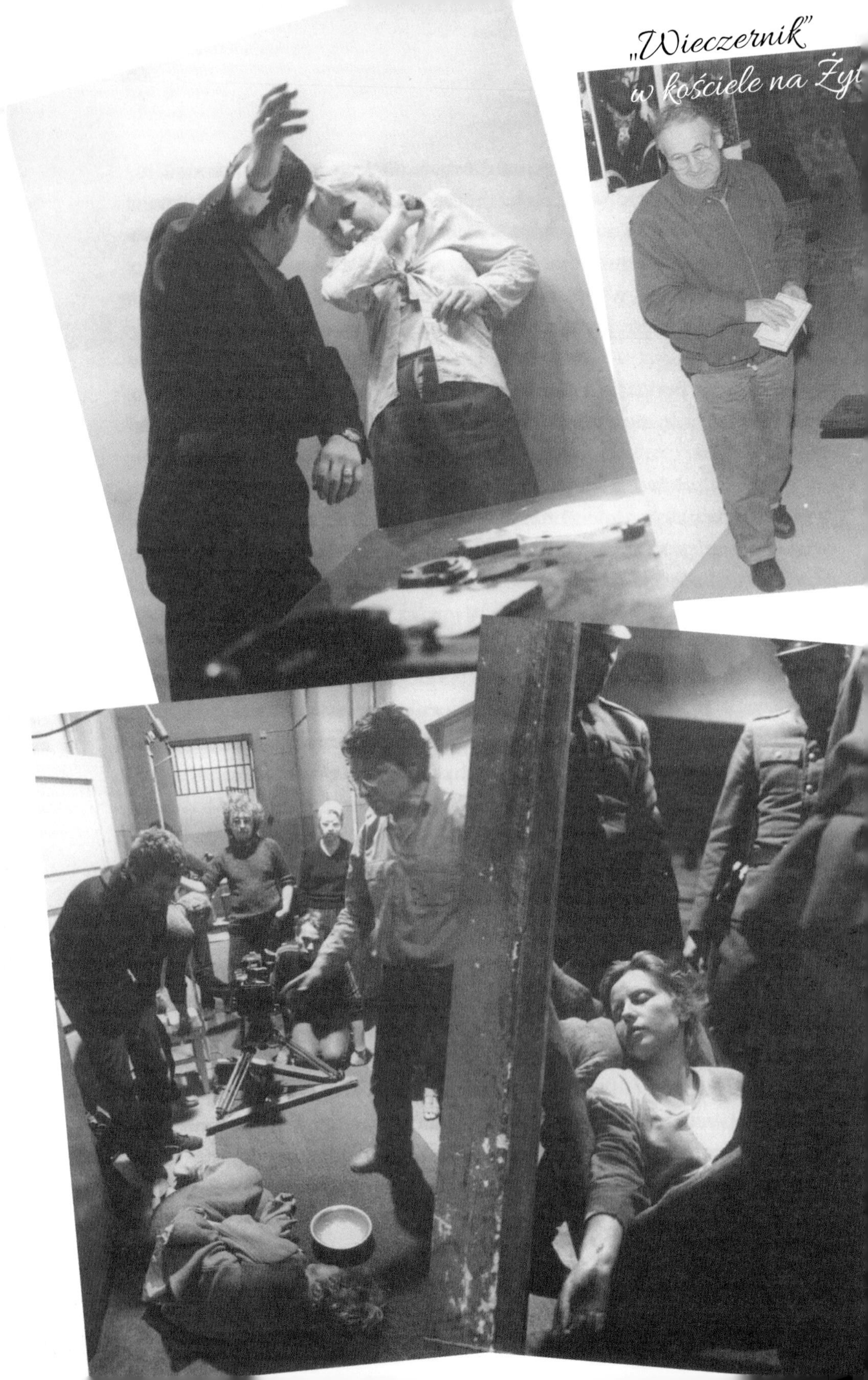
„Wieczernik”
w kościele na Ży

Andrzej Wajda,
jak ja go kocham w pracy.

ruchta, mnie zimno w nogi.

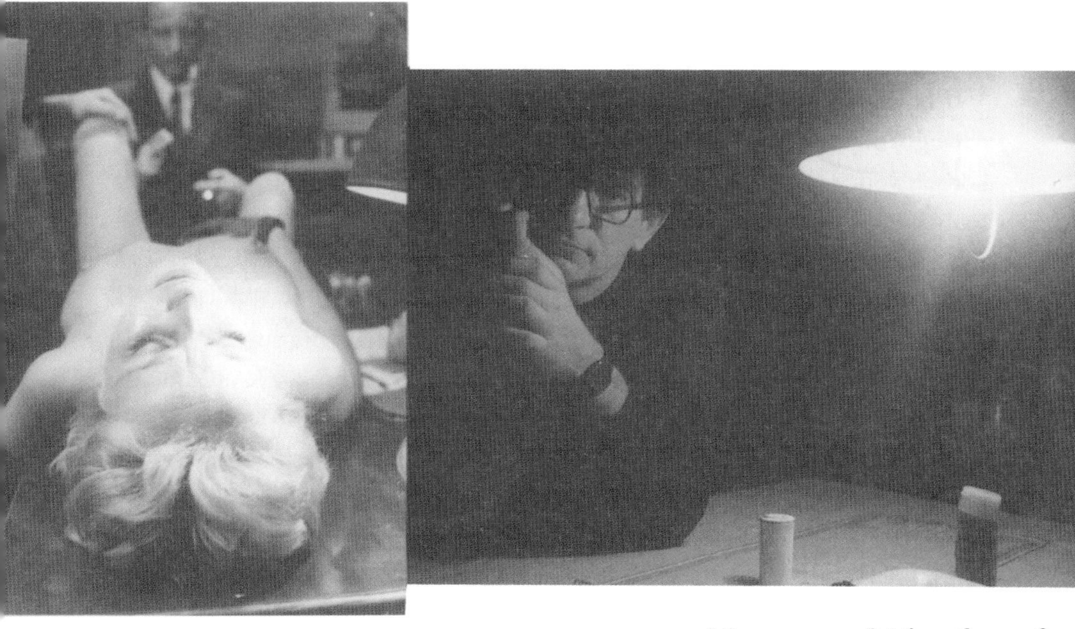

Krzysztof Kieślowski

„Przesłuchaniu" nic nie jest udawane.
edy rzucają mnie na podłogę celi – nikt mnie nie
czędza, kiedy dostaję w twarz – biją naprawdę,
polewają wodą – to ja stoję pod strumieniem,
dublerka.

gra w filmie właściwie dla reżysera, który jest pierwszym widzem. Jeśli reżyser uważa, iż wszystko idzie jak trzeba, nie szuka się innych, lepszych rozwiązań. A na planie *Kochanków* dzień zdjęciowy zaczynał się od słów zachwytu, kończył okrzykiem entuzjazmu. Radosna twórczość ludzi, którzy podobają się sobie, mają podobne poczucie humoru, cieszy ich to, co robią. Potrzebny byłby ktoś jeszcze, kto wprowadziłby dystans, chłód, myślową dyscyplinę.

Wiem, że są tam sceny, które w innej atmosferze nie mogłyby powstać, kocham ten film, ale oglądam go zawsze z bólem w okolicach żołądka. Jest w nim jakiś błąd. Stanowi właściwie rodzaj brudnopisu. Żal mi, bo pomysł był niezwykle oryginalny. Istniała szansa na film klasy światowej, zrozumiały i wzruszający nie tylko w Polsce.

Udawało nam się robić na planie coś o wiele bardziej odważnego, kolorowego, niż zarysowywał pierwotny pomysł, ale pozostawało to jakby bez konsekwencji, zawisało w powietrzu. Otwierała się inna droga, a tymczasem realizowaliśmy dalej ten sam scenariusz. Sławek nie zmieniał nic w następnych scenach, chociaż powinien. Okazaliśmy obydwoje - reżyser i ja - za mało przenikliwości, a może charakteru.

Mimo żalu, że nie udało się więcej, ogromnie ten film lubię. Jest dla mnie ważny także z przyczyn osobistych: robiłam go, poza wszystkim, dla Marysi.

Moja córka od wczesnego dzieciństwa była rozsądniejsza ode mnie, pamiętała o wszystkim za siebie i za mnie, logiczniej myślała. Miała chyba cztery lata, kiedy zapytała mnie przed wyruszeniem gdzieś w drogę, czy nie zapomniałam zatankować (owszem, zapomniałam). Pojechałyśmy kiedyś po ziemię do kwiatów, siedziałam już za kierownicą, kiedy Marysia spytała, czy nie zostawiłam zakupu w sklepie, bo jej się wydaje, że tak. Wydawało jej się słusznie.

Przez cały okres dzieciństwa Marysi czułam się wobec niej jakby trochę winna, że stwarzam jej problemy. Ten film miał bez słów coś powiedzieć mojej córce, za coś ją przeprosić. Niejasno myślałam: wytłumaczę, uzyskam przebaczenie. Skończyła już wtedy dziesięć lat, potrafiła wszystko zrozumieć.

Film szedł w kinach czwarty miesiąc, a Marysia ciągle go nie widziała. Obejrzały *Kochanków* wszystkie jej koleżanki, Marysia nie. Słuchała, jak opowiadają, ale sama, mówiąc jej językiem, olewała. Wreszcie poprosiłam ją wprost, żeby poszła. Odpowiedziała: dobrze, może w niedzielę, jak będę miała chwilę czasu.

W niedzielę Marysia na temat kina milczy. Nie wytrzymałam i mówię: proszę cię, idź, dam ci tysiąc złotych. Wtedy była to duża suma. Ona na to: zgoda. Za dwie godziny wróciła – i nic. Wyminęła mnie w przedpokoju, wzięła psa i wyszła na spacer. To już było upokorzenie, ale kiedy wróciła, zapytałam: no i jak, podobało ci się? A ona wyciąga rękę i mówi: tysiąc. Tak potraktował *Kochanków mojej mamy* widz dla mnie najważniejszy...

Może odezwała się w niej zazdrość o tamtego chłopca?

A chłopiec – to był przede wszystkim bardzo inteligentny aktor. Grając przed kamerą, trzeba się orientować w pewnych regułach technicznych. Zdarza się, że nawet zawodowiec, jeśli ma doświadczenie tylko teatralne, nie potrafi sobie z tym poradzić. Chociaż wymagania są proste: gra się w stronę prawą, lewą, albo za kamerę, ważna jest tylko połowa twarzy lub ręka, albo jeden moment w całym ujęciu. Chłopiec zorientował się w tym błyskawicznie. I umiał świetnie imitować intonacje. Wystarczyło, żeby raz usłyszał. Demonstrowałam mu, jak można powiedzieć jakieś zdanie, a on powtarzał prawdziwie, lepiej. Kiedyś na jakąś uwagę Sławka odpowiedział, że wie sam, jak to zagrać, i zagrał wspaniale. Inna sprawa, że opadły go zaraz pokusy gwiazdorstwa. Posłał raz dyżurną taksówkę po frytki.

Chciałabym jeszcze kiedyś wybrać się ze Sławkiem Piwowarskim w filmową podróż w podobne rejony. Mam takie ciche marzenie: zagrać w komedii o miłości z Jurkiem Stuhrem, którego uwielbiam i wysoko cenię. Para bardzo samotnych, bardzo różnych ludzi, którzy postanawiają być razem, mimo iż wszystko jest przeciwko nim. Można by nawlec na taką nić wiele wartościowych obserwacji. Scenariusz musiałby napisać ktoś, kto kocha ludzi tak jak Sławek. Dziś ta cecha jest coraz rzadsza.

Wygląda na to, że grałam głównie wtedy, kiedy kazał mi Wajda, bo z filmem Waldka Krzystka *W zawieszeniu* znów było podobnie. Zadzwonił Andrzej i powiedział: przeczytaj.

Scenariusz był świetny, film wydał mi się nudny. Nie mogłam wysiedzieć nawet na pierwszej projekcji. Odbyła się w klubie filmowym w Krakowie; starsi wyrażali swój zachwyt, młodzi byli kompletnie znudzeni. Ja razem z nimi.

Błąd polegał chyba na złym wyborze obiektu zdjęciowego. Edward radził po przeczytaniu scenariusza: dom z piwnicą, w której ukrywa się uciekinier ze

stalinowskiego więzienia, nie powinien stać przy pustej uliczce, lecz w środku miasta. I miał chyba rację; gdyby za piwnicznym okienkiem chodziły buty, jeździły wózki, biegały psy, gdyby słychać było odgłosy ulicy – temperatura skoczyłaby w górę, zagęściłaby się atmosfera zagrożenia. Na wysokości pół metra od ziemi można było wyreżyserować całą tamtą rzeczywistość.

Myślę, że debiutantowi zabrakło odwagi. Ja dziergałam swoją rolę jak na drutach, Jurek Radziwiłowicz bawił się wykonywaniem czegoś w rodzaju szkolnych zadań aktorskich. Wymyśliliśmy z nudów projekt poradnika pod tytułem *Mały aktor*. Na przykład punkt: „Wyjście ze szpitala po nocnym dyżurze grać". I instrukcja: „Przejdź przez próg, zatrzymaj się, spójrz w niebo (będzie przebitka na zrywające się do lotu gołębie), mocniej chwyć torebkę i zacznij iść, stawiając najpierw prawą nogę". Punkt: „Lekarza grać" miał opracować gościnnie Andrzej Łapicki. Do każdego egzemplarza chcieliśmy dodawać ręczne lusterko i bilet na film *W zawieszeniu*.

Nie mieliśmy złośliwych intencji. Krzystek jest reżyserem, którego lubię, ufam mu i czuję się przy nim jako aktorka bezpiecznie. Dla aktora to ważne. Niedawno Marysi zaproponowano próbne zdjęcia do głównej roli. Chociaż modliłam się, żeby jej nie wyszło – to nie jest przyszłość, o której marzyłabym dla mojej córki – zew krwi nie pozwolił mi się powstrzymać od udzielenia jej kilku zbawiennych rad. I nagle zdałam sobie sprawę, że chcę tylko rozwinąć to, co usłyszałam kiedyś od babci. Wszystkie moje nauki dałyby się zamknąć w dwóch zdaniach: „Córciu, psu, koniowi, mężczyźnie i reżyserowi, nie wierz nigdy. Graj tylko to, co sama czujesz i rozumiesz, a będzie prawdziwie".

Przy filmie Krzystka problem polegał na tym, że Waldek chciał prostoty i spokoju, a my z Jurkiem mieliśmy ochotę skoczyć wyżej. Film jest realistyczny, porządny, ale chyba brakuje mu wielkości. Zdumiewa mnie tylko, że na przeróżnych zagranicznych imprezach filmowych dopada mnie czasami jakiś filmowiec czy dziennikarz i rozgorączkowany przypomina mi ten film. Dziwne. Zauważyłam zresztą, że ostatnio często muszę rewidować tak łatwo mi przychodzące sądy i opinie.

Przy pracy nad *W zawieszeniu* najmilsze było dla mnie, że grałam z Jurkiem Radziwiłowiczem. Jest on dla mnie kimś zupełnie wyjątkowym. Traktuję tego „mojego Birkuta" jak kogoś najbliższego. Na dźwięk jego imienia topnieje mi serce. A on? Chyba nie bez powodu budleja Dawida, którą posadził przed moim domem, wyrosła wyższa niż wszystkie inne krzewy...

W filmie Krzystka brakowało mi wielkości; zastanawiałam się kiedyś, co to jest ten wiatr w głowie, bez którego nie może powstać nic wielkiego. Ernest Bryll powiedział mi, że zanim usiądzie do pisania wiersza, musi słyszeć wewnętrzny rytm, jakby dudnienie. Tyle się da napisać, ile się zmieści w tym rytmie. Kiedy werbel cichnie – koniec, trzeba czekać, aż się znowu odezwie. Myślę, że reżyser też musi wyczuwać coś podobnego. Jeśli żadnego rytmu nie słyszy, niczego wielkiego nie zrobi.

Wieczernik napisany został na zamówienie Andrzeja Wajdy dla teatru: zakaz władzy sprawił, że grano sztukę w kościele. Sytuacja tamtej nocy, kiedy Uczniowie stracili nadzieję, a jednak oczekiwali, że coś się stanie, była bliska temu, co przeżywaliśmy wówczas jako społeczeństwo, naród. Analogia nasuwała się sama. Wymyślili tę sztukę wspólnie Wajda i Bryll. Wiedziałam, że powstaje (Ernest napisał ją w dwa tygodnie) i że jest tam rola dla mnie: Maria Magdalena.

Mieliśmy grać *Wieczernik* w Ateneum; nie pozwolono. Wajda walczył o prawo wystawienia przez pół roku, a tymczasem zbliżała się Wielkanoc. I w pewnym momencie Andrzej zdecydował, że trzeba sztukę wystawić w kościele, właśnie w okresie świąt, tylko przez kilka wieczorów.

Przedstawienia odbywały się w kościele na Żytniej, jeszcze w stanie surowym (kościół był w budowie). Sceneria jedyna w swoim rodzaju: nieotynkowane ściany, cementowa podłoga, szary strop. Mieliśmy chyba dwanaście prób. Za mało, żeby nauczyć się takiego ogromnego tekstu, z takim bogactwem słów. Nie było łatwo się skupić, obok ciągle coś się działo. Wnoszono paczki, bo zajechała ciężarówka z zagraniczną pomocą, przychodziły dzieci na lekcję religii i chciały do nas zajrzeć, panie myły podłogę. Nasi gospodarze byli życzliwi, sympatyczni, wspaniali, ale oczywiście nie mieli pojęcia, jak się pracuje w teatrze. W sali parafialnej czas płynie inaczej. Jeśli potrzebna jest deska, ktoś po nią może pojedzie, ale niekoniecznie zaraz. I nie ma się co denerwować, bo widzom na pewno będzie się i tak podobało...

Ksiądz Wojciech miał z nami masę kłopotów, zwłaszcza ze mną. Żartował, że trzeba będzie po mnie wyświęcić kościół na nowo. W kulisach, w tym

zamęcie, padały różne słowa, także tak zwane nieparlamentarne, a na pewno niekościelne.

Nie można powiedzieć, żeby to było przedstawienie w pełni profesjonalne, zwłaszcza pierwszego wieczoru. Nie pamiętam, żebym kiedyś czuła się tak nieprzygotowana do premiery. Atmosfery tamtego wieczoru nie da się jednak porównać z niczym. Wypadały mi z głowy całe strony tekstu, mówiłam więc to, co pamiętałam, i dokomponowywałam resztę. Wierszem!

Tylko monolog Marii Magdaleny po zobaczeniu Chrystusa – do dziś mój ukochany – powiedziałam tak, jak Ernest napisał. Zachwycił mnie, kiedy go przeczytałam. Napisany jest ośmiozgłoskowcem, który sam niesie, tak jakbym wbiegła zadyszana. Przerywany oddech wprowadzony został w rytm tekstu; genialnie.

Po spektaklu Ernest mnie pocieszał, żebym się nie przejmowała tym, co zapomniałam – i tak było pięknie. Może mówił prawdę? W każdym razie miałam wrażenie, jakbym się unosiła ponad ziemią. Potem powiedział mi Łomnicki: udało ci się uderzyć w tak wysoki, czysty ton, jakiego nie słyszałem nigdy w życiu.

To był teatr trochę amatorski, niepozbierany. Nie mieliśmy się gdzie przebierać, trzeba było pilnować samemu, kiedy wyjść na scenę. Szczegół istotny, bo w *Wieczerniku* najważniejsze są drzwi: cała uwaga skupia się na tym, kto nimi wejdzie i z jaką wiadomością. Siły wyrazu dodawały przedstawieniu dobiegające z zewnątrz odgłosy miasta. Wtedy ciągle jeździły radiowozy i karetki na sygnale: fantastyczne tło! Lecz najbardziej niezwykły był sam tekst. Myśmy to mówili – muszę użyć wielkiego słowa – jak w natchnieniu.

Mówili, a właściwie krzyczeli. Siedział przed nami i stał zbity tłum ludzi, jeśli ci z tyłu mieli coś usłyszeć, musieliśmy krzyczeć. Wajda powiedział nam wcześniej, że gdyby zdarzyła się jakaś prowokacja, petarda, gaz łzawiący, świeca dymna – mamy grać dalej. Wszystko było możliwe, a sala nie odpowiadała żadnym wymogom bezpieczeństwa. Prowadziło do niej jedno wąskie przejście. Gdyby wybuchła panika, tłum ludzi rzuciłby się do drzwi, które stanowiły centralny punkt sceny. Musiałby nas stratować.

Spektakl utrwalały na wideo zagraniczne telewizje, potem Wajda wydostał od nich materiały i zmontował. Przedstawienie szybko stało się legendą, także za granicą; gdziekolwiek później pojechałam, wszędzie o nim wiedzieli.

Po pięciu przedstawieniach w okresie świąt nastąpiła trzytygodniowa przerwa, następnie w zmienionej obsadzie graliśmy spektakl jeszcze pięć razy. Po *Wieczerniku* wezwano mnie, podobnie jak innych, na rozmowę do Ratusza i próbowano wytłumaczyć, że źle robię, występując po kościołach, a ja odpowiedziałam, że nie ma takiego miejsca, w którym bym nie zagrała, gdyby Wajda mnie poprosił. Rozmawiali zresztą ze mną w przymilnym tonie. Dowiedziałam się, że beze mnie jako aktorki nie mogliby żyć, a jednocześnie uświadamiali mi z czystej przyjaźni, że w Czechosłowacji nie takie aktorki jak ja sprzedają sałatę, co i mnie mogłoby spotkać. Chcieli też wiedzieć, co ja takiego widzę w marnym reżyserze, jakim jest Wajda. Z innymi rozmawiali ostrzej.

Po latach nie potrafię ocenić tych dziesięciu przedstawień w kategoriach zawodowych. Swojej roli również. Czy to w ogóle była rola?

Padałam ze zmęczenia, zdarzyło mi się w teatrze zemdleć. Grałam wtedy w *Edukacji Rity*, w Łodzi trwały zdjęcia do *Kochanków mojej mamy*, do tego doszedł *Wieczernik*. Zdarzyła się raz zabawna historia, którą zresztą przespałam. Jechaliśmy po *Wieczerniku* ze Sławkiem Piwowarskim do Łodzi na zdjęcia, zasnęłam na tylnym siedzeniu. Sławek mi potem opowiedział, że zatrzymał nas patrol ZOMO. Chcieli otworzyć bagażnik, ale taksówkarz wyszedł do nich i powiedział szeptem: panowie, cicho, bo tu śpi pani Janda. Jest zmęczona, grała po południu w kościele na Żytniej, w *Wieczerniku*. I zomowcy podeszli podobno na palcach do tylnej szyby, obejrzeli mnie i również na palcach odeszli.

Bałam się zomowców naprawdę. Na początku stanu wojennego kręciliśmy na Wybrzeżu *Stan wewnętrzny* (reżyserował Krzysztof Tchórzewski). Grałam żeglarkę, która wypłynęła w samotny rejs, a kiedy zaczął się stan wojenny, nie wiedziała, co robić dalej. Akcja rozgrywała się głównie w porcie, pilnował nas przez cały czas oddział ZOMO. W tej roli dużo płakałam. Któregoś dnia zawołałam do charakteryzatorki: poproszę o łzy na plan! Chodziło oczywiście o glicerynę. Zomowiec usłyszał i pyta: to może gaz puścimy? Strzelać, panie reżyserze? Miał to być żart, oczywiście, ale wszystkie ich żarty były podobnego rodzaju.

Opowiedziałam tę historyjkę na jakimś spotkaniu towarzyskim. Na drugi dzień – telefon do teatru, wzywają mnie na rozmowę. Miałam właśnie jechać do Cannes z niemieckim filmem *Bella Donna*. Usłyszałam: zatrzymujemy pani paszport; opowiada pani jakieś głupstwa, które niosą się po całej Warszawie.

Paszport ostatecznie wydali, chodziło o to, żeby mnie postraszyć, ale dostałam ptaszka.

Powiedział mi o tym celnik, kiedy pojawiłam się na lotnisku. Przeszedł koło mnie niby przypadkiem, wymruczał: ma pani ptaszka przy nazwisku – i poszedł dalej. Nie miałam pojęcia, co to znaczy. Po chwili znowu natknęłam się na tego samego celnika. Tym razem, też w przelocie, powiedział tak: jeśli ma pani coś trefnego, niech pani to gdzieś upłynni. A potem poprosili mnie do rewizji osobistej. Już wiedziałam, co to znaczy ptaszek przy nazwisku.

Rewidowali mnie przez rok, czymkolwiek podróżowałam, samolotem, samochodem, wszystko jedno. Potem czułam się nieswojo, nie słysząc odzywki: „Pani Janda do rewizji osobistej". Miało to tę dobrą stronę, że sprawiłam sobie piękną bieliznę. Pomyślałam: jeśli już muszę się rozbierać, niech celniczki popatrzą przynajmniej na coś ładnego. Kupowałam u Palmersa, nie żałując pieniędzy. Z którejś podróży wracałam z Krysią Zachwatowicz-Wajdową i oczywiście usłyszałyśmy: pani Janda do rewizji osobistej. Krysia do mnie: dlaczego tylko ty? Poczuła się obrażona.

Ptaszka przy nazwisku wspominam ostatecznie bardzo miło.

W domu Pod Skocznią

Do willowego osiedla Pod Skocznią schodzę po oszronionych schodkach mokotowskiej skarpy. Bukszpanowa jest na końcu. Co kilka kroków ogłoszenia: „Alarmy instaluję", „Kraty zakładam", „Zamki montuję". Na co drugiej, no, może co trzeciej bramie tabliczka: „Zły pies".

Furtka domu pani Krystyny – bez tabliczki – otwarta. Kundel Rubel śpi w przedpokoju obok butów (jego poprzednik, Dolar, sypiał podobno tylko na kanapie). Kieszonkowe stworzonko rasy yorkshire szczeka cieniutko i udaje psa.

Gospodyni schodzi z pięterka w różowym szlafroku, trochę zaspana. Umówiła się i zapomniała; tak, niestety.

Oglądam książki – kilka tysięcy tomów, solidna biblioteka – i fotografie nad biurkiem. Honorata: poznaję od razu, chociaż nie widziałam jej nigdy. Pomarszczona twarz pełna godności, chustka na głowie, wzrok skierowany prosto w obiektyw. Pani Krystyna z pieskiem, dedykacja dla męża: „Żebyś nie zapomniał, oczywiście o psie". Fotos z francuskiego filmu, w pięknej sukni i cudownym makijażu, dedykacja: „Ukochanemu mężowi w chwili mojej świetności ofiarowuję". Pan Edward z „Trybuną Ludu" wyglądającą z kieszeni. Pan Edward w koszulce z nadrukowanym zdjęciem żony. Pani Krystyna z psem Rublem. Właścicielka psa dodaje komentarz: Edward mówi, że jest okropne, ale ja je lubię, bo Rubel na nim bardzo dobrze wyszedł.

Była gotowa w ciągu dwudziestu minut: toaleta, śniadanie, makijaż. Potem w ciągu godziny: telefon z Paryża (w sprawie terminu rozpoczęcia zdjęć), wizyta reżysera Skolimowskiego (Młodziakową w *Ferdydurke* zagrała ostatecznie Dorota Stalińska), nasze nagranie (tym razem krótsze). Zdążyłyśmy nawet obejrzeć wyciągnięty z półki astrogram. Imponujący; krzyżówka wydruku z komputera z egipskim papirusem.

Po nagraniu jedzie na próbę do teatru. Wyjściowy strój: obszerny, beżowy sweter, brązowa spódnica, skórzany płaszcz.

Zupełnie wolna

Pierwszą w moim życiu rolę diabła zaproponował mi Krzysztof Zanussi: taką postać gram przecież w *Stanie posiadania*. Maja Komorowska, filmowa matka chłopca, który postanowił związać się z wyrzuconą z pracy cenzorką, jest aniołem, cenzorka, czyli ja – diabłem.

Wszystko było zachęcające: reżyser, partnerka, ekskluzywność przedsięwzięcia. Nigdy nie grałam w filmie przeznaczonym – z założenia – dla wąskiego kręgu widzów. Zaniepokoiła mnie tylko postać.

Zadzwoniłam do Wajdy i podzieliłam się obawami. Pamiętałam, że bardzo mu się spodobało – mówił o tym w telewizji – coś, co przeczytał w pewnym moim wywiadzie: że nigdy nie wypowiedziałam na ekranie słów, pod którymi nie mogłabym się podpisać. Bałam się, że *film Zanussiego może podważyć mój wizerunek, który Andrzej stworzył w „Człowieku z marmuru" i „Człowieku z żelaza"*. Nie chciałam, żeby Zanussi popsuł Wajdzie jego zabawkę, ale ciągnęło mnie, by zejść z półki, na którą odkłada się dokumentację filmów Wajdy. Zresztą Andrzejowi, kiedy film był już gotowy, moja rola bardzo się podobała. Powiedział, że zagrałyśmy z Mają postacie, które go głęboko poruszyły, szkoda tylko, że film jest właściwie szkicem.

Miałam więc grać cenzorkę, prawie agentkę UB. Ostatecznie doszłam do wniosku, że już mi wolno przyjmować podobne role. Mój obraz był ugruntowany, mogłam teraz traktować siebie tylko jako aktorkę. Zanussi dał mi rodzaj gwarancji, zapewniając, że nie będę musiała powiedzieć niczego, co przekreślałoby całkowicie wyobrażenie, jakie mają o mnie widzowie. Postanowiłam obronić się w tej roli, a więc obronić postać.

Film był w całości improwizowany; istniał scenariusz, ale reżyser ściskał go pod pachą i nie pokazywał nikomu. Kręciliśmy dziesięciominutowe ujęcia bez napisanego tekstu, z ogólnym zarysem tematu. Można uprawiać zawód aktora przez całe życie i nigdy nie trafić na coś, co sprawiłoby podobną frajdę. Zanussi jakimś tajemnym sposobem umiał z nas wydobyć oczekiwane reakcje, chociaż na pozór pozostawiał aktorom zupełną swobodę. Wiedzieliśmy, do czego ujęcie zmierza, reszta zależała od nas.

Dowiedziałam się ze *Stanu posiadania* czegoś ważnego o sobie. Jest w filmie scena, kiedy informuję matkę chłopca, czyli Maję, że nie mam zamiaru zrezygnować z jej syna. Maja wybucha potokiem słów, a ja odpowiadam tylko, że rozumiem, iż nie jestem wymarzoną kandydatką na jego żonę. W trakcie tej sceny zajadałam przez cały czas dżem, prosto ze słoika. Kiedy skończyłam jeść, wstałam i wyszłam. Znaczyło to mniej więcej tyle: nie muszę jej słuchać, sama o sobie decyduję.

A teraz – jak narodziła się ta reakcja.

Zostawiłam wtedy Maję samą na ekranie, bo odczułam nagle rodzaj absolutnej wolności wewnętrznej. Nie wiem, czy umiem jasno wytłumaczyć, dlaczego było to przeżycie tak wyzwalające. Scenariusz nie przewidywał zadania: wstań i wyjdź, kamera pracowała, mogłam grać dalej, a ja podniosłam się z fotela i zostawiłam Maję samą. Zawsze czułam się uzależniona od szumu kamery, a teraz wstałam i wyszłam. Zostawiłam ekran beze mnie; rzecz dotychczas nie do pomyślenia! Uświadomiłam sobie w tym momencie, że jestem osobą całkowicie niezależną, w sensie zawodowym, artystycznym, moralnym.

Walczyłyśmy z Mają na ekranie o chłopca, którego grał Artur Żmijewski. Zanussi nie narzucał mu, w czyją stronę mają się skłaniać jego sympatie, matki czy dziewczyny. Wszystko zależało od nas. Obie z Mają jesteśmy doświadczonymi aktorkami, nasz partner stawiał pierwsze kroki w zawodzie. Grałyśmy na luzie, obserwując chłopca nie bez rozbawienia i wyciągając z jego reakcji wnioski, która z nas jest górą. Wyczuwałam, że bliższe są mu moje racje, że nie chce od tej dziewczyny odejść. Potem musiałam na kilka dni przerwać zdjęcia. W tym czasie Maja i Artur mieli swoje sceny. Kiedy wróciłam, zdałam sobie sprawę, że przegrałam. Mai udało się chłopca przekonać, że nasz związek nie ma przyszłości. Jak w życiu. Zrozumiałam, czym musi się skończyć ta historia: moją rezygnacją.

Nie przedostała się do filmu, na szczęście, pewna trudność szczególna. Na początku zdjęć byłam w piątym miesiącu ciąży, kiedy kończyliśmy – w szóstym. Miałam w *Stanie posiadania* scenę w łóżku, byłam nieubrana. Kamera pokazywała tylko górną część torsu, ale przecież wiedziałam, jak wyglądam. Był to

jeden z trudniejszych momentów w moim życiu jako kobiety i czuję się dosyć dumna, że kobietę zwyciężyła aktorka.

Zresztą niewykluczone, że nie tylko ja miałam z tym problem. Związek z chłopcem od połowy filmu ma charakter erotyczny. Mój partner, młodszy ode mnie o czternaście lat, był na dobitkę moim studentem. Po każdym pocałunku pytał: czy dobrze, pani profesor? Wreszcie mu poradziłam, żeby zrezygnował z pani profesor przynajmniej w łóżku.

Stan posiadania – to była wspaniała zawodowa przygoda. Zdjęcia do *Dekalogu* – coś bardzo łatwego. Od strony zawodowej nudne.

Swoją drogą, Kieślowski dał mi do przeczytania trzy odcinki, a ja wybrałam najsłabszy. Zorientowałam się, że coś jest nie tak, dopiero w trakcie pracy. Gdyby film robił ktoś inny, walczyłabym, żeby coś zmienić, ale Kieślowski to reżyser, który dokładnie wie, czego chce. Uznałam więc, że widocznie ta historyjka jest mu do czegoś potrzebna właśnie taka.

Edward robił zdjęcia. Pracowało nam się wspaniale, bez walk, krzyków i awantur. Przyjmowaliśmy wszystkie uwagi reżysera (wydawał bardzo precyzyjne dyspozycje), reżyser rozumiał i analizował nasze. Odnosiliśmy wrażenie, że Kieślowski traktuje tę pracę jak serię miłych, przyjacielskich spotkań.

I właśnie *Dekalog* odniósł wszędzie tak olbrzymi sukces, że używano określenia: „rzucił świat na kolana". Spotykałam za granicą zachwyconych krytyków, widzów, producentów. Zaskoczyło mnie to całkowicie. Kolejne zdarzenie, które każe mi się zastanowić nad trafnością moich sądów...

W Milanówku

Milanówek; zima. Na chodnikach rozdeptany śnieg, przy siatkach ogrodów leży na pół metra.

Zastaję panią Krystynę w stanie bliskim nerwowego załamania. „Przed południem wychodziłam na spacer z dzieckiem i z psem i zaczęłam zakładać kaganiec dziecku" – słyszę na powitanie. Olbrzymi, zabytkowy budynek, który zastąpił dom na Bukszpanowej, jest w opłakanym stanie. Rodzina okopała się w trzech pokojach, wokół szaleje remont.

Adaś biega między stosami cegieł z kawałkiem suchej buły. Nawet nie odkrojonej; obgryza odłamaną połówkę paryskiej. Drzwi otwierają się same, a ściślej otwiera je kot, który nie znosi, kiedy są zamknięte. Rubel korzysta z każdej okazji, żeby dać nogę na ulicę, i trzeba go potem gonić. Umówiona pomoc domowa nie przyjechała, wybrała posadę w Wiedniu. Młodszy synek, Jędrek, wyraża swój stosunek do tego bałaganu, śpiąc z buzią w poduszce i pokazując światu odwrotną stronę medalu.

Pana domu nie ma, zarabia na remont gdzieś w świecie.

Następnym razem wszystko jest uładzone. Wrócił gospodarz, wyrzucił murarzy, zaangażował ekipę górali. Na pierwszym piętrze można już mieszkać. Obiad gotuje osoba do tego powołana. Kot śpi.

Siadamy przed magnetofonem i nagrywamy ostatnią rozmowę. Zagląda pan Edward. Pani Krystyna: mam nadzieję, że zjedliście beze mnie. Mąż: nie, czekamy. Jesteśmy subordynowani.

Byliśmy zawsze artystami ubogich

– Pani Krystyno, wyłania się z pani opowiadania obraz osoby zadziwiająco normalnej. Czy po aktorce o wielkiej sławie nie mamy prawa spodziewać się jakichś ekscentryczności?

– Na podobne pytania odpowiadam zazwyczaj, że na ekscesy pozwalam sobie tylko na ekranie, w życiu nigdy. I mówiąc szczerze, nie widzę powodu, dlaczego miałabym się tłumaczyć, że nie robię skandali.

– A potrafiłaby pani?

– O, myślę, że znakomicie! Tylko po prostu nie lubię.

– Lęk przed zagrożeniem, jakie mogłoby stąd wyniknąć?

– Może trochę. Kiedy pomyślę, że miałabym uczestniczyć w czymś szalonym, robi mi się słabo. Ale to chyba nie jest strach, tylko reakcja normalnego człowieka.

– Zdarza się na Zachodzie, że aktorzy, skądinąd najnormalniejsi, aranżują awantury wyłącznie w celach reklamowych.

– Niech pani zanadto nie wierzy w tę normalność. Proporcje między zdrowymi i chorymi psychicznie w środowisku aktorskim nie są takie same jak w innych zawodach. Nienormalnych jest wśród aktorów znacznie więcej.

– Jak, nie przymierzając, w Polsce wśród polityków?

– Różnica polega na tym, że aktorzy dotknięci boską chorobą szaleństwa bywają jako artyści o wiele lepsi od tych w normie. Normalni czasami im zazdroszczą tych ucieczek, zniknięć, prób skakania z dachu itepe.

– Szalone życie jako środek na pobudzenie talentu?

– Mnie to jakoś nie pomaga. Ile razy zdarzyło mi się coś szalonego, traciłam dobre samopoczucie, a kiedy je tracę, nic mi się nie udaje. Nie mogę żyć inaczej jako osoba prywatna i jako aktorka, bo zniszczyłabym pewien ład, który cenię w sobie i wokół siebie najbardziej.

– A gdyby trochę przykłamać na użytek publiczności?

– Jak pewne moje koleżanki, które twierdzą w wywiadach, że poza sceną są wyłącznie żonami i matkami, że to one ugotowały te wszystkie obiady, wyprały pieluszki i uprasowały mężom koszule? Ja się przyznaję, że zawsze miałam gosposię, mamę, przyjaciółki, listonosza, który odprowadzał mi do domu psa, kiedy się zgubił, tłum ludzi dobrej woli, którzy mi pomagali.

– Waldemar Krzystek, reżyser *W zawieszeniu*, wspominał w wywiadzie dla „Kina" o jakichś straszliwych awanturach na planie... Od pani nic o tym nie słyszałam.

– Awantury w czasie realizacji *W zawieszeniu*? Absolutnie nie pamiętam.

– Krzystek coś wymyślił?

– Nie sądzę; może to prawda, tylko zupełnie zapomniałam. No, owszem, zdarzyło się, ale chyba nie u Krzystka.

– A u kogo?

– W czasie realizacji *Kochanków mojej mamy*. Piwowarski zażądał postsynchronów w scenie, która była prawie w całości improwizowana. To ta, kiedy lekko nietrzeźwa rozpakowuję gwiazdkowe prezenty. Było tam mnóstwo odcieni: czułość, płacz, śmiech. W czasie postsynchronów wszystko musiałoby zblednąć. Niestety, nagrał się również szelest odwijanych papierów, i to z donośnością rozdzieranej blachy. Moim zdaniem można było te odgłosy wyciąć, nie nakładały się na słowa. Piwowarski zażądał jednak postsynchronów. Odmówiłam. Reżyser krzyczał: proszę natychmiast znaleźć inną aktorkę o podobnym głosie! – a asystent powtarzał bezradnie: w Łodzi? Mam ją znaleźć w Łodzi? (robiliśmy ten film w wytwórni łódzkiej). Wreszcie postanowili iść na skargę do dyrektora, a ja po prostu zabrałam się i wyszłam. W pierwszym sklepie po drodze kupiłam sobie sukienkę, w drugim coś jeszcze i wróciłam do Warszawy. Opowiedzieli mi potem, że dyrektor zareagował na ich skargę mniej więcej tak: awantura z Jandą dopiero na postsynchronach? Niech się pan cieszy, że w ogóle ma pan film! Słyszałem, że ona wyprawia straszne rzeczy od początku!

– A w rzeczywistości był tylko ten jeden incydent przy *Kochankach mojej mamy*?

– No, jeszcze w *Kuchni polskiej* nie pozwoliłam sfotografować sobie pupy. Ale to nie była awantura, po prostu odmówiłam. Reżyser powinien mnie przekonać, że taki chwyt jest w filmie artystycznie niezbędny.

– I nie potrafił?

– Więcej: chciał mnie oszukać. Założył inny obiektyw, który pozwoliłby mu się obejść bez mojej zgody. Powiedziałam, że nie nakręcę tej sceny, i pojechałam do domu.

– Już po raz drugi...

– Zdarzyło się i po raz trzeci, kiedy robiliśmy dla TV *Dom kobiet*. Ustaliliśmy z reżyserem, jak będzie się kończyła moja rola, tymczasem w ostatniej chwili dowiedziałam się, że zakończenie ma ulec zmianie. Gdybym wiedziała wcześniej, poprowadziłabym rolę inaczej, teraz było za późno. Wyszłam ze studia, tak jak stałam – w czarnej sukience, bo grałam wdowę, w samych rajstopach, bo pantofle gdzieś się zapodziały – i ruszyłam asfaltem w kierunku Bukszpanowej. Nie od razu zorientowali się, że nie ma mnie na Woronicza. Kiedy to do nich dotarło, zadzwonili do mnie do domu. Zapytałam, jakie zakończenie będę grała, jeśli wrócę, odpowiedzieli, że ustalone wcześniej. Wróciłam więc i zagrałam. Nawiasem mówiąc, jako jedyna trzeźwa, bo tymczasem moje koleżanki niechcący trochę się upiły.

– Niechcący?

– To był ostatni dzień zdjęć, miałyśmy w garderobie butelkę dżinu, którym chciałyśmy uczcić zakończenie pracy. Oprócz dżinu przywiozłam z domu butelkę wody mineralnej. Pech chciał, że w butelce po wodzie mineralnej mój mąż trzymał, jak się później okazało, śliwowicę. Czekając na mnie, panie popijały dżin, który rozcieńczały – w swoim przekonaniu – wodą. Inna sprawa, że do dziś nie rozumiem, jak mogły nie zauważyć pomyłki. Miałam potem okropne wyrzuty sumienia z powodu tej hecy.

– Bardzo swojska historyjka... A blichtr wielkiego świata? Na przykład uroczystość wręczenia nagrody w Cannes?

– Żadnego blichtru nie było. Lecąc samolotem do Cannes i wiedząc, że mam szansę na Złotą Palmę, myślałam tylko o tym, żeby się przespać, bo byłam ogromnie zmęczona po pracy w Polsce. Zresztą nie wierzyłam w tę nagrodę. Wiedziałam tylko, że muszę przetrwać ten wieczór, a jutro rano wracać.

– Te łzy na scenie były prawdziwe?

– Najprawdziwsze! A potem udzieliłam wszystkich wywiadów, o które mnie poproszono, przeprowadziłam rozmowy, jakie powinnam, posiedziałam na tarasie kawiarni, uśmiechając się do tych, którzy uśmiechali się do mnie, i poszłam spać. Rano mieli przyjść fotoreporterzy. Pojawiłam się punktualnie w zarezerwowanym na spotkanie apartamencie, fotoreporterzy zaczęli się schodzić dopiero po chwili. Zamawiali kawę, herbatę, coca-colę, palili, śmiali się, gadali, a ja siedziałam grzecznie i czekałam. Wreszcie któryś popatrzył na mnie i zapytał, czy nie wiem, kiedy przyjdzie aktorka, która dostała Złotą Palmę. Odpowiedziałam, że to ja jestem tą aktorką, ale żeby sobie nie przeszkadzali. Zapadła cisza, ale zaraz ożywili się znowu. Chcieli wiedzieć, czy wolę zdjęcia wewnątrz, czy na zewnątrz. Wolałam wewnątrz, na co oni, że nie mają lamp, więc muszą na zewnątrz. I tak mnie sfotografowali – o ósmej rano, na tle białej ściany, w słońcu, czego nie życzę żadnej aktorce, nawet najmłodszej. A potem pojechałam na lotnisko, gdzie znów nikt mnie nie poznał, mimo że na pierwszych stronach gazet były moje wielkie zdjęcia, wsiadłam do samolotu i wróciłam do Warszawy.

– Może więc nie było warto poprzedniego dnia płakać z radości?

– Bardzo chciałam dostać tę nagrodę, jestem szczęśliwa, że ją mam, ale nie spodziewałam się po niej niczego ponadto, co mi przyniosła. Dwa miesiące później zaszłam w ciążę, co chyba najwyraźniej wskazuje, że nie łączyłam z nagrodą w Cannes żadnych marzeń o światowym sukcesie. Znajomi reżyserzy, dowiedziawszy się, że spodziewam się dziecka, wyrażali zdumienie: żeby w takim momencie, tuż po Złotej Palmie w Cannes... Nawet Krzysztof Zanussi się zdziwił.

– Marysia powiedziałaby: mama olewa.

– Ja tej nagrody nie lekceważyłam, po prostu realnie oceniałam szanse. Mam takie koleżanki, moje rówieśnice, które mówią: jak pojadę do Ameryki spróbować... Albo: jak dostanę Oscara... Ja chyba nigdy nie miałam marzeń na wyrost.

– Może to nie były marzenia, lecz plany? Kiedy komuś wszystko idzie najwyraźniej tak, jak iść powinno, skłonni jesteśmy przypuszczać, że stoi za tym pewien plan. Czy miała pani jakąś generalną wizję własnego życia, jego celów, samej siebie?

– Nie, nigdy. Powiem pani zresztą, że musiałam kiedyś odpowiedzieć na pytanie bardzo szczegółowe: czy wolałabym być mądra i zła, czy dobra i głupia.

– I jak?

– Jeżeli – to już chyba dobra i głupia. Tylko problem w tym, że wcale nie jest łatwo być dobrym, jeśli jest się głupcem. Krzywdzi się innych najczęściej

z głupoty. Mnie też zdarzyło się w dzieciństwie czy wczesnej młodości, że uraziłam kogoś, obraziłam. Dziś się tego wstydzę.

– Czego jeszcze?

– Najczęściej oskarżam się o to, że nie wykorzystałam należycie dnia, tygodnia, pewnego okresu w życiu. Ciągle mam poczucie winy, że nie wypełniłam jakiegoś zadania.

– Ważnego?

– Niekoniecznie. Należę do ludzi, którzy sami się unieszczęśliwiają, wymagając od siebie nieustannej aktywności. Wydaje mi się, że mam obowiązek stale coś popychać do przodu. Załatwić kolejną sprawę, wyprodukować jakąś rzecz, atmosferę, uczucie. Bez przerwy się śpieszę i właściwie nie mam czasu cieszyć się niczym do końca. Niedawno przyjechała do Polski moja przyjaciółka, której nie widziałam dziesięć lat, i podsumowała, co w tym czasie zdarzyło się w moim życiu. Wyliczyła mi to w pieniądzach, mieszkaniach, sukcesach, nagrodach, pozycji. W jej życiu przez te dziesięć lat nie zmieniło się nic.

– Jest taka postać w wierszach Mirona Białoszewskiego, ciotka Aniela, która mówi o sobie: „Mnie w miejscu idzie". Pani na pewno nie ma z nią nic wspólnego...

– Przy tym to wcale nie jest wykalkulowane. Motorem wszystkiego, co się ze mną dzieje, jest mój zawód, który wciąga mnie z taką siłą, że daję z siebie wszystko. Ściślej – tak było kiedyś. Teraz chłodniej oceniam propozycje i ludzi, angażuję się na miarę sytuacji. Jeśli widzę, że nie warto, ratuję się sama. Resztę odpuszczam.

– Przestaje pani walczyć z reżyserem o lepszą, pani zdaniem, wizję filmu?

– Zdałam sobie sprawę, że to jest rodzaj gwałtu na ludziach. Chociaż wiem już dzisiaj, że każdy nieudany dzień zdjęciowy, każda awantura w obronie jakiegoś pomysłu, każda nieprzespana noc – wszystko to przynosi zawodowy profit. Pod warunkiem, że ma się szansę sprawdzenia swoich przemyśleń. Wielu moich kolegów nie ma tej możliwości, bo nie dostają następnych propozycji.

– Czy nigdy nie czuła pani lęku, że mogłoby to spotkać również panią?

– Jakoś nie umiem się bać. W najtrudniejszych momentach, kiedy wielu ludzi usiadłoby i powiedziało: to już koniec – ja jestem zmobilizowana.

– Duch walki?

– Nie wiem; bo tak w ogóle to lubię żyć dość wygodnie. Drobne kłopoty typu zepsuty samochód sprawiają, że łzy lecą mi strumieniem. Ale kiedy chodzi o coś poważnego, poczucie bezradności znika. Do pewnej granicy można sobie pozwolić na żarty, w sprawach serio trzeba się brać do działania.

– Uważa się na ogół, że z umiejętnościami aktorskimi łączy się posiadanie pewnych przewag. Dysponuje pani narzędziami, których pozbawiony jest nieaktor.

– W ogóle nie jestem aktorką poza sceną.

– Widziałam panią w pewnej charakterystycznej sytuacji: w dniu swoich urodzin grała pani w *Shirley Valentine*. Jest to sztuka jednoosobowa, a więc wymaga ogromnego wysiłku. Po przedstawieniu dziewczyny z personelu pomocniczego urządziły na pani cześć fetę z tortem i szampanem. Sympatyczną, zabawną, ale przecież nieaktor rozpłakałby się ze zmęczenia i rozpaczy, że nie może jechać zaraz do domu. Pani była czarująco uśmiechnięta.

– Wie pani, ja bardzo szanuję ludzi. Żebym nie wiadomo jak źle się czuła i marzyła tylko o tym, żeby się położyć do łóżka, nie mogłabym nawet przez sekundę dać odczuć tym wspaniałym dziewczynom, że taki bal po spektaklu może być dla mnie męczący. Zrobiły to z serca, i umiem to docenić.

– Czy nie ma w tym także obawy, że nie odpowiadając na przejawy życzliwości, może pani ściągnąć na siebie niechęć?

– Na pewno. Był taki okres, że bałam się otworzyć list, jeśli nazwisko nadawcy nic mi nie mówiło. Pisano do mnie nie tylko z wyrazami uznania, ale także po to, by mnie możliwie najboleśniej dotknąć. Informowano mnie, że jestem brzydka, że nie powinnam być aktorką i tak dalej, i tak dalej.

– Może pewne pani filmy sprawiały widzom zawód? Przecież niektórych pani sama nie lubi oglądać.

– To prawda. I powiem pani, że nie lubiłam czytać tych listów także dlatego, że się z nimi częściowo zgadzałam.

– Tu mnie pani zastrzeliła.

– Ale niektóre były naprawdę okropne, pisali je chyba psychopaci.

– Pozwoliła mi pani przeczytać listy z późniejszego okresu, kiedy po wielu bezspornych sukcesach już panią zaakceptowano. Sądząc z adnotacji na marginesach, nie na wszystkie pani odpisuje, lecz zawsze – na rzeczowe, z jakąś myślą, spostrzeżeniem. I jeszcze na listy od osób głęboko nieszczęśliwych (najczęściej dziewczyn). Chyba czasami nie przewidując, co ściąga pani sobie na głowę.

Te nadwrażliwe, psychicznie słabe dziewczyny potrafią potem pisać co drugi dzień, twardo żądając odpowiedzi.

– Wdaję się w różne dziwne sprawy, bo mam w sobie pewien rodzaj naiwności. I lubię ludzi.

– Przeczytałam kiedyś wywiad z Friedrichem Dürrenmattem, w którym go zapytano: Jak usprawiedliwia pan własne bogactwo?

– I co na to Dürrenmatt?

– Wcale nie usprawiedliwiam.

– Odpowiedziałabym podobnie.

– To pytanie miało dalszy ciąg: Czy pan wie, ile kosztuje funt masła? Dürrenmatt nie wiedział. Myślę, że pani wie doskonale.

– Wiem, ale to nie likwiduje problemu. Któregoś dnia powiedziałam do męża: Edward, słyszałam w telewizji, że co trzecie dziecko na świecie jest głodne. A on na to: Krysiu, przestań. Zdałam sobie sprawę, że to jest odzywka idiotki, naiwnej pensjonarki.

– Potem pan Edward pewnie dodał: Przecież ich nie nakarmisz, a że jesteś wrażliwa, wiem...

– Nie, powiedział: Aktorzy to są jednak kabotyni. Bo rzeczywiście w tej mojej odzywce było coś kabotyńskiego.

– Ma pani własne dzieci; jak i do czego pani je wychowuje?

– Kiedy ma się dziecko, urodziło się je, ono już jest na świecie – no, po prostu na to nie ma mądrych. Przegrywają skomplikowane teorie, trafne analizy, słuszne postanowienia. W obliczu tej miłości rozum milknie, logika musi się wyłączyć. Dość przerażające, ale tak to wygląda. Przekazuje się oczywiście jakiś wzór, ale najczęściej nieświadomie.

– Ich dorosłe życie przypadnie na trzecie tysiąclecie. Sądzi pani, że będzie ono – jakie?

– Lepsze, tak przynajmniej uważam w swojej naiwności. Jeśli nie stanie się coś nieprzewidzianego, po przeróżnych zawirowaniach i zakrętach będzie lepiej.

– Gdyby druga faza pani życia miała być bardziej rodzinna, czy czułaby się pani przegrana?

– Właściwie zrobiłam wszystko, żeby uniemożliwić sobie swobodną pracę: wyprowadziłam się z Warszawy, mam duży dom, dzieci. Jeśli mimo wszystko uda mi się dalej intensywnie pracować – to fantastycznie, jeśli nie – mam alibi: sama chciałam. A poza tym mój stosunek do zawodu jednak się zmienia. Już nie traktuję tego tak bardzo serio jak piętnaście lat temu. Dzisiaj zawód wydaje mi się chwilami miłym żartem. Jechać do teatru, spotkać się z koleżankami i z publicznością – to jest przyjemność, a nie najważniejsza sprawa w życiu.

– Teatr i film, sztuka w ogóle, również dla publiczności staje się mniej ważna niż kiedyś.

– To prawda. Któregoś dnia, gotując obiad, zastanawiałam się, jaką drogą trzeba teraz iść, żeby widzów nie zawieść. Jakie role należałoby zagrać, jaki rys tej nowej Polski wydobyć, jakie nowe impulsy ludziom przekazać? I nie bardzo wiem. Żadna propozycja z teatru ani żaden z przeczytanych scenariuszy nie otwierają nowej perspektywy.

– Nie jestem pewna, czy widzowie oczekują dziś czegoś serio od polskiego kina, chodzą przecież głównie na filmy amerykańskie. Ciekawa jestem, jaką amerykańską aktorkę ceni pani najbardziej?

– Meryl Streep. Uważam ją za najlepszą aktorkę na świecie. Podoba mi się wszystko, co robi: sposób, w jaki gra, jak udziela wywiadów, jak żyje. Jest w najlepszym guście, skromna, a jednocześnie zna swoją wartość. Nie poddała się żadnym modom. Ani ona, ani Dustin Hoffman. Ci najlepsi żyją własnym życiem.

– Czy zetknęła się z nią pani bezpośrednio?

– Widziałam ją kilka razy na konferencjach prasowych, słyszałam, jak odpowiadała na pytania dziennikarzy. Doskonale wybrała sobie styl, taka trochę nieśmiała. Moim zdaniem to jest zagrane, lecz zagrane świetnie. Myślę czasami o tym, jak przebiega jej kariera – w zupełnie innym świecie, gdzie kino jest przemysłem. Sztab fachowców pisze dla niej scenariusze, które mają dać jej nowy materiał, szansę stworzenia postaci, jakiej jeszcze nie grała. Sama historyjka też zresztą jest zawsze ciekawa. Opowiada o niezwykłym zdarzeniu albo jakimś fenomenie psychologicznym.

– U nas sądzi się zazwyczaj, że zasadą przemysłu filmowego jest powielanie postaci, które raz przyniosły pieniądze.

– Meryl Streep jest kasowa na innej zasadzie. Widzowie idą do kina zobaczyć, czym ich tym razem zadziwi. Ona już była brunetką i blondynką, była gruba

i chuda, mówiła wolno, chodziła szybko, grała kobiety niezwykłe i opóźnione w rozwoju, wszystkie nadzwyczajnie. A więc jest olśniewająca, amerykańscy widzowie idą ją obejrzeć, a potem, proszę pani, mówią tak: genialna, fakt, ale właściwie, co z tego? Wiem, że wielu tak reaguje, bo z wieloma rozmawiałam. Czy to nie straszne?

– Czyli aktor w ogóle nie może się uratować?

– Chyba może, lecz w inny sposób. Na przykład Jane Fonda, aktorka nie tak dobra, od początku umiała zainteresować sobą również jako człowiekiem. Miała wyraziste poglądy, których nie ukrywała, przemawiając niejako w imieniu podobnie myślącej mniejszości. Nie tylko doskonaliła warsztat zawodowy, lecz żyła razem ze swoim społeczeństwem. Też żyłam kiedyś w ten sposób, a teraz zaczynam się wycofywać. Nie mogę ciągle odpowiadać na pytanie o aborcję, dostaję histerii, kiedy słyszę je po raz któryś. Bo gdybym powiedziała, co naprawdę myślę... Podobnie jak wielu ludzi, na zawirowania, chaos, niekonsekwencję rzeczywistości reaguję czymś w rodzaju ucieczki. Ale nagle zaczęłam się tego bać. Tylko jakim teraz trzeba być człowiekiem? Jaki wizerunek tworzyć – artystyczny, osobisty – żeby być potrzebną ludziom? Kto napisze te scenariusze? Gdzie jest ten repertuar teatralny? I zrozumiałam, że nie wiem, co mogę jeszcze zagrać. Mówią mi: Marię Stuart. Ale czy ktoś to teraz obejrzy?

– A kto powinien?

– To właśnie jest pytanie. Biedny już nie przychodzi do teatru, świeżo wzbogacony – jeszcze nie. Oczywiście zawsze będzie na widowni grupa studentów, którzy wyprosili wejściówki, ale powinniśmy zacząć zdobywać innego widza. Coraz liczniejsze staje się środowisko ludzi z pieniędzmi; tym ludziom trzeba mówić, że są niezwykli, a ich pieniądze wspaniałe, bo inaczej odwrócą się do nas tyłem. Tylko że ja nie mam ochoty dla nich grać! Byliśmy zawsze artystami ubogich, a nie bogatych. Sama bym nie sformułowała tego tak precyzyjnie, uświadomił mi to Ernest Bryll. On też – i zapewne nie tylko on – pyta siebie, co robić. Ernest mówi tak: wiedziałem, jak pisać dla ludzi, bo byłem w takiej samej sytuacji jak oni. Nie mogę pisać dla kogoś, kto mnie wynajmie, bo nie rozumiem jego świata, jego problemy i zainteresowania nie są moimi. Nie wiem, jakim językiem miałbym mu opowiadać o Polsce i czy on chciałby tego słuchać.

Jestem z tą grupą, która została gdzieś z tyłu. Ja czuję podobnie. Warstwa, która ma nas kupić, to nie są ci ludzie, z którymi chciałabym się zaprzyjaźnić.

– Gdyby artyści zostali z nami, bylibyśmy jedynym krajem na świecie, w którym pariasi mieliby własnych artystów, i to najlepszych... Ale obawiam się, że prędzej czy później artyści nas porzucą. Taka będzie naturalna kolej rzeczy.

– Czy nie istnieje jakiś kanon podstawowych wartości, które mogą połączyć wszystkich?

– I które artyści wepchną do gardła nowobogackim?

– Nie! Które poruszą biednego i bogatego, inteligentnego i nie bardzo, zmuszą każdego, żeby się rozpłakał albo roześmiał. Tylko jak to zrobić? Czy wychowywać tych gorszych, czy zostać z lepszymi?

– Pani Krystyno, to są znaki wczorajsze. Problem w tym, że właśnie – zresztą nie po raz pierwszy – zamieniają się miejscami.

– Ale może w gruncie rzeczy wszystko idzie w dobrym kierunku? Może zbliżamy się w istocie do tego średniego widza, którego zawsze szanowaliśmy i chcieliśmy pozyskać?

– I co, uwierzą państwo, że właściciel sklepu przy mojej ulicy, który śmieje się głośno ze staruszek klientek, ledwie zamkną się za nimi drzwi, jest ucieleśnieniem utopijnego marzenia artystów – z czcigodnym, mickiewiczowskim rodowodem – o wrażliwym, dobrym, choć prostym człowieku?

– Nie wiem. Nie wiem, jak się w tym odnaleźć.

Warszawa, listopad 1992

We Francji grałam „piękność" z początku wieku.

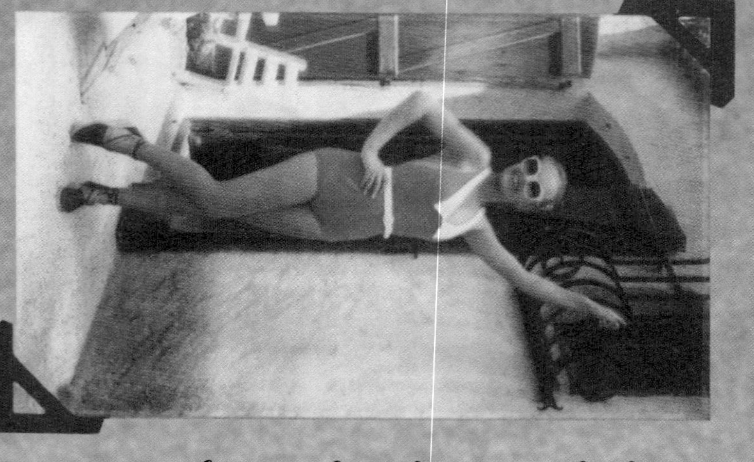

Przymierzam kostium kąpielowy przed zdjęciami.

Mój ukochany mokry piesek

Ciekawe, co ja tu przed chwilą grałam

Mamusia

Gdybym tak zawsze wygląda
mogłabym zrobić karierę
w serialach. Na kino
moralnego niepokoju za dobre.

„Synteza"
Maćka Wojtys.

Trudny „rekwizy

Czy to nie urocze, zawsze zachowywałam
się na planie „nieodpowiedzialnie".
Obok mnie Rysiek Lenczewski.
Plan „Bestii" Domaradzkiego.

...wsze wolałam z mężczyzną zgubić,
...ż z kobietą znaleźć. Plan filmu
...Bestia" Jurka Domaradzkiego.

Pijana w „Przesłuchaniu",
w tym filmie wiele razy grałam
naprawdę pijana. Z zimna
i ze zdenerwowania. Potem
już nigdy. Może błąd.

Uczę się tekstu „Shirley"
w bufecie. Jak zwykle.
W brzuchu już mam
dziecko. Hurra! to jakiś
trzeci miesiąc.

Nie przestaję opowiadać w żadnej sytuacji.

Moje pierwsze dziecko po latach. To mój Adaś. Wciąż nie mogę uwierzyć. Nie przychodzi mi do głowy, że jeszcze będę aktorką.

Zdjęcie z samowyzwalacza, nie dobiegliśmy, ale się kochamy!

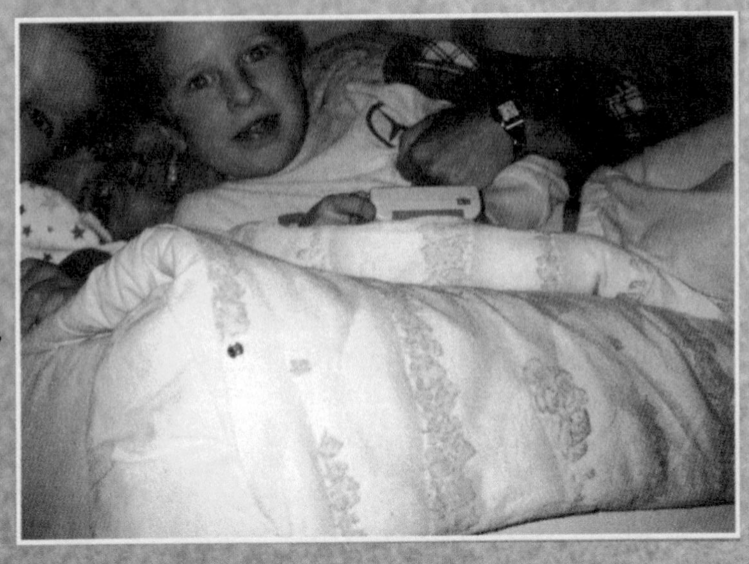

Czy to jest
szczęście?
Adaś, Piśka,
Rubel i kot.
To jest szczęście.
To dziecko ma
miesiąc.

Co to za teatr?
Co to za schody?
Dziecko moje.
Sztuka?
„Na szkle
malowane”
gdzieś w Polsce.

A rano
sobie leżymy
na półkach.

Co to za podróż? Gdzie my jedziemy? Jurek Stuhr, ja, Krysia Kulesza (moja przyjaciółka) i Elżbieta Gajosowa. A gdzie Janusz? Może robi zdjęcie.

Komu ja znowu wciskam jakiś „kit”? Ale jestem ładnie uczesana. Może podaje adres fryzjera.

I znowu zmęczona. I znowu nie wiem, gdzie i co to za rola.

Ameryka. Wybitny czeski operator. Jarosław Kuczera.

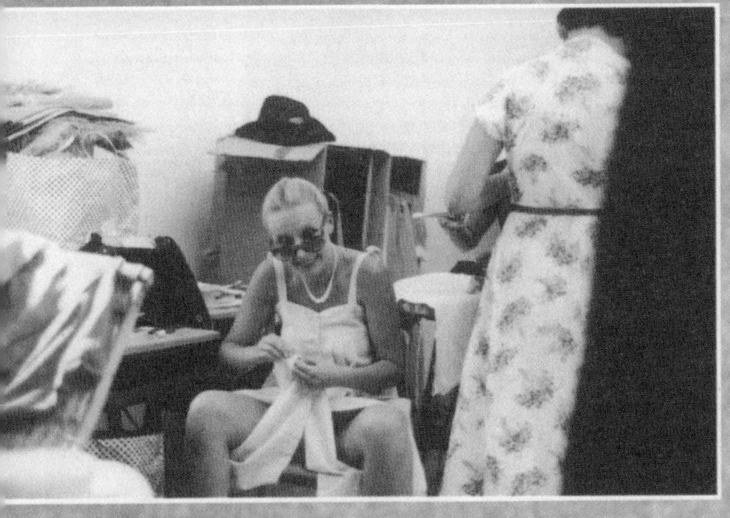

Zawsze lubiłam sobie
sama coś przyszyć
w kostiumie. Garderoba
zaimprowizowana.
Chyba we Francji.

Bankiet po „Adriannie
Lecouvreur". Klęczy
rzysio Ptak. Robił tam zdjęcia.

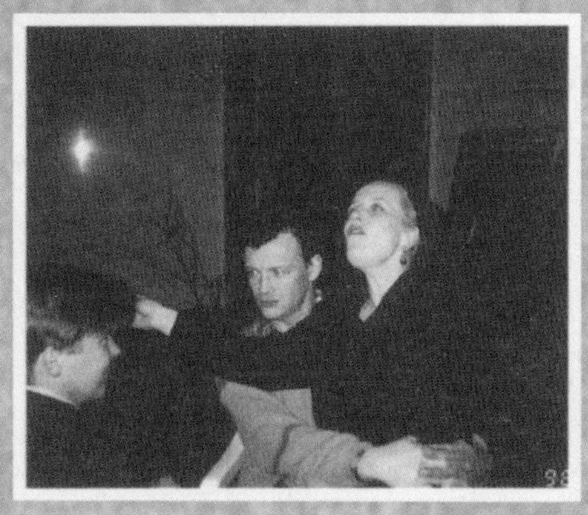

Dalszy ciąg. Już jest nieźle.
Siedzę na kolanach
u Janka Frycza.

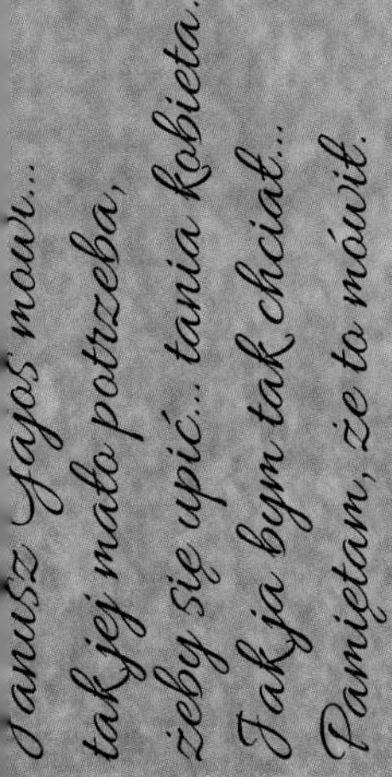

Janusz Gajos mówi...
tak jej mało potrzeba,
żeby się upić... tania kobieta.
Jak ja bym tak chciał...
Pamiętam, że to mówił.

My wszyscy w Milanówku.

*Marysia,
Robert
i Helena!*

Pestka. Pestka. Pestka.

Mój wstęp do felietonów

Szanowni Państwo!

To ma być wstęp, usprawiedliwienie i pozdrowienia, ode mnie dla Państwa. Spełniam też kategoryczną prośbę wydawcy, żebym jeszcze coś od siebie napisała. Przede wszystkim więc pozdrawiam, bo na swoje usprawiedliwienie nie mam prawie nic. A zaczęło się tak, że Jacek Janczarski lubił słuchać, jak opowiadam. Później byłam unieruchomiona w łóżku, bo lekarze niepokoili się o moją ciążę, a Jacek został niespodziewanie naczelnym „Szpilek". Tak długo molestował mnie telefonicznie, aż namówił, żebym zaczęła pisać do tych jego „Szpilek". I tak powstało dziesięć felietonów. Dziesięć – bo po dziesięciu miesiącach od ukazania się pierwszego pismo upadło, niewykluczone, że z mojego powodu.

Następnie była Bożena Janicka. Nie znałyśmy się wcześniej, wiedziałam tylko, że jest specjalistką od polskiego kina i ważnym, dobrym krytykiem filmowym. Przeprowadziła ze mną wywiad, wkurzyła mnie pytaniami i krytycznym stosunkiem do mnie, a kiedy przeczytałam gotowy wywiad – zaskoczyła profesjonalnością. Każde słowo, każde sformułowanie, którego użyłam z właściwą mi beztroską i nonszalancją, zostało właściwie zrozumiane i celnie użyte. Zaproponowała, że napisze o mnie książkę. Odpowiedziałam, iż nie mam czasu, ale uspokoiła mnie, że nawet nie będę wiedziała, kiedy zgromadzi materiał, i zaczęła mi towarzyszyć w moim życiu, czasem zadając pytania. Od momentu kiedy zauważyłam, że ta stateczna pani, emocjonując się czymś, mówi: o w mordę! – polubiłam ją, a od chwili, kiedy mi oświadczyła, że zostaje trockistko-anarchistką, zaczęłam się z nią poważnie liczyć. Mój najgłębszy szacunek zyskała ostatecznie w dniu, kiedy stwierdziłam, że telewizor, szczelnie opakowany, trzyma na pawlaczu. W międzyczasie zaczęłam ją uważać za kogoś bardzo ważnego w moim życiu, z kim często się nie zgadzam, kto mówi mi jednak zawsze prawdę, chociaż mnie denerwuje młodzieńczą bezkompromisowością i jednoznacznością ocen. Tak powstała książka Bożeny o mnie *Tylko się nie pchaj*. Miała tyle materiału, że mogłaby napisać kilka różnych, a to wybór czyni autora.

A potem z propozycją pisania felietonów zwróciła się do mnie „Uroda". Powiedzieli, że mogę pisać, jak chcę, o czym chcę, pod wspólnym tytułem *Emocje*. Rzuciłam się w to pisanie z radością oraz „rzecz jasna" emocją – i tak to trwa od dwóch lat. Mam nadzieję, że będzie trwało jeszcze długo, dlatego się tak Wam podlizuję.

Ta książka, na którą złożyły się m.in. *Tylko się nie pchaj* Bożeny o mnie i moje felietony, jest rezultatem pewnej przypadkowej rozmowy telefonicznej; zadzwoniłam do Wydawnictwa W.A.B. z prośbą o informację w zupełnie innej sprawie. To długa historia, ale skończyła się tym, co trzymacie w ręku.

Dlaczego w ogóle książka? Bo zawsze starałam się „skrócić dystans". Bo tyle lat pracuję, walcząc nie o dusze widzów, ale o serca. Bo uważam, że prawie co wieczór przekraczam w teatrze moje obowiązki zawodowe i chodzi mi o coś więcej. Bo czasy, w których żyjemy, tego wymagają. Bo wydaje mi się, że się znamy z publicznością. Bo uważam, że taka książka jest dla mnie ważna i potrzebna, a dla czytelnika może być zabawna. Bo kilka osób wierzy we mnie, a kilka innych ma nadzieję na tej książce zarobić – i Bogu dzięki. Bo istnieją i tacy, którzy na tę książkę czekają, sądząc z listów, jakie otrzymałam po ukazaniu się *Tylko się nie pchaj*, i tych, które przychodzą do mnie po każdym kolejnym felietonie w „Urodzie". Bo pewnie znów kilka osób tą książką zdenerwuję, bo już nie mam nic do stracenia.

Felietony wybrała Bożena (jest ich dużo więcej), a ja mam do niej bezgraniczne zaufanie.

Dziękuję Bożenie Janickiej, dziękuję Adamowi Widmańskiemu, który włączył się do tamtej przypadkowej rozmowy telefonicznej (znamy się z lat osiemdziesiątych, kiedy przygotowywał do wydania w podziemiu *Przesłuchanie*). Dziękuję Marcinowi Stajewskiemu, że mu się chciało zająć tą książką od strony plastycznej, a nawet go to zabawiło. Nienawidzę sobie robić zdjęć, więc go wpuściłam do mojego archiwum domowego i wybrał, co chciał. Dziękuję Jackowi Janczarskiemu i „Urodzie" za to, że mnie mobilizują do pisania, i wszystkim innym, którzy czy to za pomocą ołówka (korekta), komputera czy telefonu pomogli w powstaniu tej książki. Mój udział jest najmniejszy. Dziękuję.

A Was, którzy trzymacie rezultat ich pracy w ręku, pozdrawiam, życzę wszystkiego dobrego i pozostaję z nadzieją, że książka Was zabawi.

Krystyna Janda

Byłam gwiazdą

Zaczynam się do tego pisania przyzwyczajać i coraz częściej mam ochotę się zwierzać, pisać o gosposi, o pietruszce, o zwykłych sprawach, a tu przecież muszę udowadniać, że jestem „gwiazdą", że wiele rzeczy przeżyłam, wielu sławnych widziałam, bo to podobno państwa interesuje, i myślę, że właśnie po to mnie „wynajęto", a poza tym wtedy będzie tak, jak byśmy byli bliżej Europy.

À propos Europy, czy państwo zauważyli, że teraz to są już same gwiazdy? Wystarczy, że jakiś artysta czy artystka ma wywiad w telewizji, wchodzi na estradę czy scenę, a od razu mówią... gwiazda... gwiazda czegoś tam... Jest pan (pani) gwiazdą, czy zdaje sobie pan (pani) z tego sprawę... Może to dziennikarze i koncerty wymagają nobilitacji, dlatego słowo „gwiazda" stało się „posiłkowym"?

Opowiem więc o tym, jak raz, jeden dzień, byłam gwiazdą na Bulwarze Zachodzącego Słońca.

Gram główną rolę w niemieckim filmie z budżetem 24 milionów marek (to bardzo ważne, gwiazdy grają tylko w drogich filmach). Kręcimy osiem miesięcy w Ameryce, wynajmujemy kasyna w Las Vegas (czy zdają sobie państwo sprawę, co to znaczy wynająć kasyno, które przynosi niebywały dochód w ciągu każdej godziny?). Ekipa – osiemdziesiąt osób z Niemiec, czterdzieści – ze strony amerykańskiej. Nazwisk aktorów, które by państwa zelektryzowały, nie mogę przytoczyć, bo ja tam jestem najważniejsza, ja mam największe nazwisko. To ja jestem gwiazdą. Wystarczy?

Jesteśmy w Los Angeles. Mieszkamy w hotelu Mondrian na Bulwarze Zachodzącego Słońca. Bardzo trudny dzień zdjęciowy. Nie dla mnie. Ja mam biec ulicą, uciekać przed czymś. Nic nie mówić... biec... i ładnie wyglądać. Proste. Dla ekipy upiorny dzień. W kadrze całe Los Angeles. Reklamy, których prawo filmowe i telewizyjne niemieckie zabrania pokazywać (aby nie padło podejrzenie o zakamuflowaną reklamę jakiejś firmy). Tłumy statystów, wynajęte samochody, zaangażowana wycieczka Japończyków jako ozdobnik.

Miejsce akcji: Bulwar Zachodzącego Słońca (w Ameryce płaci się nawet za postawienie kamery na ulicy).

Wszystko to trzeba wyreżyserować, zsynchronizować, sprawdzić: tysiące, tysiące marek.

Niemcy z Amerykanami odbyli już trzy nocne narady, na których każdą rzecz omawiają po setki razy, organizują, sporządzają plany całej „operacji".

W ujęciu podstawowym zachodzące słońce ma być w tle za mną biegnącą. Wiadomo, że jest to możliwe do sfotografowania mniej więcej przez dziesięć minut wieczorem.

Ekipa w pełnym składzie, policja, wszyscy pracują cały dzień, żeby przygotować jak najlepiej to ujęcie. Ja, umalowana, w kostiumie, czekam w pokoju hotelowym na znak. Mam nie dotykać twarzy rękami, żeby nie zniszczyć makijażu, nie wygnieść się, nie jeść, siedzieć nieruchomo i czekać. Z takimi instrukcjami zostawiają mnie charakteryzator i kostiumolog, po czym sami schodzą na dół do statystów. Siedzę, siedzę, zastanawiam się, czy wolno mi się czegoś napić. Postanawiam, że usta ewentualnie poprawię sobie sama po kryjomu. Piję i biorę książkę przysłaną mi przez którąś z przyjaciółek z Polski – *Effi Briest,* autor Theodor Fontana – zaczynam czytać. Nie wiem, ile godzin mija, może sześć, może siedem, ja – nieruchoma, z wypiekami na twarzy, straciłam poczucie czasu, miejsca. Nie jem, nie piję, nie ruszam się, siedzę w hotelu przy Bulwarze Zachodzącego Słońca i jestem cała w środku, w książce.

Nagle wpadają charakteryzator, kostiumolog, kierownik planu. Akurat kończę ostatnią stronę, list bohaterki, zamykam książkę. Oni rzucają się, poprawiają mnie, makijaż, kostium i pędzimy na plan, bo tam wszystko gotowe. Wszyscy na mnie czekają. Ja, jeszcze nieprzytomna, dobiegam, ustawiają mnie na miejscu, pokazują, którędy mam biec, słońce w kadrze, policja zatrzymuje ruch, cała machina czeka na znak reżysera i nagle ja wybucham płaczem, jakimś zupełnie nieopanowanym żalem, i oczywiście od razu rozmazują mi się oczy. Charakteryzator dopada z poprawkami, ale ja już nie mogę się uspokoić. Mam wypieki, jestem potargana, płaczę na dobre. Oczy czerwone, nie do pokazania. Reżyser z daleka krzyczy, nie rozumie, co się stało. Charakteryzator wreszcie mówi, że kręcenie nie jest możliwe, musi zrobić poprawki, a jestem w takim stanie, że to potrwa około dwudziestu minut. Słońce wychodzi z kadru, wszyscy wściekli, zastanawiają się, co robić, reżyser i operator upierają się, że muszą mieć słońce. Wszystko zostaje przełożone na następny dzień.

Cała praca, potworne pieniądze przepadają. Policja zaczyna powoli rozładowywać „zwijający się plan". Statyści po kilku godzinach stania, przechodzenia, biegania na próbach wsiadają do autobusów i odjeżdżają, a ja siedzę na kamieniu przy Bulwarze Zachodzącego Słońca i płaczę. Kompletnie rozklejona, z łapami w oczach, spuchnięta i całkiem już nieszczęśliwa – ryczę.

Dopadają do mnie reżyser, ekipa, zaczynają wrzeszczeć, ja nie odpowiadam. Wreszcie Klaus, mój charakteryzator, mówi, że czytałam jakąś książkę i pewnie tak odreagowuję. Ja rozżalona nad sobą, bohaterką książki, właściwie już nie wiem, nad czym i nad kim, szlocham. Reżyser krzyczy: co to była za książka?

Odpowiadam, płacząc, że *Effi Briest*. Wszyscy wybuchają nieopanowanym śmiechem. Z reżyserem na czele. Po prostu zataczają się ze śmiechu.

Okazuje się, że jest to lektura szkolna niemieckich dzieci: jedna z najbardziej sentymentalnych romantycznych powieści, ulubiona lektura dorastających panienek. To mniej więcej tak, jakbym im powiedziała, że właśnie skończyłam czytać *Anię z Zielonego Wzgórza*, czy już nie wiem co...

Miałam szczęście, że ich tak rozbawiłam i że przypadkiem była to niemiecka literatura, w przeciwnym razie konsekwencje mogłyby być dla mnie bardzo, bardzo przykre.

I tak właśnie raz, jeden dzień byłam „gwiazdą" na Bulwarze Zachodzącego Słońca, tuż obok serca Hollywood. Gwiazdą, przez której histerię i łzy zostało zmarnowane tyle pracy i pieniędzy.

PS A swoją drogą, dawno się niczym nie wzruszyłam. Może dawno nie byłam tak długo z daleka od domu, bezpieczeństwa, Marszałkowskiej, po prostu dawno nie byłam „gwiazdą".

Tęsknię za domem i dziećmi.

Klaus

Mam wrażenie, że wszystkie gazety zwariowały na punkcie ankiet, quizów, krótkich wypowiedzi na różne tematy. Przynajmniej raz dziennie mam telefon, który brzmi mniej więcej tak:

– Dzień dobry, tu Albertyna Prustowska, jakim samochodem pani jeździ?...

Ja na to przerażona:

– A dlaczego pani pyta, nie zapłaciłam może OC, czy coś się stało?...

– Nie, proszę pani, to ankieta do gazety „Iskra"... itepe.

W tym tygodniu, jak kretynka wezwana nagle do tablicy, nie umiejąc odmówić, na zawołanie zastanawiałam się nad następującymi sprawami:

1) Co dał mi dom rodzinny?

2) Jakie kobiety mężczyźni lubią naprawdę?

3) Jaki samochód jest, według mnie, najlepszy? (Swoją drogą wybrali sobie w mojej osobie niezłego „eksperta" – odpowiedziałam, że nowy).

4) Jak bym chciała spędzić wymarzony dzień?

5) Jaki jest mój przepis na mazurek świąteczny?

6) Co sądzę o naturalnej regulacji poczęć?

Ponieważ do wszystkiego podchodzę serio, zaczynam się zastanawiać, na przykład, ilu procentowo mężczyzn w Polsce przychodzi wieczorem do domu pijanych. Czy w kraju alkoholików naturalne metody zapobiegania ciąży są w ogóle możliwe do zastosowania? Kto potrafi wytłumaczyć mężczyźnie w takiej sytuacji cokolwiek? Lub usiłuję z grubsza obliczyć, ile kobiet jest pijanych w tym momencie. Przypuszczam, że w niemałej liczbie domów kobieta, zanim dojdzie do szafki z termometrem, żeby sobie zmierzyć temperaturę czy zajrzeć do kalendarzyka małżeńskiego, dostaje po „ryju" i zostaje zgwałcona. Staram się to nieśmiało sformułować w wywiadzie dla kolejnej gazety, a jednocześnie narasta we mnie poczucie buntu, dlaczego mam się wypowiadać na wszystkie te tematy.

Dziś rano telefon i pytanie:

– Czego się pani spodziewa po wizycie papieża?...

W pierwszym odruchu powiedziałam:

– Ja? Niczego.

A potem ledwo wybłagałam, żeby tego nie wydrukowali. Uprosiłam, odłożyłam słuchawkę, mam pisać dla państwa, a to pytanie nie daje mi spokoju... Czego ja się mianowicie spodziewam po wizycie papieża?

Chciałam państwu opowiedzieć o moim kochanym, cudownym charakteryzatorze, z którym „spędziłam" rok w pewnym filmie. O młodym Niemcu, Klausie, nazwanym przeze mnie Szuszu. Homoseksualiście, szczęśliwym w dziesięć lat trwającym związku z innym młodym, inteligentnym człowiekiem, zdaje się, historykiem sztuki. O Szuszu, wesołym, niezwykle oczytanym, wrażliwym mężczyźnie, jednym z najbardziej wartościowych ludzi, jakich udało mi się spotkać w życiu. Katoliku, głęboko wierzącym, z którym łączyło nas właściwie wszystko, dzieliła zaś jedna rzecz – jego nienawiść do naszego papieża.

Kiedy spotkałam Klausa, przeżywał głęboko niedawną śmierć kolegi chorego na AIDS, którego razem ze swoim przyjacielem pielęgnowali dwa lata u siebie w domu, a którego, jak opowiada Klaus, znaleźli w ciężkim stanie na schodach jednego z kolońskich kościołów. Nie mogę zapomnieć, jak do mnie, osłupiałej, przybyłej z kraju, gdzie w niedzielę kościoły są pełne, a 95 procent ludzi deklaruje, że jest katolikami, krzyczał, że nie potrzebuje, że sam sobie poradzi, że i tak się z Bogiem porozumie i wszystko mu wytłumaczy, nie wchodząc do tego sekretariatu, jakim się mieni Kościół.

I nie zapomnę, jak wreszcie zrozumiałam, że – co prawda – przyjeżdżam z kraju, gdzie ludzie chodzą do kościoła i nazywają się katolikami, z kraju (którego widoku nie zapomnę, kiedy pewnego roku w Boże Ciało chciałam go przejechać wszerz, a ponieważ kościoły stoją głównie przy drogach, była to najwolniejsza i najpiękniejsza podróż w moim życiu, bo jechałam prawie cały czas pomiędzy klęczącymi ludźmi i po kwiatach, w szumie łopoczących biało-niebieskich chorągwi), w którym zupełnie nie przeszkadza tym samym ludziom po mszy leżeć pijanym w rowach, traktować Dekalog z pogardliwym uśmiechem, jakby jedno z drugim nie miało nic wspólnego, a w każdym razie traktować wiarę i „bycie chrześcijaninem" dużo mniej poważnie niż na przykład mój Klaus. A mimo to Kościół go nie chce, odrzuca, bo zbłądził, bo jest pedałem, i nie ma tam dla niego miejsca. Dlatego nienawidzi i da sobie radę sam.

Klaus przyszedł pracować nad moją twarzą jako trzeci, poprzednich dwóch charakteryzatorów reżyser zwolnił, bo, jak twierdził, nie umieli mnie umalować.

Nieskazitelnie ubrany, pachnący, o pięknych dłoniach ozdobionych dwudziestoma brylantowymi pierścionkami, z ufarbowanymi, zakręconymi, opadającymi aż do pasa włosami. Na widok mojego zdumienia uśmiechnął się i powiedział przepraszająco:

– Mężczyźni wolą blondynki.

Malował mnie, czesał cały dzień, robił próby charakteryzacji, efekt był naprawdę dobry. Następnego dnia malował i czesał cztery godziny przed pierwszym dniem zdjęciowym. Efekt był znakomity. Ja, wiedząc, że mam do zagrania długą, ciężko napisaną scenę rozrachunkową z odchodzącym filmowym mężem, odbywającą się w dodatku podczas balu urodzinowego naszej córki, nie zwracałam na pracę Klausa uwagi, cały czas się zastanawiałam, co zrobić z moją sceną klopsem, jak dodać jej fantazji, lekkości, nie wiem czego...

Pojechaliśmy na plan, Klaus, obgryzając cały czas ze zdenerwowania paznokcie, perfumując się co minuta i mówiąc co chwila, że zemdleje na widok reżysera, ja zajęta swoją sceną.

Reżysera jeszcze nie było, nagle zobaczyłam przygotowane maski, konfetti i serpentyny u rekwizytora. Niewiele myśląc, złapałam wielki, gumowy, różowy świński ryjek, czując, że jest to wybawienie z moich artystycznych problemów na ten dzień, i nie namyślając się wiele, włożyłam go na pieczołowicie wykonany przez Klausa makijaż, udaremniając jakąkolwiek ocenę jego starań.

Reżyser na mój widok najpierw zbaraniał, a po próbie, na której zagrałam najlepiej jak umiałam, najprawdziwiej i najbardziej wzruszająco, ale ze świńskim ryjkiem na twarzy, zawył z radości. Klaus długo tego dnia miał oczy czerwone od płaczu, kiedy przychodził przypudrować mi te trzy centymetry czoła, które było widać, ale tego dnia zaprzyjaźniliśmy się na śmierć i życie. Mył, czesał, pocieszał, przynosił kawę, chusteczki nasączone miętą podczas pięćdziesięciostopniowych upałów na pustyni. Uczył niemieckiego, na zdjęciach nie spuszczał z oka mnie, która nie ma zwyczaju ani razu spojrzeć do lustra podczas całego dnia zdjęciowego i nienawidzi poprawiających makijaż charakteryzatorów, uważając, że przeszkadzają w pracy.

Za to wysłuchiwałam godzinnych relacji z jego codziennych rozmów telefonicznych z „mężem", przychodziłam w nocy wzywana, żeby usunąć pająka z hotelowej pościeli, leczyłam z przeziębienia, bez zmrużenia oka gryzłam ofiarowaną, napoczętą właśnie przez niego czekoladkę, pozwalałam się malować wiecznie pokrwawionymi od obgryzania skórek przy paznokciach palcami, jednocześnie umierając ze strachu, że się być może właśnie zarażam AIDS (idiotka).

Szuszu okazał się najlepszym, najofiarniejszym, posiadającym najwięcej godności osobistej człowiekiem w całej ekipie, a przeżywaliśmy naprawdę różne kataklizmy. Cały czas reżyser kazał mu wozić dwadzieścia gumowych nosów dla mnie, bo będę jeszcze musiała gdzieś w nich zagrać, co było udręką dla Klausa, który w to wierzył, a średniej klasy zabawą dla reżysera.

Ale mieliśmy z Klausem i swój mały triumf.

Cała obsada filmu (około czterdziestu osób), aktorzy niemieccy w wieku od osiemnastu do siedemdziesięciu lat, miała wspaniałe, porcelanowe zęby za miliony. Myślę, że tylko ja miałam prawdziwe, żółtawe, nierówne i swoje. Klaus zabronił mi palić, pić kawę i herbatę, żeby nie żółkły bardziej, ale sprzeciwił się wysłaniu mnie do dentysty i „zrobieniu mi przodu".

Po dwóch tygodniach zdjęć mój główny partner pojechał na sobotę i niedzielę do swojego dentysty – zmienić zęby na prawdziwsze. Kosztowało go to, jak mi potem mówił, 17 000 marek (usługa ekspresowa). Następnego wolnego dnia pojechały dwie aktorki, dużo grające ze mną w scenach dialogowych (zbliżenia), wróciły z zębami brzydszymi, ale nowymi.

Po jakimś czasie okazało się, że reżyser i producent, oglądając codziennie materiały, nie mogli się skupić, niczego ocenić, bo dostali obsesji zębowej, patrzyli wyłącznie na zęby. I tylko moje, prawdziwe, nie wyprowadzały ich z równowagi.

Myślę, że to jedna z fanaberii reżysera, bardzo zresztą kapryśnego – niemniej tak to moje socjalistyczne, źle leczone w szkole, w dzieciństwie, zęby naraziły moich naładowanych witaminami, jedzących tylko sole mineralne niemieckich kolegów na poważne wydatki.

A Klaus? Nie wiem, czy spotkałam w życiu wielu ludzi tak bardzo zasługujących na „przyjęcie" do Kościoła.

PS 1. O pewnej przedpołudniowej godzinie w Milanówku nie można dostać się do fryzjera, usiąść w kawiarni – młodzież okupuje miasto. Zapytałam o przyczynę, kelnerka w kawiarni odpowiedziała mi ze stoickim spokojem:

– To są godziny religii i rekolekcji dla szkół.

Czyżby groźba Klausa o odwróceniu się młodych od Kościoła zaczęła się sprawdzać?

PS 2. Niedawno zwierzyłam się ze swoich „trosk" o młodzież i Kościół pewnemu młodemu księdzu. On uśmiechnął się wyrozumiale, pochylił do mojego ucha i szepnął:

– To szeroko zakrojona akcja zmowy masońsko-żydowskiej...

I zupełnie go nie speszyły moje wybałuszone ze zdumienia oczy.

PS 3. Moje zdjęcie z gumowym nosem jest na przygórku, trwa remont, a ja nie mam czasu i cierpliwości go szukać.

Te konie w ogóle nie umiały szybciej. Klaus – mój charakteryzator – w różowej koszuli z kucykiem.

Pięciodniowa miłość

To była naprawdę piękna pięciodniowa miłość. Miałam dwadzieścia lat, byłam pierwszy raz w życiu za granicą. W Budapeszcie. Ukończyłam pierwszy rok studiów w warszawskiej PWST jako nadzieja polskiego teatru. Wysłano mnie i Emiliana Kamińskiego na Zjazd Młodzieży Socjalistycznej.

Pierwszego dnia pobytu zeszłam ze schodów w akademiku-hotelu i na parterze uderzył we mnie piorun!

On – siedział na ławce, w trochę pogniecionych białych popelinowych spodniach i wytartej czerwonej sztruksowej koszuli. Opalony, poważny, czekający na kogoś albo na coś, z burzą czarnych loków na głowie, lekko nieogolony, ze smukłymi stopami w zdeptanych sandałach. Stałam u podnóża schodów, wstrząśnięta jego widokiem. Nagle on spojrzał na mnie i zrozumiałam, że podobnej mocy piorun uderzył w tej chwili w niego. Odwróciliśmy się natychmiast do siebie plecami i pobiegliśmy w przeciwnych kierunkach.

Pobyt miał trwać tydzień. Moim zadaniem było zaśpiewać na kończącym zjazd koncercie *Surabaya, Johnny* i oprócz codziennych prób z akompaniatorem – któremu stale wychodziły jakieś czardasze, a ja cały czas starałam się przekazać mu ducha Brechta, wytłumaczyć, jak powinna brzmieć muzyka Weilla – nie miałam innych zajęć, uczestniczyłam we wszystkich imprezach towarzyszących, przewidzianych w programie zjazdu.

Było tam chyba z tysiąc młodych osób, nadziei swych socjalistycznych ojczyzn, z czego najwięcej przyjechało oczywiście ze Związku Radzieckiego. Z nadziejami z Polski nie miałam w ogóle do czynienia. Ja i Emilian zostaliśmy przywiezieni na występy i na tym koniec. Tamci mieli spotkania robocze, seminaria, wykłady, instruktaże, konferencje, my – przyjemności, wycieczki, dyskoteki, bale (zabronione dla nadziei z Wietnamu), wspólne posiłki (podawane radzieckim nadziejom w osobnej sali), rejsy statkiem po Dunaju (radziecka młodzież na statku pierwszym, największym).

Podczas wszystkich tych imprez ja i moja nieznana miłość szukaliśmy się, wypatrywaliśmy i spotykaliśmy wzrokiem ponad tysiącem głów. Emilian był wściekły, bo wysyłałam go do mojej miłości po tysiąc razy z mapą Budapesztu i pytaniami o nieistniejące ulice w tym mieście, o godziny rozpoczęcia imprez, o to, jak jest na przykład środa po węgiersku itede, itede – ponieważ dowiedziałam się, że mój ukochany nazywa się Péter Futó, jest matematykiem, asystentem w budapeszteńskiej politechnice i tłumaczem ekipy radzieckiej na tym zjeździe. Mówił w pięciu czy sześciu językach i był cały czas strasznie zajęty swoją grupą. Wreszcie czwartego dnia, niosąc talerze z gulaszem, stanęliśmy raptem naprzeciwko siebie. On nagle powiedział po rosyjsku:

– Którędy ty chodzisz, że nigdy cię nie mogę spotkać?...

Ja mu na to w tym samym języku dałam do zrozumienia, że też go szukam całymi dniami (żałując, że zawsze lekceważyłam lekcje rosyjskiego). I od tego momentu się zaczęło!

Ekipa radziecka, omawiając przyszłość budowy socjalizmu i rolę młodzieży w tym procesie, musiała sobie radzić sama, bez tłumacza, bo on zajął się całkowicie nauczaniem mnie jej ojczystego języka. Wyspa Małgorzaty, Buda, Peszt, spacery, rozmowy, koncert zespołu Lokomotiv GT, miłość, pocałunki, milczenie, lody, słońce, a wszystko... po rosyjsku.

Ciągłe błagania (po rosyjsku), żebym została, rzuciła wszystko i zamieszkała z nim w Budapeszcie. Ja na to (po rosyjsku), że nie mogę, że teatr, że język, że zawód, że przyszłość, że muszę, że scena i żeby on za mną jechał do Warszawy. On na to, że jest Żydem, że Polska to kraj antysemicki, że zawód, że język, że nauka. Zaklinania, błagania, prośby! Wszystko po rosyjsku. Wreszcie – płacz, noc, wyjazd, pociąg i on jadący samochodem obok pociągu i krzyczący już po francusku:

– Jestem Żydem... Boję się twojego kraju...

I ja rano – spuchnięta, zapłakana, w Warszawie, rozglądająca się wokół całkiem nowymi oczami i szukająca antysemitów na ulicach.

Dwa lata pisał, a ja odpisywałam. Wołał i ja wołałam. Tłumaczył, tłumaczyłam, po rosyjsku. Trzeciego roku listy ustały, w moim życiu przyszły pierwsze sukcesy zawodowe. Zapomniałam.

Dziesięć lat później, już jako dość znana aktorka, zameldowałam się na miesiąc w hotelu Géllerta w Budapeszcie i zaczęłam zdjęcia do filmu *Pamiętnik*

Zielonego Ptaka, mojego pierwszego filmu z Istvanem Szabo. Pierwsze kroki skierowałam do produkcji filmu z prośbą, aby odnaleźć Pétera Futó, który dziesięć lat temu był asystentem na budapeszteńskiej politechnice i znał mnie jako studentkę szkoły teatralnej z Warszawy.

Minął tydzień. Moja tłumaczka codziennie dzwoniła do produkcji, pytając o rezultaty poszukiwań. Produkcja odpowiadała uprzejmie i wymijająco. Okazało się, że w Budapeszcie mieszka około dwudziestu Péterów Futó, inżynierów, robotników, lekarzy, nie wiadomo kogo, ale żaden nie przyznaje się do znajomości ze mną. Większość z nich (pewnie odbierając telefon, w domu, w obecności żony) w popłochu rzucała słuchawkę, mówiąc, że nikogo takiego nie znali, a później prawie każdy z nich dzwonił jeszcze raz, zamęczając produkcję pytaniami, jak wyglądam, w którym to było roku, ile mam lat, czy jestem brunetką, czy blondynką, czy rzeczywiście jestem aktorką, ile zarabiam. Odbyła się inwazja Péterów Futó na produkcję, a szczególnie jednego, pracownika Przedsiębiorstwa Oczyszczania Miasta.

Ja, nic o tym nie wiedząc i nie rozumiejąc sytuacji, wciąż ponaglałam tych z produkcji, a oni przede mną uciekali.

Pod hotelem natomiast, w hotelu, w recepcji hotelowej zaczęli się zjawiać dziwni mężczyźni, którzy przyglądali mi się zza kolumn, z końca korytarza, z przeciwnej strony ulicy. Patrzyli, jak wsiadam do filmowych samochodów, wypytywali o mnie w recepcji. Jeden nawet kilka dni stał na ulicy z lornetką – byłam zaniepokojona naprawdę, bo wyraźnie mnie śledził. Wściekła i zdumiona zarazem, opowiedziałam o swoich kłopotach w produkcji, oni z kolei o swoich, i rycząc ze śmiechu, wyjechaliśmy na dalsze zdjęcia do Austrii, zapominając o wszystkim. Choć ja do końca filmu czułam się wobec nich trochę głupio – jak kobieta, której nikt nie chce.

Minęło kolejne pięć lat.

Jestem w Rzymie, gramy z Jurkiem Stuhrem gościnnie w spektaklu *Bal manekinów*. Pewnego wieczoru zbiegam ze sceny, śpiesząc się na kolację z przyjaciółmi, wpadam do garderoby... Przy lustrze stoi mój Péter Futó. Wcale nie przystojny, niski, grubawy; rzuca się na mnie, zachwycony mną na scenie, i wykrzykuje coś po angielsku. Uwalniając się z jego objęć, mówię po rosyjsku, że nie znam angielskiego. On pyta, w jakim języku będziemy rozmawiać. Ja, zażenowana, obrażona za poszukiwania w Budapeszcie, usztywniona, proponuję francuski, on się zgadza, i już trochę ostudzony mówi, że będzie czekał na zewnątrz, na parkingu, i że ma nadzieję, iż zjem z nim kolację. Idziemy do tej samej restauracji, w której mam spotkanie z przyjaciółmi.

Siadamy przy stoliku. Kelner zapala świece. W milczeniu wybieramy potrawy. On mówi, że uciekł z Węgier cztery lata po naszym spotkaniu, z pewnym wynalazkiem dotyczącym komputerów, którego nie chciano mu opatentować na Węgrzech. Jest teraz Amerykaninem, bogatym człowiekiem. Opowiada mi o samochodach, domach i wszelakich dobrach, które posiada. Mówi, że widział moje filmy reżyserowane przez Andrzeja Wajdę, pyta, ile zarabiam i czy nie przeniosłabym się do Stanów. Odpowiadam, że zawód, że teatr, że język...

Tematy się kończą. Cały czas patrzę tęsknie na przyjaciół, którzy bawią się fantastycznie, gadają, śmieją się.

Przy naszym stoliku – cisza. Kończymy. Rachunek. Domyślam się, że powinnam poprosić o osobny i zapłacić za siebie. Żegnamy się serdecznie i rozstajemy bez żalu na zawsze. Idę do przyjaciół z Polski i spędzam szampańską noc, opowiadając o Warszawie, teatrze i tak dalej. Rano postanawiam już nigdy nikogo nie szukać i do nikogo nie wracać.

W duchu dziękuję socjalistycznej ojczyźnie i szkole za naukę języka rosyjskiego, dzięki któremu mogłam przeżyć w młodości jedną z najbardziej romantycznych historii.

PS 1. Zaczynają się wakacje. Życzę państwu dużo słońca, ja spędzę je całe w Milanówku, kontynuując remont naszego domu.

PS 2. Mam kłopoty, mój niemiecki partner filmowy używa nowej wody firmy Chanel, „Egoisty", która pachnie jak szarlotka z bitą śmietaną. Powoduje to u mnie wieczne uczucie głodu, w związku z tym zjadam potworne ilości słodyczy i tyję. Ratunku! Albo niech on zmieni wodę!

PS 3. Pokazałabym państwu zdjęcie Pétera Futó w młodości, ale tak często je oglądałam, że już się do tego nie nadaje.

Podstemplowane futro

Zaczęło się już w samolocie. Nie, nieprawda, jeszcze w banku, gdzie oboje wstydziliśmy się podjąć po 400 dolarów na wyjazd, podczas gdy tłum obok kłębił się, błagał i kombinował, jak wycofać choć setkę z zablokowanych kont.

Była prawie połowa stycznia 1982 roku, stan wojenny trwał ponad trzy tygodnie, a my oboje dowiedzieliśmy się, że musimy jechać do Francji. Inni marzyli, żeby się jakoś wydostać, rodziny pracowników ambasad czekały na wolne miejsca w nielicznych startujących samolotach, my zaś, oboje upokorzeni otrzymaniem paszportów, musieliśmy lecieć.

On, Daniel (Olbrychski), bo następnego dnia zaczynał film z Loseyem (nie wiem, jak udało się produkcji wydostać Daniela z Polski!).

Ja – żeby uczestniczyć w kampanii reklamowej mojego ostatniego filmu (producent długo potem opowiadał, że udało mu się mnie „wywieźć" dzięki temu, że słał teleksy przez agencję TASS i że on sam w ten sposób się wydostał w 1968 roku z Czechosłowacji).

Jedziemy. Wstyd jak jasna cholera!!!

Na lotnisku lekka rehabilitacja, Daniela rozbierają podczas rewizji do naga, zaglądają mu we wszystkie miejsca, łącznie z obcasami u butów. Mnie na nieszczęście zostawiają ubraną, podstemplowują tylko podszewkę mojego futra w kilku miejscach, żebym „nie zapomniała go przywieźć z powrotem", jak mówią (to podstemplowane futro do dzisiaj bawi wszystkich w Polsce i za granicą, nawet celników).

W sali odlotów tylko małe dzieci z mamami, psami, kotami i ptakami w klatkach, starcy i kaleki, ewakuujące się rodziny pracowników ambasad. Jakiś ciemnoskóry ambasador, ktoś ważny w każdym razie, opatulony w szale, wyraźnie chory, zażywa potworną ilość leków, siada koło nas w samolocie i zasypia.

Czekamy długo na odlot. Po jakimś czasie nasz czarny sąsiad – nazwijmy go ambasadorem – budzi się i pyta, gdzie jesteśmy. Daniel odpowiada, że w Warszawie. Tamten znów zasypia.

Startujemy. Nerwowa atmosfera – dzieci płaczą, mamy je uspokajają. Ja lecę tylko na trzy dni, ale Daniel na dwa miesiące. Nie najlepiej się czujemy. Po czterdziestu minutach mówią nam, że wracamy, bo Czesi nie chcą nas wpuścić nad swoje terytorium, jako że coś tam małego nie działa w naszym samolocie, chociaż dotychczas zawsze bez względu na to nas wpuszczali. Zawracamy.

Lądujemy w Warszawie. Ambasador się budzi, pyta, gdzie jesteśmy, Daniel odpowiada, że w Warszawie. Ambasador zaczyna biegać po lotnisku, coś opowiadać, zażywa kolejne leki.

Zmiana samolotu. Startujemy. Ambasador afrykańskiego kraju zasypia.

Po półtorej godzinie lotu mówią, że będzie międzylądowanie w Zurychu i że mamy nie wysiadać, bo za chwilę polecimy dalej. Ambasador budzi się. Pyta Daniela, gdzie jesteśmy. Dowiaduje się, że w Zurychu, jest zdumiony, ale Daniel mówi mu, że zaraz polecimy do Paryża. Ten zasypia. Lądujemy, zaczyna się dziwna bieganina załogi po samolocie, słyszymy głośny płacz stewardesy, ktoś coś strasznie krzyczy do telefonu w kabinie pilotów. Po godzinie zapłakana stewardesa zawiadamia nas, że w Zurychu „zeszła" większa część załogi, że musimy dostać nową, że lecimy do Genewy, gdzie stoi jakiś polski samolot, może coś się da poradzić. Ambasador śpi.

Genewa. Ta sama stewardesa, coraz bardziej zapłakana, prosi w dwóch językach, po polsku i po francusku, żebyśmy wysiedli, bo załoga tamtego samolotu, jak się okazuje, lecącego do Warszawy, też „zeszła" i nie ma kto nas dowieźć do Paryża, ani tamtych pasażerów do Polski.

Ambasador się budzi. Pyta Daniela, gdzie jesteśmy. Daniel, rozbawiony całą sytuacją, odpowiada, niewiele myśląc, że w Warszawie, i tu czarnoskóry dyplomata nie wytrzymuje, dostaje jakiegoś szału, wije się, krzyczy, że musi się wydostać z tego piekielnego kraju. Ktoś wyprowadza go z błędu i mówi, że jesteśmy w Genewie. Murzyn rzuca się na Daniela z pięściami, zupełnie bez poczucia humoru.

Wychodzimy na lotnisko. Jest już późny wieczór. Siadamy w dużej sali i nagle okazuje się, że jest ona podzielona gigantyczną szybą z pleksiglasu. Po drugiej stronie są tamci z samolotu do Warszawy. Dopadamy do siebie i z twarzami rozpłaszczonymi na szybie krzyczymy, opowiadając i odpowiadając na ich pytania. Strzelają?! Czy są zabici?! Czy dużo czołgów na ulicach?! Czy jest co jeść?! Czy są papierosy?! Jak to jest z tą godziną policyjną?! Zauważamy z Danielem wśród ludzi Wojtka Młynarskiego. On też nas widzi. Krzyczy: co z Adrianną, co z moją rodziną?! Nie wiemy. Co z teatrami?! Wybuchamy śmiechem. Zamknięte! Co w środowisku?! Kto aresztowany?! Nie wiemy! Niestety, nie my! Czy *to* jest straszne?! Jak *to* wygląda?! Nie umiemy powiedzieć. Nagle tamci rzucają się do wyjścia. Skompletowano jakoś ich załogę. Obładowani papierem toaletowym, chlebem, kiełbasami biegną do samolotu, do rodzin, do Polski, do wojny.

My zostajemy. Przedstawiciel LOT-u mówi, że musimy przenocować tu, w tej sali, może zorganizuje nam jakieś koce. Daniel całą noc wydzwania do Fouqueta, jednej z najsłynniejszych restauracji paryskich, żeby zawiadomić, że nie dojedzie na uroczystość, którą zorganizowano na jego cześć. Kiedy się w końcu dodzwania, nikogo z jego produkcji i przyjaciół już nie ma, więc długo tłumaczy kelnerowi czy stróżowi, że nie doleciał i nie wie, kiedy doleci, bo on jest z Polski, a tam jest wojna, i wszystkie załogi samolotów poprosiły dzisiaj o azyl, a on nie może zmienić „przewoźnika".

Dzięki Danielowi i jego przyjaciołom z Genewy spędzam tę noc w wygodnym łóżku.

Nazajutrz w południe lądujemy na Orly. Czeka na nas kilka kamer, dziennikarze, producenci, przyjaciele. W świetle reflektorów padają pierwsze podczas tego pobytu pytania, które powinno się zadać raczej generałowi Jaruzelskiemu niż nam. Ciągle słyszę po francusku: wojna, wojna, wojna. Nie mogę się opanować, zaczynam płakać. Daniel ratuje sytuację, stara się odpowiadać. Żegnamy się z Danielem. On jedzie mierzyć kostiumy, a potem na konferencję prasową, na której mówi, że w ciągu ostatniej doby dwa razy był rozbierany do naga, raz przez celników na polskim lotnisku, a drugi raz przez kostiumologów w jego filmie, dwa razy jego jedynym strojem był rolex. Ja jadę skończyć postsynchrony do mojego filmu, później na wywiad telewizyjny do głównego wydania dziennika telewizyjnego (bo tak sobie życzy mój producent, koszmar). W telewizji, zapuchnięta od płaczu, na wszystkie pytania odpowiadam: nie wiem, co podobno robi piorunujące wrażenie na Francuzach.

Następnego dnia Daniel dostaje rolexa w prezencie od firmy, za wspaniałą reklamę, jaką mimo woli jej zrobił.

Ja zaś otrzymuję propozycję bezpłatnego spędzenia miesiąca w najbardziej ekskluzywnej klinice psychiatrycznej we Francji. Jej właściciel widział mnie wieczorem w telewizji i rozpoznał ostrą nerwicę.

Chciałam, jak zwykle, pisać o czym innym, o prasie i dziennikarzach (może następnym razem), kiedy akurat przypomniała mi się ta kuriozalna podróż.

PS 1. Daniel zagrał wtedy bardzo dobrą rolę w filmie *Pstrąg*.

PS 2. A cały list do państwa na temat prasy miał zacząć się od historii, która zdarzyła się nazajutrz po moim przylocie do Paryża. Nagle rano zjawiła się taksówka z producentem, który mi oświadczył, że idę na spacer z moim przyjacielem Lino Venturą. Myślałam, że umrę ze zdumienia, nawet mnie rozczuliła troskliwość Lina o mnie, współczucie dla mojego bólu z powodu wojny w kraju i rozstania z rodziną. Zrozumiałam, kiedy dojechaliśmy na miejsce. Czekał Lino, tłum fotografików i taksówka mająca odwieźć Venturę natychmiast po wykonaniu kilku zdjęć na plan filmowy. Odjechał po dziesięciu minutach.

Następnego dnia wiele gazet zamieściło nasze zdjęcie z podpisem: Lino Ventura pociesza Krystynę Jandę, smutną i samotną w Paryżu, podczas kiedy w jej kraju toczy się wojna. Jeszcze raz pozdrawiam, z okrzykiem: Nigdy więcej wojny!!!

Daniel dla mnie zapuścił brodę, do „Pestki". Lubię go.

Lino Ventura

Stalińska rozlała, czyli „lamenty”

Z różnych powodów leżę w łóżku nieruchomo. Mam tak leżeć jeszcze około dwóch miesięcy. Nawet się nie denerwuję.

Leżę w łóżku gdzieś w Milanówku, odwiedzają mnie kolejno moje przyjaciółki i koleżanki, plotkujemy, narzekamy, wyrokujemy i śmiejemy się z samych siebie, kiedy wspominamy... A teraz – jak to się zaczęło, czyli historia tak zwanych lamentów...

Dość dawno temu, nagle, na wiosnę, okazało się niespodziewanie, że mam wolne dwa tygodnie (przesunął się jakiś wyjazd, film, czy coś w tym rodzaju, i wszystkie moje obowiązki w Polsce zostały zawieszone).

Rozejrzałam się dookoła i postanowiłam... „zintegrować” rozbite, skłócone i nienawidzące się warszawskie środowisko. Chciałam zacząć od kobiet, czyli moich koleżanek. Zrobiłam listę kilkunastu najbardziej znanych, najlepszych aktorek, dodałam do nich kilka największych nazwisk kobiet innych zawodów, ale związanych z kulturą i... zaprosiłam do siebie na tak zwany damski wieczór, mający je zbliżyć, pomóc im się poznać, wzajemnie wyjaśnić animozje, przerwać nienawiści i wreszcie zjednoczyć we wspólnej walce o „dobro środowiska”.

Pomysł był szatański.

Pierwszy wieczór z tej serii (bo nastąpiła po nim słynna seria „lamentów”, jak je potem nazwano) odbył się u mnie pod nieobecność mojego męża.

Panie zjawiły się w komplecie (pisać o toaletach byłoby szaleństwem), siadły, zapanowała męcząca cisza, a mniej więcej po trzydziestu minutach zdawkowych pytań i odpowiedzi, o które ja, jako nieszczęsna pani domu, zabiegałam, dwojąc się i trojąc, zaproszone damy zaczęły kolejno opowiadać dowcipy o... góralach, jeśli dobrze pamiętam. W każdym razie coś w tym rodzaju. Sytuacja była beznadziejna aż do momentu, w którym weszła Dorota Stalińska i... zaproponowała, że z braku mężczyzny zajmie się obsługą... Rozlała, odważniej niż ja, i tak się zaczęło.

Część wyszła. Te, które zostały, po pewnym czasie zaczęły mówić wszystkie naraz, a ja straciłam kontrolę nad sytuacją, bo wpadłam w jakieś porady sercowe.

Rano zorientowałam się, że zostałyśmy z Dorotą same, bo jej się zepsuł samochód i potrzebowałyśmy na gwałt któregokolwiek z potworów, o jakich była mowa całą noc, to znaczy mężczyzny, który mógłby to coś niezrozumiałego w tym samochodzie naprawić...

Drugi z naszych wieczorów, a raczej nocy, i ten, o którym właściwie chciałam pisać, odbył się tydzień później (musiałam „integrować" środowisko szybko, miałam na to tylko dwa tygodnie).

Lista zaproszonych pań została znacznie rozszerzona pod względem zróżnicowania zawodowego, wieku itede, w każdym razie sporządziłam ją z o wiele większym rozmachem.

Uprosiłam o urządzenie tego przyjęcia jedną z moich przyjaciółek, korzystając również z nieobecności jej męża. Zapraszałam telefonicznie ja, z tym że podałam numer domu „na oko" – i zaprosiłam wszystkie panie do sąsiada mojej przyjaciółki, o czym nie miałam zielonego pojęcia.

Tymczasem, to znaczy w ciągu tygodnia dzielącego oba „przyjęcia", pierwsze stało się sławne w środowisku i wielu mężczyzn, głównie scenarzystów, pisarzy, reżyserów i mężów, błagało o wpuszczenie choć na chwilę, ukrycie pod łóżkiem, w kominku czy gdziekolwiek; chcieli być kelnerami, kierowcami i tak dalej, i tak dalej. Nic z tego. Żaden nie został dopuszczony. Nawet mężowie i narzeczeni „odwożący" byli niemile widziani...

A zatem, kolejnej soboty, czekałyśmy z przyjaciółką na spóźniające się panie, nie wiedząc, że sąsiad właśnie rozpoczął dziwną noc, podczas której odwiedziły go najsławniejsze, najzdolniejsze, najpiękniejsze, najbardziej kochane, najlepiej ubrane i uperfumowane panie Warszawy, a przybywały przez całą noc, w miarę jak kończyły się spektakle, koncerty, inne przyjęcia, zasypiały ich dzieci, było zaś tych pań około czterdziestu.

Początkowo sąsiad otwierał w piżamie, później, podobno już nieskazitelnie ubrany, kierował damy pod właściwy adres, którego się domyślił. A one... przychodziły do nas dwójkami, trójkami, same. Niektóre z własnymi alkoholami w ręku, na przykład z Parfait Amour. Łączyły się w grupki, zwierzały, śmiały, chwaliły, pokazywały zmarszczki, wyciągały na kanapach, ziewały, nikt, kto tam nie był, nie jest w stanie sobie tego wyobrazić, a ja opisać...

W pewnym momencie, lekko pijana, przekrzykując je, rzuciłam: a teraz która jest szczęśliwa w zawodzie, podnosi lewą rękę, a która w życiu – prawą... Zapanowała cisza... Nagle tylko jedna Kiksa Kołodziejczyk, nasza przyjaciółka, aktorka teatru Studio, z radością, bez cienia namysłu wyrzuciła obie ręce do góry... Reszta pięknych, zachwycających, sławnych i kochanych ani drgnęła.

Takiego ryku śmiechu, jaki z siebie wydałyśmy, długo nie usłyszę. Myślę, że był to najpoważniejszy krok na drodze do „integracji", jaki udało mi się zrobić.

Później odbyło się jeszcze kilka wieczorów, ale już nie tak licznych i udanych; sądzę, iż podczas tych pierwszych zdradziłyśmy tyle tajemnic, że...

Obecnie spośród nas pozostała ścisła egzekutywa, pięć pań, które są sobie wierne. Spotykamy się do dzisiaj, skrupulatnie omawiając wydarzenia miesiąca, i teraz również cała piątka odwiedza mnie w mojej niemocy.

Co do owego miłego sąsiada, nie wiem, co myślał o mnie tamtej nocy, w każdym razie jakiś czas potem dostałam od niego cudowny bukiet kwiatów, co pewnie zawdzięczam moim koleżankom.

Mogłabym pisać bardzo, bardzo długo na temat tego, co i jak się działo podczas tych wieczorów oraz dookoła nich, ale nie chcę być aż tak niedyskretna. Dziś żałuję, że już naszych spotkań nie ma.

Z drugiej strony, zastanawiam się, czy byłyby one teraz możliwe. Jakkolwiek bowiem na to spojrzeć, środowisko dopiero w tej chwili jest w trudnej sytuacji.

Pozostaję z niejasnym uczuciem, że historia, którą zawsze uważałam za jedną z najśmieszniejszych, jakie przeżyłam, wcale nią nie jest.

A w ogóle to jest jakieś przypadkowe zdjęcie.

Na tym zdjęciu nie ma Agnieszki Osieckiej, Zuzi Olbrychskiej i Magdy Czapińskiej.

Z pięknej brzydka, czyli sztuka charakteryzacji i operatorstwa

Chciałabym napisać coś o zamalowywaniu, domalowywaniu, zmienianiu, czyli opowiedzieć kilka historyjek na temat charakteryzacji. Przyszło mi to do głowy po telefonie mojej siostry, wzywającej naszą mamę, aby postawiła jej dziecku bańki. Z bańkami to było tak: byłam trzy, cztery dni przed nagraniem *Niemców* Kruczkowskiego dla warszawskiej telewizji w reżyserii Andrzeja Łapickiego. Miałam grać Ruth. Bałam się jak diabli tej roli, owianej jedną z największych legend w polskim teatrze, roli „znaku", roli granej zwykle wspaniale przez największe aktorki. I nagle zachorowałam. Wysoka temperatura (prawie majaczyłam), żadne lekarstwa nie pomagały. Mama zadecydowała – bańki. Pomogło, i pierwszego dnia nagrań byłam w telewizji w całkiem dobrej formie, gotowa do walki... Przebierałam się właśnie w szlafrok, żeby siąść do charakteryzacji, i w tym momencie wszyscy zawyli na widok moich pleców... Ja, zaprzątnięta tylko zbliżającym się nagraniem, nie pamiętałam, że mam na plecach kilkanaście czarnych krążków, a wszystkie suknie zaprojektowane i uszyte do tej roli mają z tyłu dekolt. Zaczęła się prawdziwa batalia o zamalowanie śladów, tysiące pomysłów, sposobów, wszystko bez rezultatu. W ciągu całego nagrania nie odwróciłam się do żadnej kamery nawet bokiem, stałam przyklejona do ścian, zasłon, z ani jednej sceny nie „wyszłam", nie mówiąc o tej słynnej, w której Ruth wychodzi nonszalancko i z pogardą, odprowadzana przez gestapo... Jeszcze do dziś mam ochotę przepraszać reżysera, kolegów i realizatorów za to, co przeze mnie przeżyli.

A teraz *à propos* zamalowywania, domalowywania czy – jak kto woli – cudów charakteryzacji, o których krążą legendy. Chciałabym coś powiedzieć wszystkim paniom – widzom, które – wiedzą – na pewno!!! Wiedzą, że w telewizji czy w filmie ze starej da się zrobić młodą. Dziewczynom, które marzą o karierze i też wiedzą, że z brzydkiej da się zrobić ładną, z grubej – chudą itede, itede. To nieprawda!

Uroda na ekranie nawet nie pozostaje w ścisłej relacji z urodą w ogóle. Kamera i fotografowanie prawie zawsze łączą się ze światłem i generalnie jest to sprawa światła – jak ono się układa na twarzy, sylwetce. Jak sklepione jest czoło, jak wysokie są kości policzkowe i w jaki sposób cała ta „architektura" wygląda oświetlona. Do tego dochodzi ruch tych płaszczyzn, wyraz oczu, sposób, w jaki one „żyją" w świetle, także to coś nieuchwytnego, niedefiniowalnego, sposób poruszania się danej osoby, a wszystko to razem rejestruje się na taśmie. Można oczywiście coś zamalować, zatuszować, ale dziś, kiedy taśma jest tak czuła, że bezlitośnie pokazuje nawet meszek na twarzy przy świetle zwykłej świeczki, nic się prawie nie da ukryć. Wiem coś o tym, mam w domu męża – operatora filmowego, z którym wielokrotnie pracowałam i tysiąckroć go błagałam, zaklinałam, obiecywałam mu różne rzeczy za urodę, a on od lat niezmiennie powtarza: Krysiu – nie da się, chyba że zrobić oświetlenie jak w *Dynastii* czy *Isaurze* (czyli wszystko równo, bez półcieni), a tego nie możesz ode mnie wymagać.

Oczywiście kłamie trochę, bo wiadomo, że od operatora i jego „malowania" nas światłem zależy bardzo, bardzo wiele, my, kobiety aktorki, wiemy, że wśród operatorów są tacy, którzy nie odróżniają nas od krzeseł i tak też nas fotografują. Ale... faktem jest również, że w czasach Poli Negri, Smosarskiej czy nawet młodej Szaflarskiej lub Wysockiej można było zrobić dużo więcej – z całym szacunkiem dla urody tych pań. Dziś króluje naga prawda albo prawie naga (przy czym w polskich filmach kobiety wyglądają wyjątkowo źle, no cóż... ambitne kino...).

Jeśli chodzi o mnie, operatorzy na Zachodzie, szczególnie we Francji, uważają, że najgorzej wyglądam w filmach fotografowanych przez mojego męża, mąż natomiast, kiedy to mówię, twierdzi, że tylko on potrafi dodać mi charakteru, i, niestety, chyba ma rację.

Gdy piszę to wszystko, przemyka mi przez głowę wiele historii dotyczących charakteryzacji i charakteryzatorów, z którymi my, aktorki, zawieramy specjalne przyjaźnie, szczególnie podczas kręcenia długich filmów, ale nęci mnie opisanie historii, którą usłyszałam od pana Gustawa Holoubka pewnej nocy, na dworcu wrocławskim, gdy czekaliśmy na jakieś ujęcie w filmie...

Reżyserował *Warszawiankę* w telewizji. Zaproponował zagranie Starego Wiarusa Janowi Świderskiemu, znanemu z umiejętności charakteryzacji i upodobania do klejenia nosów, uszu itepe.... W każdym razie Profesor po zaakceptowaniu propozycji odbył rozmowę z panem Gustawem, reżyserem, i powiedział, że chciałby zerwać z dotychczasową tradycją grania tej roli w wielkiej charakteryzacji, ewokującej atmosferę ciężkiej, krwawej walki. Postać Wiarusa postanowił zagrać bez tych „ułatwień", jak to nazwał.

Pan Gustaw, zdumiony i zaciekawiony zarazem, z niecierpliwością czekał na nagranie tak zwanego wielkiego wejścia w tej sztuce.

Nadszedł wreszcie ów dzień. W studiu wszyscy podnieceni czekają na wielkiego Świderskiego. Mija godzina, dwie, trzy, Holoubek nieśmiało wysyła asystenta z zapytaniem: kiedy?... Ten wraca z wiadomością, że Profesor się przygotowuje. Mija następna godzina, dwie, asystent przynosi wiadomość, że mistrz prawie gotów.

Po kolejnej godzinie w zupełnej ciszy wstrząsająco zagrana scena zrobiła na wszystkich wielkie wrażenie, tylko że w postaci, która przed chwilą opuściła studio, nikt nie rozpoznałby Świderskiego, tak był owinięty bandażami, obdarty, oblepiony wszystkim, co możliwe, i poraniony. Później dowiedziano się, że przed wejściem do studia poprosił dodatkowo o wylanie na niego pół wiadra krwi (sic!).

Ja pamiętam go z teatru Ateneum, gdzie godzinami siedział samotnie, charakteryzując się przed każdym przedstawieniem *Fryderyka Wielkiego*.

Pozdrawiam państwa serdecznie, zmęczona, spuchnięta przed kolejnym „rozwiązaniem", z nie najlepszą cerą, w fatalnej formie (108 kg wagi, 89 cm obwód łydki, 678 cm klatki piersiowej), wiedząc, że 27 kwietnia czeka mnie pierwszy dzień zdjęciowy w niemieckim filmie, w kostiumie kąpielowym na basenie (rola – była tancerka).

Mój mąż i mój pies
– prawda, że podobni
na tym zdjęciu?

OŚWIADCZENIE
Niniejszym oświadczam,
że za poglądy mojej żony dotyczące sztuki
operatorskiej nie odpowiadam.
Z poważaniem EDWARD KŁOSIŃSKI,
operator filmowy.

Moja córka Marysia

Jestem dziś w refleksyjnym nastroju i mam straszną ochotę podzielić się z państwem moimi najświeższymi przemyśleniami (za co z góry przepraszam).

Moja szesnastoletnia córka wróciła ze swojego corocznego pobytu w górach. Przechodzi przez mój pokój zadowolona, uśmiechnięta, a ja obserwuję, jak cierpliwie odrabia lekcje, trzymając na kolanach mojego małego, półtorarocznego synka, z jaką przyjemnością nosi go całe wieczory na rękach, opowiada mu coś, a on, zauroczony, niemal drżący z zachwytu, zakochany, nie pozwala jej ani na chwilę zająć się czym innym.

Patrzę, patrzę i myślę, jak ją wychowałam. Czy ma szansę być szczęśliwa?

Za chwilę urodzę znów „nowe" małe dziecko. Cała moja przyszłość zawodowa, moje życie, mój nowy dom, wszystkie moje myśli są podporządkowane tym dwojgu małym dzieciom, z których jedno już jest z nami, a na drugie czekamy. Wszelkie moje decyzje, uczucia, sposób życia są od nich uzależnione.

Jej nigdy nie było nic podporządkowane ani od niej uzależnione.

Zawsze była tylko elementem, częścią, i od samego początku partnerką w moim życiu, a nie jego „właścicielką".

Dziś, gdy Adaś budzi mnie, kiedy chce, robi ze mną i moim mężem, na co ma ochotę, i wywołuje to w nas tylko uśmiech i radość, przypominam sobie małą, trzyletnią Marysię, której nie wolno było mnie budzić nigdy, o żadnej porze (pracowałam wtedy między innymi w kabarecie Pod Egidą i wracałam do domu około trzeciej, czwartej nad ranem).

Pamiętam ją, jak przykłada po cichutku kolorowe pocztówki do szyby w drzwiach mojej sypialni, mając nadzieję, że mnie to zainteresuje i ją zawołam.

Teraz, kiedy propozycje filmowe, ich akceptacja czy odrzucenie zależą od tych dwojga małych dzieci, od ich rozwoju, pory roku, klimatu kraju, w którym kręcony jest film, korzystnego dla nich lub nie, przypominam sobie, jak kręcąc film we Francji, zabrałam ze sobą Marysię i, niczym się nie przejmując, pierwszego dnia pobytu zaprowadziłam ją do szkoły w obcym kraju i zostawiłam tam na cały czas moich zajęć. A podczas kręcenia zmieniłam tych szkół siedemnaście, ani przez chwilę nie zastanawiając się, jak ona to znosi. Jedyną rzeczą, jaką zauważyłam, zdumiona, było to, że po czterech miesiącach Marysia mówiła po francusku. A jeszcze później, będąc już w Berlinie, gdzie grałam w następnym filmie, wysłałam ją samą do Polski, załatwiając telefonicznie w ambasadzie francuskiej, że dalszą edukacją Marysi zajmie się francuska szkoła w Warszawie, ponieważ dziecko umie czytać i pisać tylko w tym języku.

Przez dziesięć lat nigdy nie byłam na żadnej wywiadówce, moja znajomość francuskiego pozostała mniej więcej na poziomie trzeciej–czwartej klasy Marysi, więc nigdy nie mogłam jej pomóc. Nie mam pojęcia, czego ją uczą i jak. Jedyne, co wiem, to że jest jedną z lepszych uczennic i że za cztery lata skończy tę szkołę, uzyskując francuską maturę, i nie wiadomo, co będzie dalej, bo nie zna do dziś żadnego terminu z biologii, chemii, matematyki po polsku.

A jakim jest człowiekiem?

Od dziecka to ona mną się zajmowała. Pytała, czy mamy benzynę w baku, czy nie musimy zrobić zakupów, a dziś, kiedy się spóźnia do domu, ja – zamiast się martwić, czy Marysi się nic nie stało – myślę z żalem o sobie i wyrzucam jej potem, że kazała mi czekać i nie przyszło jej do głowy, że się może martwię...

W moim wychowaniu Marysi tyle było egzaltacji, tyle wymagań, żeby respektowała moje problemy, moje histerie, moją karierę! A ona? Jest spokojną, skromną, zrównoważoną i naprawdę rozsądną osobą. Często patrzę na nią z podziwem, bardzo, bardzo ją kocham i wiem, że jest ze mnie po cichu dumna i mnie lubi.

A teraz o jej dumie ze mnie i o moim „autorytecie". Miała może osiem, może siedem lat. Pewnego dnia zwierzyła mi się, że musi napisać wypracowanie pod tytułem „Mój ulubiony bohater filmowy", a jest zmęczona i ma jeszcze wiele innych lekcji do odrobienia. Natychmiast zaproponowałam, że napiszę je za nią, po polsku, a ona potem tylko przetłumaczy; gdy zapytałam, kto jest jej ulubionym bohaterem, dowiedziałam się zdumiona, że Indiana Jones. Zapytałam dlaczego i dowiedziałam się, że dlatego, iż ma zeza. Wzruszyłam ramionami i z pasją rzuciłam się do „tworzenia", ja – odnosząca zawsze w pisaniu wypracowań szkolne sukcesy. Dzielna i wierna uczennica socjalistycznej szkoły, wysmażyłam błyskotliwy tekst o bohaterze pozytywnym, walczącym ze złem, występującym w obronie słabych, chorych, biednych, dzieci – no, słowem, wszyscy to znamy.

Pominęłam kompletnie zeza. Zupełnie nie biorąc pod uwagę, że być może Indiana Jones podoba się Marysi dlatego właśnie, że ma „feler", że nie jest nadczłowiekiem, że jego wada jest jej pewnie bliska. Marysia bez słowa komentarza przetłumaczyła wypracowanie, mimo że ja oczywiście domagałam się komplementów. Następnego dnia poszła do szkoły, ja dopytywałam się codziennie o stopień, ona milczała, wreszcie zapomniałam o sprawie. W jakiś czas później dowiedziałam się przypadkowo od koleżanki mojej córki, że nauczyciel francuskiego, oddając poprawione wypracowanie, powiedział: a cóż to za koszmarny, komunistyczny sposób myślenia, straszna agitka ideologiczna... i zostawił tekst bez oceny, słusznie podejrzewając, że nie jest autorstwa Marysi.

Tak skończyła się moja pomoc w odrabianiu lekcji. Później jeszcze kilkakrotnie za wszelką cenę chciałam coś „napisać", ułożyć dalszy ciąg czegoś; dotyczyło to szczególnie zajęć z filozofii, której początków Marysia się uczyła, ale ona zawsze delikatnie mnie z tego „wymiksowywała", mówiąc na przykład: mamo, i tak się na tobie nie poznają...

Mam dziecko, które nigdy nie zajmowało się polityką, nie sprzedawało podziemnej prasy, nie nosiło ulotek, nie zwracało na siebie uwagi, nie włożyłoby nic, co mogłoby je w jakikolwiek sposób wyróżnić spośród innych, a jednym z największych koszmarów było dla niego pójście do szkoły nazajutrz po mojej Złotej Palmie. Marysia jest skromnym, miłym, dobrym człowiekiem. Czy mam być z tego powodu szczęśliwa, ja, która w wieku Marysi nie ubierałam się, lecz przebierałam? Musiałam po prostu zwracać na siebie uwagę, być zawsze „w awangardzie". A jak mam wychować dwoje następnych dzieci?

PS 1. W szkole koleżanki Marysi są zawsze lepiej ubrane niż ona, mają więcej pieniędzy, odjeżdżają albo już swoimi samochodami, albo są odwożone przez kierowców ambasad; ona dość wcześnie z powodu intensywnej pracy zawodowej mojej i męża jeździła do szkoły z daleka autobusem, a teraz dojeżdża pociągiem. Kiedyś, po powrocie z jakiegoś tournée, postanowiłam pojechać po nią do szkoły i choć raz pomóc oszczędzić jej półtorej godziny w i tak przeładowanym dniu. Stanęłam pod szkołą, spotkałam masę znajomych, koleżanek, szczęśliwa z powodu powrotu, uśmiechnięta, umalowana, gadałam, gadałam,

gadałam... Po mniej więcej półgodzinie Zuzia Olbrychska, mama również chodzącej do szkoły francuskiej małej Weroniki, zapytała, na kogo tu czekam. Odpowiedziałam, że oczywiście na Marysię, wtedy Zuzia wybuchnęła śmiechem i powiedziała, że Marysia, co prawda, chodzi do tej szkoły, ale do zupełnie innego budynku, i to już od dość dawna; zrobiła z tego potem środowiskową anegdotę o kochającej mamusi, ale miała absolutną rację.

Pozdrawiam państwa i znajomych, czując się kochana przez moje dzieci.

PS 2. Nie mogę sobie odmówić opowiedzenia (jeszcze) przy tej okazji o moim spotkaniu z uwielbianym przeze mnie Jurkiem Stuhrem na planie filmowym *Dekalogu*. On coś kończył, jakąś scenę, ja zaczynałam, rzuciliśmy się do siebie z powitaniami, i Jurek jak zwykle zapytał:

– Jak Marysia?

Ja:

– Wspaniale.

Jurek:

– A w której ona jest klasie?

Ja:

– Nie wiem. A co u ciebie?

Jurek:

– Fantastycznie, kupiłem dom w górach, głównie po to, żeby dzieci mogły odpocząć.

Ja:

– Ładny?

Jurek:

– Nie widziałem. No to cześć! Całuję!

Ja:

– Całuję!

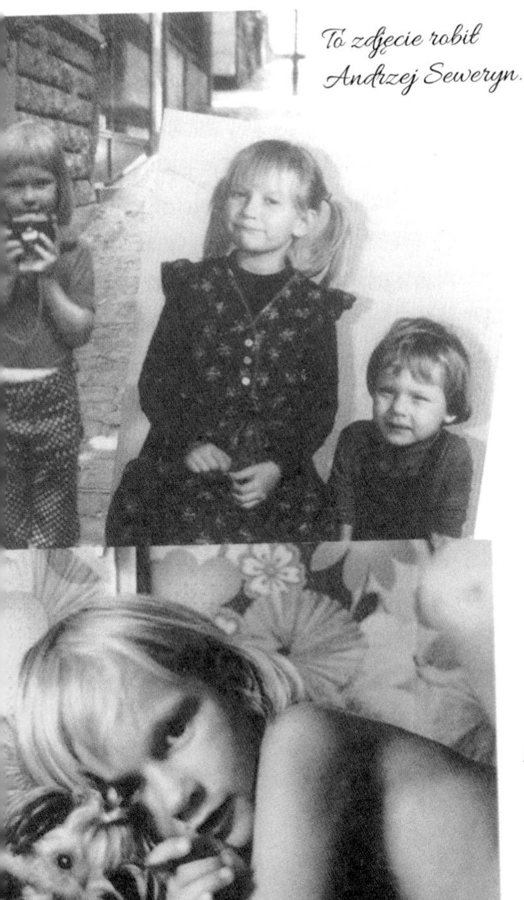

To zdjęcie robił Andrzej Seweryn.

To zdjęcie robiłam ja.

Lekki dzień zdjęciowy

Jak się państwo czują? Jak zdrowie? Jak dzieci? Jak praca? To ostatnie pytanie Niemcy zadają na początku. Co tam w pracy? Od tego, czy dobrze „w pracy", czy źle, zależy tak wiele. Spokój i poczucie bezpieczeństwa, standard życia, plany na przyszłość, czy można mieć dziecko, czy nie, a wreszcie... dokąd jechać na wakacje, żeby odpocząć. To bardzo ważne!

Tak dawno nie grałam, że ostatnio zaczęłam się zastanawiać, czy jeszcze będę umiała. Dziś dowiedziałam się, że za miesiąc wchodzę znów na scenę w moim teatrze, co wywołało we mnie jednak dreszcz przyjemności, a wczoraj wróciłam po pierwszym, lekkim – jak mi obiecywano – dniu zdjęciowym w nowym filmie niemieckim. Po dniu zdjęciowym ulgowo dla mnie zorganizowanym, bo przecież wiedzą, że jestem po operacji, po urodzeniu dziecka, po dniu zdjęciowym wielokrotnie już przesuwanym, ku zniecierpliwieniu producenta (trzeba wynajmować pas startowy na lotnisku, samochody, platformy do zdjęć i tak dalej), jako że ja, niesubordynowana, znając przecież znakomicie niemiecką pedanterię, nie urodziłam mimo to w terminie i bez komplikacji.

Jadę. Zostawiam na dwa i pół dnia to nowe, maleńkie dziecko z mamą (wywołując tym aż do powrotu trwający ucisk w żołądku). Problem dodatkowy, mleko! Mam go w piersiach nieprzebrane ilości!

O świcie w dniu wyjazdu karmię, wsiadam do samochodu i jadę na lotnisko. Czuję się ciągle nie najlepiej, ale przecież chodzi o jeden przyjemny, ulgowy dzień zdjęciowy! Co za problem? Zostawiam samochód na parkingu – i już czuję, że muszę ściągać mleko. Nie mam gdzie. Jeszcze godzina, wsiadam do samolotu, zamykam się w toalecie, ściągam – i tak mija mi lot. Ląduję we Frankfurcie, wsiadam do następnego samolotu, zamykam się w toalecie... Lądujemy.

Na lotnisku w Hanowerze czekają na mnie oszałamiające bukiety kwiatów plus karteczki z gratulacjami od reżysera, producenta i ekipy oraz kierowca z fryzurą à la Johnny Hallyday, z sierpem i młotem w klapie marynarki i z tekturką, na której widnieje moje nazwisko napisane z błędem.

Wsiadamy do samochodu. On stara się być miły, nie ma pojęcia, kim jestem, kwiaty mu mówią, że chyba kimś ważnym, pyta, czy gram w tym filmie, mówię, że główną rolę kobiecą, pyta, czy jestem aktorką, mówię, że tak. Przeprasza, że nie czytał scenariusza i że się nie orientuje. Zdumiona jego stosunkiem do wykonywanej pracy, chcę się dowiedzieć, czy jest z NRD. Sierp i młot mówią mi, że nie.

Młody człowiek chce się zrehabilitować, pokazuje mi miasto, z „bólem" opowiada, że niewiele w nim rzeczy interesujących, zabytków, bo zostało zburzone podczas wojny.

Milczę, cierpiąc udręki z powodu mojego mleka.

Po chwili ciszy pyta, czy Warszawa była zniszczona.

Ze złością już odpowiadam, że zrównano ją z ziemią, że w ogóle jej nie było. To go peszy. Milczy. Po długim milczeniu mówi: wojna to głupia sprawa... Filozof.

Milczę.

Zatrzymujemy się przed eleganckim sklepem z damską konfekcją. Pytam, dlaczego nie wiezie mnie do hotelu – muszę się umyć, odpocząć, rozwiązać swoje „drobne" problemy.

Mówi, że nie mamy czasu, wszystko jest zaplanowane, trzeba wybrać i kupić dla mnie kostiumy, przeprasza. Powoli zaczynam dostawać histerii.

W sklepie czeka cały sztab ludzi, kostiumolog i osiemdziesiąt białych obcisłych sukienek do przymierzenia. Mam łzy w oczach, bolą mnie piersi, zaczynam się słaniać ze zmęczenia po podróży. Niech ktoś mi powie, że jest cięższa praca niż przymierzenie osiemdziesięciu sukien w trzy tygodnie po cesarskim – nie uwierzę.

Czepiając się haczyków, wieszaków, luster w przymierzalni, zaczynam gorączkowo się zastanawiać, co robić. Do tego po każdym moim ukazaniu się w nowej sukni czy płaszczu oni bez końca zachwycają się lamówkami, szczypankami, debatują niczym na konferencji w sprawie rozbrojenia. Ja umieram. Gdy już zakupiono stertę kostiumów, które zupełnie mnie nie obchodzą, dowiaduję się, że mam jechać do fryzjera. Postanawiam wytrzymać wszystko! Spędzam tam jak na torturach około trzech godzin, już nie protestując, milcząc. Gdyby mi ufarbowali włosy na flagę amerykańską, nie zaprotestowałabym (widziałam raz dziewczynę z tak ufarbowanymi włosami, w Ameryce; w Niemczech do tego stopnia nienawidzą Ameryki, że najwyżej mogłabym liczyć na flagę niemiecką albo radziecką).

Po uroczej wizycie w salonie fryzjerskim dowiaduję się, że mam „termin", jak oni to nazywają, u lekarza, który ma mnie zbadać, wydać opinię o stanie mojego zdrowia i zadecydować, czy towarzystwo ubezpieczeniowe może ubezpieczyć bez ryzyka film. Znam te badania, są bardzo szczegółowe, traktowane poważnie, obejmują nawet test ciążowy. Załamuję się i chcę przynajmniej umyć ręce. Jestem potwornie głodna, ale jadę.

Zjawia się siedemnaście asystentek lekarza, każą mi zrobić siusiu w różne naczynia, próbuję protestować, mówię, że to nie ma sensu... W końcu rezygnuję – siusiam. Zjawia się lekarz. Rozkłada potwornie długie, znane mi kwestionariusze do wypełnienia i zaczyna zadawać pytania. Macham ręką – trzeba odpowiadać. Przebyte choroby, alergie... itede, itede, dochodzimy wreszcie do pytania o ostatni pobyt w szpitalu, powód... Odpowiadam: Kaiserschnitt (cesarskie cięcie). Data: przed trzema tygodniami.

Lekarz patrzy na mnie jak na idiotkę. Wstaje i oświadcza, że nie dopuszcza mnie do zdjęć. Pyta, jak się czuję, odpowiadam, że fantastycznie i że ten dzień zdjęciowy będzie bardzo lekki. Przynoszą wyniki analizy moczu. Rzuca tylko okiem. Po chwili (zupełnie nietypowy niemiecki lekarz) drze kwestionariusz, wypełnia nowy, w rubryce: „ostatni pobyt w szpitalu" – nie wpisuje nic. Bada mnie bardzo dokładnie, nawet waży i mierzy, co mnie naprawdę rozśmiesza. Każe mi się oszczędzać i ściągać pokarm, bo mogę mieć kłopoty. I tak oboje robimy maleńki wyłom w niemieckiej doskonałości, precyzji i dokładności. Żegnamy się jak przyjaciele.

Johnny Hallyday z sierpem i młotem oświadcza, że teraz pojedziemy na plan, gdzie wszyscy jeszcze pracują, jest dziesiąta wieczór, i czekają na mnie z niecierpliwością, żeby się przywitać. Odmawiam kategorycznie, wiedząc z doświadczenia, że jestem w kraju, w którym – w przeciwieństwie do Francji – można czasem nie dopełnić obowiązków reprezentacyjnych, grzecznościowych czy kurtuazyjnych, jeśli się dobrze pracuje; to jest tu najważniejsze, a formy są na drugim miejscu.

Jadę do hotelu, jest prawie dwunasta w nocy, nie mam siły już na nic. Ściągam pokarm, biorę letnią kąpiel i zasypiam obolała. Jutro mam wstać o piątej rano.

Zaczynam „jeden ulgowy dzień zdjęciowy".

Nazajutrz dowiaduję się, że robimy trzy sceny, a nie jedną, że zostawiono dla mnie pisemną informację na ten temat w hotelu, ale jej nie odebrałam. Zaczyna się charakteryzacja, ubierają mnie. Wyglądam dobrze. Zaczynamy. Powitania, próby, znamy się z reżyserem. Nie próbuje mi nic narzucać. Jest ze mnie, jak zwykle, zadowolony i przyjmuje moje propozycje zmian, co w Niemczech jest absolutnym wyjątkiem. Aktorzy rzadko wtrącają się do dialogów, konstrukcji scenariusza, nawet nie przychodzi im do głowy, że w ogóle mogliby, polecenia reżysera traktują jako niepodlegające dyskusji.

Pierwsze spotkanie z moim filmowym mężem Mario Adorfem. Jest uważany za jednego z największych aktorów niemieckich. Okazuje się miłym, serdecznym kolegą i bardzo kontaktowym partnerem. Tylko za mocno ściska mnie w scenie powitania i bolą mnie piersi. Bo kręcimy scenę powitania. Dziesięć osób i dziesięć dubli.

Przed południem udaje mi się dwa razy w przerwach poradzić sobie z moim mlekiem, ale z upływem dnia atmosfera staje się coraz bardziej napięta i mimo że wszyscy wiedzą o moim problemie, nie ma mowy o zejściu z planu.

O czwartej rano dnia następnego ciągle jeszcze siedzę w „grającym" samochodzie, robimy kolejną wersję. Ja półprzytomna z bólu, jest mi już wszystko jedno po tylu godzinach kręcenia: nawet gdybym umierała, bałabym się im powiedzieć, że to przerwie pracę na jakieś dziesięć minut.

O piątej rano, w hotelu, już nic nie mogę zrobić, pokarm jest zablokowany, czuję, że mam temperaturę. Lekki dzień zdjęciowy zakończony.

O szóstej jadę na lotnisko. Jest pierwszy dzień maja, mój kierowca z sierpem i młotem śpieszy się, bo jest jednym z organizatorów pochodu pierwszomajowego. Prawdziwie podniecony, sprawia wrażenie szczęśliwego. Żegnamy się.

Lot pierwszym samolotem, płaczę cały czas, podejmuję ostatnią próbę ściągania, nie ruszając się już z miejsca. Jestem w pierwszej klasie prawie sama, tylko jakiś pan skręca się z ciekawości i czyni wszystko, żeby zobaczyć, co robię. Po chwili rezygnuję.

Frankfurt, wzywają mnie do samolotu przez wszystkie głośniki, ja, czerwona od płaczu, biegnę kupić nowy samochód zabawkę dla mojego starszego synka. Słysząc cały czas swoje nazwisko, myślę: niech czekają. To polski samolot.

Lądujemy w Warszawie. Czuję, że mam już bardzo wysoką temperaturę. Łzy leją mi się ciurkiem, wszyscy się na mnie gapią. Na lotnisku nie ma telefonu, z którego można by zadzwonić do Milanówka, nawet u celników i wopistów.

Gorąco. Mam coraz wyższą gorączkę. Z odebranym bagażem, w którym są tylko pieluchy jednorazowe dla moich dzieci, ale i tak jest potwornie ciężki, niemal głośno płacząc, z trudem wlokę się, centymetr za centymetrem, na drugi koniec lotniska, gdzie zostawiłam samochód. Mija mnie masa ludzi. W końcu dowlekam się, siadam na krawężniku i błagam parkingowego o sprowadzenie mojego samochodu.

Ten robi to, po czym staje nade mną i słyszę:

– No i co, taka sławna, tylu wielbicieli, tyle nagród, takie sukcesy, a jak przyjdzie co do czego, to walizki nie ma kto ponieść...

Wsiadam, pokorna już zupełnie, cichutka, czując się tak, jakby mi ktoś ścierał pumeksem całą skórę, zastanawiam się, czy jechać do domu, czy do szpitala, wreszcie wybieram dom, mając nadzieję, że dziecko będzie właśnie głodne, stanie się jakiś cud i wszystko się jakoś samo rozwiąże.

PS I rzeczywiście się tak stało, jeszcze raz przekonałam się, że fizjologia kobiety to rzecz niezwykła. Blokada się skończyła równo z płaczem dziecka, a potem ono dokonało reszty.

Okazało się, że w ciągu dwóch tygodni przybrało na tym mleku kilogram, z czego jestem bardzo dumna.

Mamo! Mamo!
Co on tu ma?
Mama i tylko Mama
– na wszystko.

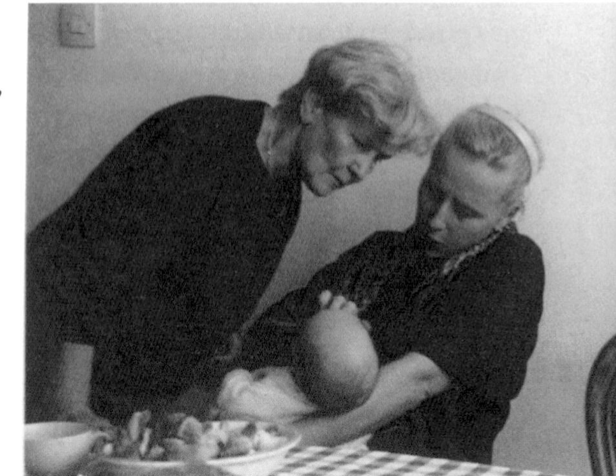

Kuba

Zjawił się w naszym domu w pierwszych dniach mojego nowego małżeństwa. Z poprzedniego życia miałam małe dziecko, bardzo starą gosposię, chorego psa i komplet sztućców. Kota już nie, bo poprzedni, Sinko, zakończył życie.

Wprowadziłam się z tym „bagażem" do maleńkiego trzydziestoośmiometrowego mieszkanka mojego nowego „towarzysza życia", jak się to teraz modnie nazywa, a późniejszego męża, i od razu zapytałam:

– A kot? Nie będzie kota?

– Kot? W życiu! Po moim trupie! – odpowiedział stanowczo.

Kupiłam kanapę, na którą już zupełnie nie było miejsca, i nauczona doświadczeniem niedawnego rozwodu, oświadczyłam, że gdybyśmy się rozstawali, to ta kanapa jest moja, po czym... zachorowałam.

Szpital, operacja, później długie leżenie w domu. Pewnego dnia Edward położył mi na łóżku małego czarnego kotka, umierającego z wycieńczenia i głodu. Znalazł go w piwnicy, uwięzionego w rurze – dla żartu – przez robotników kończących budowę bloku.

Razem z lekarzem walczyliśmy o życie kota dość długo, a kiedy stanął na nogi, stał się wrogiem, przekleństwem, zmorą i głównym rywalem mojego męża. Bo tak jak mnie Kuba kochał, tak jego nienawidził. Z wzajemnością zresztą. Sikał mu w buty, kieszenie kurtek wiszących na krzesłach, obsikiwał należące do niego przedmioty. Wieczorem rozwalał się na łóżku obok mnie na miejscu Edwarda, a kiedy ten przychodził z łazienki, Kuba, z groźnym pomrukiem, ociągając się, ustępował miejsca i kładł się po drugiej stronie łóżka, najchętniej na mojej głowie, reagując histerycznie na każdy ruch Edwarda czy jego próbę przytulenia się do mnie.

Kuba opracował cały system dojść do mnie, pozwalający ominąć, jak zarazę, mego męża. Wolał zawsze wskoczyć wysoko i iść w moją stronę po półkach z książkami, niż przejść obok niego. Kot stał się moim cieniem, zawsze siedział przy mnie, leżał przy mnie. Kiedy krzyczałam na Rubla, psa przygarniętego podczas którychś wakacji, Kuba wyrastał jak spod ziemi i uderzał go łapą „w twarz", by mi przyjść z pomocą i podkreślić, że mam rację. Rubel zresztą całkowicie respektował jego wyższość, z pokorą mrużył oczy, opuszczał głowę i pozwalał się karcić, mimo że na co dzień był postrachem okolicznych kotów. Kiedy w domu pojawiły się małe dzieci – moi synowie – Kuba się obraził. Udawał, że ich nie widzi, albo ostentacyjnie kładł się do łóżeczek, wózków, leżaków chłopców i nie pozwalał się stamtąd wygonić.

Nocą przynosił mi – przez uchylone okno w sypialni – prezenty. Ptaki, myszy, jeszcze żywe, ruszające się. Raz przyniósł szczura, kiedy indziej kreta. Leżałam w ciemności jak sparaliżowana, słuchając z obrzydzeniem odgłosów walki Kuby z jakimś stworzeniem, które w końcu zjadał. Rano bałam się spojrzeć w to miejsce. Najczęściej bywało tak, że Edward już posprzątał... Założyłam Kubie na stałe dzwoneczek na szyję, żeby ratować przynajmniej ptaki.

Przychodził tylko do mnie, rozmawiał tylko ze mną (nauczył się gruchać jak gołąb), siedział na stole, kiedy jadłam, i wyciągał pazurem najlepsze kawałki, nawet z zupy. Czekał na mnie, niezmienny w swoim uczuciu, przez cały rok, kiedy byłam we Francji. Miał „odbicia", jak mówił mój mąż, momenty szaleństwa, lęki. Kiedyś, ze strachu przed czymś, wcisnął się między palniki kuchni gazowej i żeby go wydostać, musiałam rozebrać całą kuchenkę. Chorował, leczyłam go, pewnego dnia zaczęła mu cieknąć piana z pyska i pogryzł mnie. Lekarze twierdzili, że to wścieklizna. Nie uwierzyłam. Po dziesięciu dniach, które Kuba spędził na obserwacji w kocim szpitalu, spotkaliśmy się, stęsknieni za sobą ogromnie. W samochodzie wbił z całej siły pazury w mój dekolt i tak, wyjąc z bólu, zawiozłam go do domu. Po tym incydencie nigdy już z domu nie wychodził. Zmienialiśmy potem wielokrotnie mieszkania, domy i wszystkie przeprowadzki planowaliśmy w taki sposób, żeby stres Kuby był jak najmniejszy. Przeżył z nami piętnaście lat. Robił wszystko, czego mu nie było wolno. Sikał w doniczki z kwiatami, do walizek naszych gości (bo gości nie cierpiał), szczególną przyjemność sprawiało mu zjadanie bukietów i picie wody z wazonów do kwiatów. Był tajemniczą istotą, absolutnie niezależną, a jednocześnie najbardziej namiętną i zaborczą, z jaką się spotkałam. Nienawidził zamkniętych drzwi. Nocami skakał tak długo na klamki, aż wszystkie drzwi w naszych kolejnych domach były otwarte.

Mąż ciągle pytał znajomych, gosposie, lekarzy, każdego, kto miał kota, jak długo właściwie koty żyją. Nie mógł się doczekać jego śmierci. I któregoś dnia Kuba przewrócił się, zwymiotował krwią i dostał drgawek. Moja mama powiedziała, że ze starości. Pojechałam z nim do lekarza. Po chwili lekarz wyszedł z gabinetu i powiedział: Już go nie ma.

Marysia, moja córka, grzebała go nocą w ogrodzie, ja z daleka, siedząc w kucki, płakałam. Poprosiłam, żeby go odkopała i sprawdziła jeszcze raz, czy nie żyje, bo nie mogę w to uwierzyć.

Nad ranem zadzwonił mąż z Niemiec, gdzie robił film. Kot nie żyje – powiedziałam. Bardzo ci współczuję – usłyszałam po długiej chwili ciszy.

Nieśmiało napomykam mężowi, że kot jest w domu absolutnie niezbędny, że myszy, że dom bez kota to nie dom... Patrzy na mnie niewzruszony.

Królowe mojego życia

I znów czekam na kolejną gosposię. Po raz któryś nowy człowiek pod moim dachem, po raz któryś niewiadoma. Po raz któryś ciekawość, z kim przyjdzie dzielić dom. Miałam gosposię od zawsze, pierwszą zaangażowałam jeszcze podczas studiów, kiedy zaczęłam łączyć obowiązki studentki i młodej żony, szóstym zmysłem przeczuwając, że to będzie moje zbawienie i przekleństwo, a w każdym razie warunek *sine qua non* przyszłej pracy. Moja ukochana pani Honorata, z którą spędziłam dwanaście lat, zapewniła mnie i mojemu dziecku spokój i poczucie bezpieczeństwa na długo. Ciągle ją wspominam, cytuję, nie mogę się bez niej obejść. Ja ją nauczyłam pisać, czytać i „znać się na zegarku", jak mówiła, a ona nauczyła mnie... żyć. To była wielka osobowość. Wyznawała jedną prostą zasadę... im dalej do kościoła, tym większy odpust – rozgrzeszenie, czyli... im trudniej, tym lepiej. I dzięki tej nieskomplikowanej filozofii była szczęśliwa i obdzielała tym szczęściem wszystkich dookoła. Ale o Honoracie napiszę osobno.

Po niej było wiele innych, a co z nimi przeżyłam, to moje. Zresztą własne przygody mogę potraktować filozoficznie, ale to, co przeżyła z kolejnymi gosposiami moja córka, to już zupełnie inna, poważna sprawa. Myślę, że będzie ona miała wpływ na całe jej życie, i nie wiem jeszcze, czy to dobrze, czy źle.

Mnie lubiły, bo się nie wtrącałam, nie zaglądałam do portmonetki, garnków, a dla dobra naszego domu byłam gotowa zawsze się podporządkować, z czego bardzo szybko zdawały sobie sprawę. W każdym razie nasze życie dzielę na przed i po Honoracie. Po niej byli kolejno:

1) Młoda, co przyszła, położyła się do łóżka i pierwszego ranka oświadczyła, że jest chora. Podałam jej śniadanie, odwiozłam do szkoły dziecko i pojechałam karmić łyżeczką Honoratę w szpitalu, bo tego wymagał jej stan, potem na plan filmowy coś zagrać, itede, itede. Po kilku dniach zadzwoniłam do przyjaciółki z płaczem, że męża nie ma, młoda nie wstaje, bo mówi, że jest w ciąży i źle się czuje, a ja nie potrafię jej wyrzucić, dziecko ma temperaturę,

i w dodatku muszę grać. Przyjaciółka wywiozła wtedy młodą samochodem w nieznanym kierunku, mówiła potem, że do jej wsi.

2) Para pięćdziesięciolatków, Romeo i Julia ze Śląska. Wzruszyła mnie do łez ich miłość. Musieli ukrywać się przed dziećmi, które nie pozwalały im się kochać i ich wygnały. On pracował jako palacz w jednym z podwarszawskich hoteli, ona u nas (gotowała genialnie), spotykali się w soboty i niedziele, w naszym domu. Po jakimś czasie zniknęli; została po nich cała szafa pustych buteleczek po spirytusie salicylowym, który oboje widocznie lubili.
3) Majorowa. Jak się potem okazało, wdowa po majorze, ale z UB. Zabawiała mnie między innymi opowieścią, jak nieboszczyk mąż, pijany, budził nocą czwórkę dzieci, ustawiał je w dwuszeregu i z pistoletem w ręku odpytywał z matematyki. Odjechała radiowozem milicyjnym, wezwanym przez moich sąsiadów, zaniepokojonych wielkością bagaży, które wynosiła z domu pod moją nieobecność.
4) Kolejny „skarb" (tak nazywali gosposie moi znajomi), czyli Ela. Zabłysnęła tym, że jej narzeczony, perkusista jednego z zespołów rockowych, budził mnie regularnie o drugiej w nocy, pijany, i prosił do telefonu Elżunię. Na moje delikatne uwagi, dotyczące spóźnionej pory, mówił: pani też jest artystką, jak ja, więc pani mnie rozumie. Ponadto Ela lubiła się ubierać w moje rzeczy i kłaść na tapczanie koło mojego męża, żeby sobie z nim obejrzeć telewizję, kiedy ja byłam w teatrze. Mąż robił mi potem w nocy awantury i kazał ją wyrzucać, ja twierdziłam, że nie mam czasu szukać kogoś nowego, no, a poza tym Ela przecież tak kocha Marysię, nie możemy tego zrobić dziecku.
5) Bezdomna z Dworca Centralnego, co się przespała, najadła, umyła i wzięła sobie mój szlafrok w prezencie.
6) Fantastyczna Helenka, która sprzątała dwadzieścia godzin na dobę, za to nie lubiła gotowania i dzieci. Skarżyła na Marysię, że ta (przepraszam za wyrażenie) nacharkała jej na świeżo umytą szybę. Nie wolno nam było w domu nic ruszać, chodzić, żyć, bo brudziliśmy. Helenka to był po prostu brylant.
7) Baba, co przyszła, podpierając się kijem. Opowiedziała historię swojego życia, doprowadzając mnie do łez żalu i współczucia, tym bardziej że cały czas rzucał się na nią nasz pies, jakby czuł, że coś jest nie tak, i słusznie. Okazała

się leczoną schizofreniczką, a w jej papierach ani książeczce zdrowia nic nie było, bo podobno nie wolno tego wpisywać, żeby nie dyskryminować człowieka.

8) Dwie kolejne, co za wszelką cenę chciały wyjść za mąż. Jedna miała dwadzieścia lat, druga sześćdziesiąt. Wysyłały tony listów w rozmaitych kierunkach. W dodatku młoda chciała koniecznie wyjść za mąż za któregoś z moich znajomych, wszystko jedno którego. Przy każdym gościu siadała pierwsza na kanapie i zabawiała go rozmową: fizyka – o fizyce, reżysera – o reżyserii, malarza – o malarstwie. Ja podawałam herbatę, a ona wszystkim dawała do zrozumienia (oprócz mojego męża, bo jego bała się jak ognia), że żyć z aktorką to koszmar, a ona jest inteligentna, domatorka i do tego lubi haftować. Moi znajomi zwozili jej z różnych końców świata jakieś makatki do wyszywania, bo w Polsce wtedy było o to trudno. Druga, ta starsza, jeździła na randki po całej Polsce w mojej najlepszej bieliźnie. Żałuję tylko czarnej koszuli nocnej firmy Palmers, niczego więcej, bo dom był zadbany.

Mogłabym tak pisać długo, bo było ich wiele. Drugiej Honoraty nigdy. Od kilku lat mieszkam na nowo z mamą, która zawsze jest w domu. Skończyły się moje bóle brzucha, telefony, oszalałe jazdy do domu podczas dnia zdjęciowego, żeby sprawdzić, co się dzieje, nieprzespane noce w hotelach, namawianie przyjaciół, żeby u nas pomieszkali, kiedy nas nie ma. Gdybym dziś miała zostawić moich dwóch małych chłopczyków z kimś obcym, bez kontroli mamy – zwariowałabym.

Jeśli kiedyś zdecydowałabym się napisać swoją biografię, napisałabym przede wszystkim o moich gosposiach. Dopiero potem dopasowałabym do nich role, które zagrałam, ludzi, których spotkałam, z którymi grałam. Każda z nich – dając nam możliwość pracy zawodowej – stawała się królową naszego życia, władczynią naszych dni, sprawczynią naszych szczęść i nieszczęść domowych; dopiero potem były plany filmowe, festiwale, wyjazdy, teatr, reżyserzy. Zagrać rolę, zrobić film to był drobiazg, gosposia stanowiła prawdziwy problem. I za każdym razem scenariusz się powtarzał, my staraliśmy się je wszystkie traktować z nadzwyczajną serdecznością, jak członków rodziny, a one po jakimś czasie przestawały rozumieć, dlaczego ja to ja, a one to one. Moim mężem nie chciały być, ja okazywałam się ich niedościgłym marzeniem. Rozumiały jedno: że cała ta sytuacja jest wysoce niesprawiedliwa i w niczym przez nie niezawiniona. A pomiędzy mną i nimi nie ma żadnej różnicy, co więcej, jak się tak zastanowić, one wypadają korzystniej pod każdym względem.

Kto się pojawi teraz? Może Honorata?

Ciągły remont. Mieszkamy w szafie.

ak ja wyglądam! zy to możliwe, e jestem aktorką? Każdy wygląda lepiej ode mnie.

I znów czekam na kolejną gosposię!

Ona się za nas modli, czyli pani Honorata

Mówiłam, że chciałabym napisać książkę o moich gosposiach. Nigdy jej nie napiszę, ale pani Honorata na pewno godna jest książki.

Spotkałyśmy się na dwa dni przed moim pierwszym ślubem, w kościele. Ona – biednie ubrana, wiejska stara kobieta ze śmiesznie zadartym nosem (perkatym, jak potem zawsze mówiła), ja – studentka III roku PWST, przerażona, że za dwa dni wyprowadzę się od rodziców i będę musiała rozpocząć samodzielne życie.

Zapytałam, dlaczego płacze. Odpowiedziała, że była dwanaście lat u krewnych, wychowała im dzieci, teraz jest już niepotrzebna, a na wieś wrócić nie może, bo oddała gospodarstwo wychowankowi, który jej nie chce. Słowem – nie ma gdzie się podziać.

Bez namysłu zaangażowałam ją jako gosposię i przyprowadziłam mamie do domu. Miała nocować u moich rodziców (pod Warszawą) i dojeżdżać codziennie rano do naszej małej, wynajętej kawalerki. Robić zakupy, gotować, sprzątać i na noc wracać znów do rodziców.

Wszyscy patrzyli na mnie przerażeni. Wyglądała bardzo biednie, nikt nie rozumiał, co mówi, bo mówiła najczystszą, najpiękniejszą gwarą z Tarnowskiego, a ja, dziwnie spokojna, czułam, że jest to jedna z najsłuszniejszych decyzji w moim życiu.

I tak się zaczęło moje dwunastoletnie życie z Honoratą. Dzięki niej bezpieczne, dzięki niej radosne, dzięki niej spokojne, dzięki niej, dzięki niej...

Dziś wiem, że po moich najbliższych była dla mnie najważniejszym człowiekiem, a spotkanie jej należało niewątpliwie do najszczęśliwszych przypadków w moim życiu.

Byłam zawsze ja, ona i moje dziecko. Mężowie, rodzina, przyjaciele, znajomi byli w jej oczach wrogami. Była ona i ja, ona mnie broniła, uważając, że wszyscy poza nią mnie krzywdzą i chcą wykorzystać.

Mówiłam do niej zawsze: „pani Honorato"; a ona do mnie – „ty", podobnie jak do wszystkich naszych znajomych. O moich mężach mówiła „ón". Wchodziłam do domu i od razu otrzymywałam poufną informację szeptem:... ón śpi, ónego nima, ón ma gościa... „ón" – wróg, obcy, zagrożenie. W jej chłopskiej mentalności – pan, którego można i trzeba traktować z przymrużeniem oka, a na pewno nie dopuszczać do tajemnic domowych.

Dopóki chodziła po moim domu w rozdeptanych kapciach, śpiewała od piątej rano godzinki na zmianę z wyklinaniem naszego kota, wiedziałam, że nic złego stać się nie może ani mnie, ani mojemu dziecku. Bo ona modli się, czuwa, rządzi. „Kochana Matko! Jedyna Matko!" – to do Matki Boskiej... „A pójdziesz ty w cholere, gadzie zatracony" – to do kota... I znów: „Najświętsza Matko! Móóóódl się za nami!" – do Matki Boskiej... Towarzyszyła mi pani Honorata przez dwanaście lat, uczestnicząc w życiu, karierze, rozwodzie, wychowaniu mojej córki.

Do tego wszystkiego trzeba dodać, że Honorata nie skończyła żadnej szkoły, czytała, sylabizując, nie bardzo znała się na zegarku, a jednocześnie była jedną z najinteligentniejszych osób, jakie znałam.

Mój zawód i moja kariera

Nie wiedziała dokładnie, co robię. Mówiła: pani nadaje... nadaje w radyju, w telewizyi, w teatrze, nadaje... Na czym to właściwie polega, nie wiedziała ani jej to nie interesowało. Uważała, że kobieta w mieście nie powinna pracować. Kiedy urodziłam dziecko, przeganiała reżyserów spod drzwi (nawet wybitnych, ale ona o tym nie wiedziała), mówiąc: nima jej, nie będzie nadawać, ma dzieciaka... A na wszelkie próby perswazji odpowiadała niezmiennie: weź se, chłopie, inną, co to, mało artystków, co to, ona jedna do nadawania, dajże jej spokój...

Próbowałam to potem odkręcać. Tłumaczyłam jej, żeby przynajmniej ich nie odpędzała, tylko pozwoliła mi z nimi porozmawiać. Nawet nie chciała o tym słyszeć.

Telefon

To ja uczyłam ją z niego korzystać. Mówiła do wszystkich dzwoniących po imieniu, opowiadając ludziom całe moje życie przy okazji.

Pół roku błagałam, żeby nie odkładała słuchawki na widełki, kiedy idzie mnie poprosić do telefonu, bo wtedy rozmówcę rozłącza. Krzyczałam w furii, że słuchawkę odkłada się obok aparatu. Wtedy mówiła: no przecie wiem, cego się wścikas...

Po czym odwracała się z godnością, obrażała i za chwilę robiła to samo.

Po pół roku nauki pewnego dnia zadzwonił telefon, kiedy byłam w wannie, jak zwykle opowiedziała temu komuś, co robię, jak długo i co ona o tym myśli, a w ogóle jak można się tak często kąpać, u nich na wsi Józek od Łapów umarł na dzień przed ślubem, bo się wykąpał i wsiadł na motór z mokrą głową, a ja codziennie z mokrą głową gdzieś lecę, po czym poszła poprosić mnie do telefonu. Kiedy mokra, ociekająca wodą zobaczyłam, że słuchawka leży na widełkach... dostałam szału! I wtedy ona podeszła spokojnie ze słowami:

– Cichajże, może ón tam jesce jest?

A do słuchawki:

– Pon! Jesteś tom?

I z triumfem, a zarazem z pogardą mi ją podała. Po prostu tym razem ten ktoś się jakimś cudem nie rozłączył, czekał, zupełnie zresztą nie rozumiem dlaczego – i pół roku nauki poszło na marne.

Ubieranie się

Ona zawsze w czyściutkiej sukience „na co dzień" i chustce w wielkie róże na głowie - i w domu, i poza domem. W niedzielę w brokatowej sukience „kościelnej" i w „gazówce" w róże. Trzecia, czarna suknia, na śmierć, i chustka w srebrne róże - prezent ode mnie z Ameryki - leżała w walizeczce pod łóżkiem.

Z okazji wszystkich uroczystości i rocznic chciała, żebym jej kupowała ciepłe „galoty" i wełniane pończochy, a raz w roku, na wiosnę, wiozłam ją na bazar Różyckiego po dwie pary butów - czarne sandały i brązowe półbuty.

Kiedyś jeździłyśmy autobusem (nie miałam samochodu). Po wejściu do warszawskiego autobusu mówiła głośno „Pochwalony", szukała miejsca, po czym, często zganiając jakiegoś młodego mężczyznę, sadzała mnie - zawstydzoną, młodą, dwudziestoparoletnią - siłą, a sama (staruszka) stawała przy mnie, głośno oznajmiając pasażerom:

- To moja pani. Jedziemy po zakupy na bazar.

I uśmiechała się radośnie do wszystkich.

Potem zaczepiała pierwszą kobietę przede mną albo za mną i pytała, czy jest zdrowa, czy ma dzieci, do jakiego kościoła chodzi i co u nich ksiądz mówił w niedzielę na kazaniu. Wysiadając, życzyła całemu autobusowi „Szczęść Boże", a do mnie krzyczała:

- A pocekajze, a nie pędź-ze tak jak kuń wyścigowy!

Na początku wstydziłam się tego wszystkiego, później nie zamieniłabym tych podróży na nic innego.

Na bazarze zaczynał się niebywały teatr z targowaniem się, obrażaniem na sprzedawców, udawaniem, że nam nie zależy (bo i mnie kazała w tym uczestniczyć). Początkowo wściekła, chciałam płacić za wszystko i prawie ze łzami w oczach syczałam do niej, że to moje pieniądze i mogę sobie z nimi robić, co chcę. Później zrozumiałam, że to nie chodzi o pieniądze, że ona nie potrafi inaczej i że to jej sprawia przyjemność. A dumy z utargowanych dwudziestu złotych nie da się z niczym porównać.

Ja ubierałam się tak, że ona żegnała się za każdym razem na mój widok i mówiła:

– Oj, babo, babo, a cóżeś ty na siebie znowu oblekła, a to już ni masz porządnych rzeczy?...

Pewnego dnia przyszła ze spaceru z dzieckiem zadowolona i jakby z czymś wewnętrznie pogodzona. Zapytałam, o co chodzi... Odpowiedziała:

– A bo wszystkie w tych blokach (mieszkaliśmy wtedy na Stegnach) latają tak jak i ty ubrane, i po domu nago jak ty, a ja tak się za ciebie spowiadałam...

Kamień spadł jej z serca. Zawstydzało ją moje przebieganie z łazienki czy poszukiwanie bielizny rano, nago, a mnie nigdy nie przyszło do głowy, że to może być dla niej problem. Kochana pani Honorata. Kiedyś mi powiedziała, że jej nikt nigdy nie widział gołej, nawet mąż, a ja, śmiejąc się, zażartowałam, że może nie było co pokazywać (wulgarna idiotka).

Dziecko

Moją córkę ubierała tak, że wstydziłam się ją odbierać z przedszkola.

Potem machnęłam ręką na niekonwencjonalne zestawy wzorków czy kolorów, a nawet szokujący zestaw „spódniczka i spodenki" jednocześnie, żeby było ciepło... Bo po pierwsze, nie chciałam Honoracie robić przykrości, a po drugie, dziecko rzeczywiście nigdy nie chorowało, nigdy nie było nawet lekko przeziębione. Jakie więc znaczenie miały wymowne spojrzenia innych matek i kiwanie nade mną głowami? Dopóki Marysia nie zorientowała się, że coś jest nie tak, nie interweniowałam.

Swoją drogą, chciałabym móc pokazać państwu choć raz moją córkę ubraną „ciepło i wygodnie" przez Honoratę, tego się nie da, niestety, opisać.

Telewizja

Dla niej okno, w dosłownym znaczeniu, na świat to była telewizja.

Oglądała telewizję tylko ze mną, kiedy wracałam wieczorem, często dopiero po spektaklu. Nigdy nie kładła się spać przed moim powrotem. Zawsze czekała, żeby mi towarzyszyć, przynajmniej kilka minut, i gadała, gadała, gadała... Oglądanie telewizji wyglądało mniej więcej tak...

Jest godzina jedenasta wieczór, powiedzmy – ostatnie wiadomości.

Ona:

– Popatrz, tak późno, a dzieciaki ciągają po ulicy.

Ja:

– Pani Honorato! To kręcili kilka dni temu w południe! Niech pani zobaczy, słońce, a teraz za oknem jest ciemno!

Ona (obrażona):

– No przecież wim.

Za chwilę...

Ona:

– Dysc? Nima dysca!

Ja:

– To w Krakowie i dziś w południe! Kurczę!

Ona:

– No wim, wim...

Podają informacje, że przypłynęły do Polski owoce cytrusowe.

Ona:

– Jutro muszę lecieć, kupić dzieciakowi.

Ja:

– Pani Honorato, dopiero rozładowują statki, nie wiadomo, czy owoce w ogóle dotrą do Warszawy, a na pewno nie jutro. Niepotrzebnie będzie pani stała z dzieckiem w kolejce. I niech pani nie krzyczy na ekspedientki, że schowały dla siebie.

Ona (obrażona):

– Idę spać!

I tak latami.

Pewnego dnia, zmęczona, w samotności chciałam obejrzeć swoją rolę w Teatrze Telewizji.

Honorata przyszła z okularami na czubku nosa, „Expressem" (którego nigdy nie zapominałam przywieźć) i herbatą dla mnie. Cały czas sylabizowała gazetę na głos, komentując każde odcyfrowane zdanie.

W końcu nic wytrzymałam:

– Pani Honorato! Chcę siebie obejrzeć w telewizji, niech pani będzie cicho!

Spojrzała na ekran i nagle mnie poznała. Zamarła. Pierwszy raz zmaterializowało się to, o czym mówiłam tyle razy. Byłam tam i siedziałam jednocześnie koło niej. Powoli spoglądała to na mnie, to na ekran. Słyszałam, jak sapie z wysiłku i jak pracuje jej mózg... I nagle... roześmiała się chytrze, jak ktoś, kto i tak jest górą, i poszła spać. Wolała nie rozumieć. A może to grzech?

Rano była na mnie obrażona.

Zwierzęta

Gady – jak je nazywała.

– Gady w mieście są niepotrzebne, ale krzywdy im nie zrobię. Bóg stworzył kwiatki, drzewa, tyle piękności stworzył, gady też – niech będzie.

A rezultat był taki, że odkąd pamiętam, była ona i kot. Kot zawsze przy niej, tłusty, zadowolony z życia, wsuwający pysk do wszystkich garów, jak mówiła, przeganiany ścierką, ale w jakiś dziwny sposób przez Honoratę lubiany.

Kiedy Marysia skończyła cztery lata, uznałam, że dziecko lepiej się chowa z psem. Kupiłam młodego boksera, podrzuciłam go do domu i... zniknęłam „w odmętach sztuki".

Minął rok, starałam się pomagać, wychodziłam czasem z psem na spacer, jeździłam w wolnym czasie z dzieckiem i psem na całe dni do lasu, ale tego wolnego czasu miałam bardzo mało.

Pies tymczasem urósł, stał się silny i niebezpieczny. Honorata nie skarżyła się nigdy, a ja nie zastanawiałam się nad „drobiazgami".

Pewnego dnia wróciłam do domu wcześniej, cieszyłam się, że odbiorę Marysię z przedszkola. Przed naszym kioskiem „Ruchu" zobaczyłam długą kolejkę, a moją panią Honoratę na miejscu sprzedawcy, uspokajającą ludzi, że ten pan zaraz wróci, jeszcze tylko minutkę, uśmiechniętą i strasznie „ważną". Po chwili ujrzałam kioskarza, który wracał ze spaceru z moim psem. Zamienili się z Honoratą miejscami, pan zaczął sprzedawać, popijając gorącą kawę, a Honorata, zaprzyjaźniona z całą kolejką, ruszyła z psem do domu.

Okazało się, że prawie siedemdziesięcioletnia staruszka, niemająca siły na spacery z silnym i niewychowanym psem, który niemal ją przewracał, i tak sobie poradziła. Umowa z kioskarzem: szklanka kawy za spacer z psem – była dla obojga korzystna.

Ta historia pierwszy właściwie raz uświadomiła mi „wielkość" Honoraty, jej wspaniałomyślność i moją „małość", egoizm i wygodnictwo.

Teraz jeszcze widzę ją, huśtającą się spokojnie na bujanym fotelu i wałkującą kota nogą na podłodze (ulubiona pieszczota), kiedy zostawiłam ich oboje samych, nie wiadomo na jak długo, tuż po ogłoszeniu stanu wojennego.

Gdy w rok później, pewnego dnia wieczorem, weszłam z dzieckiem do domu po podróży samochodem na trasie Paryż–Warszawa, bez przerwy, zastałam taki sam obrazek – niezmącony spokój, Honorata w fotelu, wałkująca nogą kota, z różańcem w ręku.

Zapytałam, dlaczego nie ogląda telewizji, dlaczego siedzi po ciemku. Odpowiedziała:

– A po co wypalać prąd, po ciemku lepiej się modlić, a modliłam się za was, dziecko...

I jak gdyby nigdy nic, jakby nie było tego jej roku samotnego życia w stanie wojennym i naszej nieobecności, poszła nam zrobić herbatę...

Wychowanie dziecka

Honorata nie miała swoich dzieci. Pewnie wiele razy w życiu roniła je gdzieś podczas pracy w polu, ale nie wiedziała o tym. Opowiadała to tak:

– Cosik tam ze mnie casem w bruzdę wyleciało, krwi dużo i takam była potem słaba, ale, Bogu dzięki, poza tym, tom była zdrowa całe życie i mogłam kataić (pracować).

Moje dziecko kochała jak własne, a ponadto Marysia była jej jedynym towarzystwem przez wszystkie te lata.

To Honorata wychowała moje dziecko. Inaczej być nie mogło. Początkowo byłam tym przerażona, a potem zrozumiałam, że to moje i Marysi szczęście. Wszystkie zaś podręczniki na temat psychologii dziecka, książki mówiące o wychowaniu i metodach postępowania z dziećmi, w obliczu jej metod nie miały żadnego znaczenia. Radość z tego, że się żyje, szczęście, które dają najprostsze rzeczy, prawdziwe, autentyczne dziękowanie Bogu za każde przebudzenie, za każdy zakończony dzień, każdą radość i smutek, nawet nieszczęście, miłość do ludzi i świata – oto filozofia, dzięki której wszystko nabiera harmonii. Honorata na dobranoc, sylabizując, czytała Marysi kronikę sądową z „Expressu". Opowiadała, jak w jej wsi ludzie umierali, rodzili się, chorowali i pobierali. Historie kolejnych klęsk żywiołowych, pożarów, powodzi, wichur kołysały Marysię do snu. Opowieści o wschodach i zachodach słońca, wiośnie na wsi, pracy, świętach, postach i odpustach. A wszystko to gwarą, opowiadane pięknie, z miłością i tęsknotą.

Jajko sadzone albo zsiadłe mleko z kartoflami na kolację przez cały rok, wbrew zaleceniom pediatry kluski, kluseczki, pierożki, omlety, nie wiem już co. Potem odchudzanie Marysi, przy akompaniamencie lamentów Honoraty nad biednym dzieckiem, co to je „stary Żyd" tak głodzi – jak mawiała nieodrodna córa polskiego ludu o lekarzu, który jednocześnie budził jej najwyższy respekt i podziw i tylko jemu pozwalała leczyć swój reumatyzm.

Moje awantury o to, że Marysia ma wszystko robić sama, że ma sobie sama zdejmować buty, żeby staruszka się nie schylała – po czym setki razy widziany obrazek, poprzedzony śpiewnym: „Maryś, Maryś, a zezujze buciki, córuś..." i Honorata na kolanach, zdejmująca buty pięcioletniemu dziecku... Tak, moje dzikie o to awantury i porozumienie, konszachty ich obu przeciwko mnie! A wszystko przesycone miłością, dobrocią i cierpliwością Honoraty.

Nie ma takich książek na świecie, z których można by się tego nauczyć. Do dziś widzę Honoratę z „kościelnym" kalendarzem w ręku, uczącą Marysię, co kiedy zakwita, w dzień jakiego świętego, i Marysię uczącą Honoratę, jak się obsługuje pralkę, robot kuchenny czy inne urządzenie.

Rozwód

To Honorata o nim zadecydowała. Obserwowała, chodziła cicho, nie wtrącała się, aż pewnej nocy przyszła do mnie i powiedziała:

– Bierz dzieciaka, idziemy do tatusiów...

I tak się stało. Nie wiem, czy bez niej miałabym dość siły, by podjąć tę decyzję.

Nowy mąż

Pewnego dnia wieczorem siadła przy mnie.

– Słuchajże, taki czarniawy tu do ciebie przylata, on by się nadał na chłopa. Okno umie zreperować, wczoraj go przysłałaś z papierem toaletowym, niósł przez całe osiedle i wcale się nie wstydził, on by się nadał.

Ja:

– Pani Honorato, żonaty.

Ona:

– Nieprawda. Z żoną nie mieszka, ja się ta wywiedziała. Nie wiem tylko, cy ślub kościelny mioł.

Ja:

– Miał.

Ona:

– To się nie nada!

Rozmowa dotyczyła mojego późniejszego drugiego męża.

Kościół

Honorata budowała wszystkie kościoły. Zmieniła ze mną siedem mieszkań, siedem parafii, każdy kościół budowała. Później, kiedy już prawie nie chodziła, zawoziłam ją samochodem do kolejnego budowanego kościoła i zostawiałam prawie na cały dzień latem, odbierałam po ostatniej mszy, to było całe jej szczęście.

Dziś Honorata jest w pensjonacie dla emerytowanych sióstr zakonnych i księży (co było zawsze jej marzeniem). Kiedy wysyłam Honoracie pieniądze, w miejscu na korespondencję zaznaczam na przekazie: to nie na kościół! To dla Pani! Ale i tak nie wierzę, że zatrzyma tę sumę dla siebie, więc dodaję paczkę z jej ulubionymi przysmakami.

Moi znajomi

Zawsze była u mnie bardzo samotna, dlatego każdy gość, listonosz, inkasent stanowił dla niej atrakcję i nie chciała go wypuścić z domu. Przez lata zaprzyjaźniła się z wieloma moimi znajomymi, a byli i tacy, którzy przyjeżdżali na rozmowę tylko do niej, podczas mojej nieobecności. Inni niebacznie wpadali w jej ręce i musieli zjeść pierożki, wypić herbatę i wysłuchać garści ponadczasowych, niewzruszonych prawd życiowych.

Pewnego wieczoru wróciłam do domu jak zwykle zmęczona, zła, niechętna do rozmów, po jakimś niepowodzeniu.

Ona:

– Był tu ten twój kolega, ten Józuś. Ale on dziwny chłop. Żony nie ma, dzieciów nie ma. A już starawy. Dziwny jakiś, gotować umie.

Ja (zła):

– Pani Honorato, niech mi pani da spokój, to pedał.

Ona:

– A co to pedał?

Ja:

– O matko! No, taki chłop, co z chłopem śpi!

I poszłam sobie.

Przez kilka dni wracałam późno. Ona się nie odzywała, odpowiadała tylko na pytania. Nie zwróciłam na to uwagi. Przyszła niedziela. Budzę się. Dziewiąta rano, Honorata nie poszła do kościoła. O dziesiątej idę do niej do pokoju. Płacze.

– Jezus Maria, co się stało?

Nie odzywa się.

– Co się stało? Dlaczego nie poszła pani do kościoła? Czy panią coś boli? Dlaczego pani płacze?

Wreszcie wyznaje:

– Tyle lat zeżyłam i takich świństwów nie słyszałam, musiałaś mi to powiedzieć pod koniec życia? Jak ja się teraz wyspowiadam? Jak ja teraz stanę przed Panem Bogiem? Po coś mi to zrobiła? Umarłabym i bym nie wiedziała! Na sam koniec żeś mi to zrobiła!

Tłumaczyłam, błagałam, przepraszałam. Nic nie pomagało. Od poniedziałku zaczęła post, co w jej wieku mogło być na dłuższą metę niebezpieczne. Bardzo ją to osłabiło.

Kolejnej niedzieli skapitulowałam, poszłam do kościoła, do księdza, wszystko mu opowiedziałam (na szczęście, trafiłam na rozsądnego) i poprosiłam o pomoc. Przyszedł po południu, a po godzinie Honorata poszła z nim do kościoła na wieczorną mszę.

Po powrocie zjadła kolację.

Sztuka

Zastałam ją kiedyś oglądającą solo na perkusji jakiejś sławy światowego jazzu. Nie mogła uwierzyć własnym oczom.

– Słuchaj no, po co on tak wali w ten bęben, popatrz, jak się chłopina umordował.

– To jakiś największy perkusista na świecie. On gra, pani Honorato.

– E... I płacą mu za to?

– Tak.

– Ej, głupioki, głupioki... Człowieku! (do perkusisty) A przestańze, aleś się umordował, całyś cerwony na gembie! Ale się upocił, widział to kto? (wybucha śmiechem). Głupi jakisik! A nie wal tak w ten bęben, bo umrzes! Zwariowali ludzie!

Po kilku minutach jego zmagań, a jej śmiechu i niedowierzania:

– Ide spać. Głupioki! Przecie by za ten cas cało pszenice wymłócił, a on się tak morduje na marne. Oj, ludzie, ludzie (to do telewizora), rozumu ni macie. Idź, dziecko, spać (do mnie), nie oglądaj głupotów.

Żyłyśmy razem dwanaście lat. Dwanaście lat mojej pracy, kariery, premier, histerii, załamań, rozstań, nieobecności, egzaltacji, sukcesów, niepowodzeń, kontraktów zagranicznych, przyjęć, nagród, wywiadów, filmów.

Dwanaście lat jej nienaruszalnych zwyczajów, spokoju i zasad, niezależnie od tego wszystkiego.

Teoretycznie, moje życie i jej nie mogło przebiegać harmonijnie, a jednak udało się.

Dziś wiem, że dopóki Honorata żyje, nawet gdzieś tam daleko, mnie i mojej rodzinie nie stanie się nic złego, bo ona się za nas modli. Dopóki żyje, ja czuję się bezpieczna.

PS Nie mogłam jej zabierać do teatru, bo kiedy wchodziłam na scenę, głośno się z tego cieszyła i oświadczała całej sali, że „należę do niej". Pytała siedzących obok ludzi, czy im się podobam, a na próby uciszania reagowała oburzeniem.

Światło rodzi światło

Redakcja „Urody" zapytała mnie, czy nie zechciałabym co miesiąc rozmawiać z paniami na dowolne tematy. To znaczy, że mogę dzielić się swoimi przemyśleniami, spostrzeżeniami, emocjami, pisać o tym, czym się akurat zajmuję. Przyjęłam propozycję z radością, mimo że nie uważam się za kogoś nadzwyczajnego, nie mam wprawy w pisaniu i nie myślę, by moje obserwacje czy spostrzeżenia były szczególnie istotne.

Istotnym jednak elementem mojego zawodu jest, między innymi, przekonanie o tym, iż to, co mam do przekazania, będzie interesujące. Spróbuję więc pisać.

Lubię ludzi, lubię kobiety, ciekawi mnie życie. Jedną z rzeczy, które podziwiam u innych, jest sztuka życia, umiejętność życia podniesiona do rangi sztuki. Składa się na nią, oczywiście, wiele spraw podstawowych, fundamentalnych, związanych z moralnością, światopoglądem, przekonaniami religijnymi czy politycznymi, ale też i wiele drobiazgów. Jeśli panie pozwolą, zajmę się drobiazgami, bo do tego ewentualnie mogę się czuć upoważniona.

Uroda... Przeglądając jako nastolatka pismo pod tym tytułem, zachwycałam się jego atmosferą – piękne kobiety, wytworne suknie, aura luksusu... Gdyby dziś mnie zapytano, co mi dodaje urody, gdy kręcę film czy wchodzę na scenę, co jest ważniejsze niż makijaż, kostium i fryzura, odpowiedziałabym: światło. Tak, światło jest najważniejsze. Nic tak nie potrafi pobrzydzić najpiękniejszej nawet kobiety, jak złe światło, i nic tak nie potrafi dodać jej urody, jak światło korzystne.

Chodząc ulicami, jadąc samochodem czy pociągiem, lubię wieczorami spoglądać w niezasłonięte okna, próbując zgadywać, jak żyją mieszkający za nimi ludzie. Bardzo rzadko okna te przyciągają ciepłą przytulnością, wyczarowaną światłem. Najczęściej widzę sufity z banalnymi żyrandolami pośrodku, szarawe, zimne światło wypełniające wnętrza. Myślę wówczas o kobietach, na które to światło pada – jak szaro i smutno muszą wyglądać! Myślę o tych, którzy na nie patrzą – mężach, dzieciach, odwiedzających dom gościach. A przecież tak niewiele potrzeba, by wyglądać piękniej, nawet jeśli jest się zmęczoną, smutną czy nieumalowaną! Moje panie, weźcie lusterko, zapalcie światła w waszym domu i przyjrzyjcie się, jak wyglądacie w miejscach, w których siedzicie najczęściej – przy stole, w ulubionym fotelu, w kuchni. A potem do przenośnej lampy wkręćcie mleczną żarówkę, ustawiajcie lampę w różnych miejscach i sprawdźcie – w jakim świetle, z której strony padającym, przy jakim kolorze abażura wyglądacie najkorzystniej. Kiedy już to wiecie, poproście o pomoc męża albo same dokonajcie zmian w oświetleniu. Przysięgam, warto nawet przemeblować z tego powodu mieszkanie! Nie bez racji kolacje zakochanych lubią światło świec ustawionych na stole. W ich miękkim, ciepłym i łagodnym blasku każda kobieta wygląda pięknie.

Osobną i bardzo ważną sprawą jest oświetlenie łazienki. Tutaj używa się światła o każdej porze.

Kiedyś weszłam do łazienki jednej z moich znajomych. Ku swojemu przerażeniu zobaczyłam niebieskie ściany i neon nad lustrem. Po przejrzeniu się w tym lustrze, przy jarzeniowym świetle, natychmiast chciałam popełnić samobójstwo. Pomyślałam, że pani tego domu jest wyjątkowo odporną kobietą, jeśli po odbyciu porannej toalety w tak upiornym pomieszczeniu może cały dzień zadowolona z siebie pokazywać się ludziom...

Jestem aktorką. Moim obowiązkiem jest wyglądać dobrze, ale tylko w połowie zależy to ode mnie. Druga połowa sukcesu jest w rękach tego, kto mnie oświetla. A tak na marginesie – fachowców w tej dziedzinie nie ma znowu tak wielu...

Każde wejście do studia, spojrzenie w kamerę czy wyjście na scenę to spotkanie z ludźmi w towarzystwie światła. Wiem, że może ono być najlepszym przyjacielem i najgorszym wrogiem.

Zmieniałam mieszkania wielokrotnie. Moim mężem jest operator filmowy, mężczyzna, który zajmuje się światłem, umie światłem „czarować". Oświetlał mnie i fotografował wielokrotnie, przy tym wiele razy niekorzystnie. Na moje pretensje odpowiadał, że zrobił to celowo, by mi dodać charakteru albo podkreślić mój stan emocjonalny (w roli).

Ale kiedy urządzaliśmy nasz dom, poprosiłam go o piękne światło. Wszędzie. Cała instalacja została podporządkowana mojemu życzeniu. Lampa nad stołem, tuż nad moimi oczami, dająca piękne światło, lampy koło łóżka, w którym często czytam, kolor sypialni i abażurów, no i, oczywiście, lampa nad lustrem w łazience...

Pracuję dużo, często się nie wysypiam, nie mam czasu dbać o siebie tak, jak powinnam. Ale za każdym razem, kiedy rano zapalam światło nad lustrem, uśmiecham się do swego odbicia. Światło przez niego dla mnie wymyślone...

PS Kusi mnie, by przytoczyć tu pewną anegdotę. Po ślubie z moim obecnym mężem Aleksandra Śląska, wielka aktorka i niezwykle piękna kobieta, zapytała mnie: podobno wyszłaś za mąż za operatora filmowego? Gdy potwierdziłam, uśmiechnęła się i powiedziała: ja nie musiałam, miałam zawsze światło wewnętrzne... Popatrzyłyśmy na siebie ze zrozumieniem, wiedząc, że to jest najważniejsze i najcenniejsze, co można mieć.

Najbardziej obiecujące zdjęcia wychodzą z ról bez znaczenia.

Moja publiczność

Bohaterka mojego monodramu *Kobieta zawiedziona* pyta w pewnym momencie przyjaciółkę, czy jest szczęśliwa. Ta odpowiada, że się nad tym nie zastanawia, więc chyba jest, w każdym razie codziennie budzi się z uśmiechem... Na co Monika mówi: „Może to dobra definicja szczęścia? Ja, gdy się tak zastanowić, to też ostatecznie budzę się z uśmiechem...".

Proszę pań, ja również budzę się z uśmiechem. Naprawdę! I od razu myślę sobie: dzień! Fajnie! Co mam dziś zrobić? Och, jak dużo spotkań! Ale co to będą za spotkania? Jacy będą ci ludzie? Jak na mnie zareagują? I myślę też: a wieczorem spektakl! Fajnie!

Moje ulubione spotkanie – z publicznością. Spotkanie najprzyjemniejsze, najintymniejsze, z kimś najbliższym, od kogo nie oczekuje się żadnych niemiłych niespodzianek, żadnych przykrości. Z kimś, kto daje poczucie bezpieczeństwa i czyje wspomnienie wywołuje uśmiech i ciepło w sercu. Czy to nie zdumiewające, że tak właśnie czuję? Czy jestem egzaltowaną kretynką? Publiczność, której powinnam się bać, przed którą powinnam mieć tremę, traktuję jak kogoś, kto wieczorem, po całym dniu, przytuli, przed kim mogę się wyżalić, kto nie ma za złe pomyłki, z kim jestem najprawdziwsza, najbardziej otwarta, najszczersza, kto – wydaje mi się – najwięcej mi wybacza.

Bardzo dużo jeżdżę po Polsce, żeby się spotkać z publicznością. Od wielu lat. Najpierw z *Białą bluzką*, potem z *Kobietą zawiedzioną*. Spektakle są własnością mojego teatru, Teatru Powszechnego, który się na te trasy zgadza i mnie, i siebie „sprzedaje" organizatorom moich spotkań z przyjacielem, to znaczy z publicznością. Spektakle są drogie. Przyjaciel musi dostać coś na najwyższym poziomie – światło, dźwięk, scenografię. Jeździ ze mną dziesięć, piętnaście osób, które mnie obsługują podczas przedstawienia (a w *Kobiecie* gra siedmiu muzyków – pierwsze nazwiska w Polsce!). Musimy występować w profesjonalnie wyposażonych salach, i to takich, które mają więcej niż pięćset miejsc. Inaczej się nie opłaca, jak mi tłumaczą. Muszę grać dwa razy dziennie (to jest pięć godzin na scenie, co dzień w innym mieście), bo inaczej także się nie opłaca. Bilety muszą być drogie, bo inaczej się nie opłaca. Tak mi mówią. Spotkania z moim przyjacielem – publicznością (poza Warszawą) stają się coraz trudniejsze. Teatry coraz niechętniej nas wpuszczają, bo mówią, że zabieramy im widzów, którzy mogą wydać miesięcznie określoną sumę na bilet i po moim spektaklu nie przychodzą już do nich, bo nie mają za co. Coraz rzadziej zdarza się, że wita mnie dyrektor teatru, który wynajmuje nam salę, czy aktorzy w nim grający. W coraz większej liczbie teatrów, zanim dojdę do sceny na próbę, przebijam się przez targowisko zorganizowane w holu, a kasa biletowa stoi wstydliwie ukryta za jakimś stoiskiem, na przykład z ozdobami świątecznymi. Bo musimy utrzymać budynek, słyszę. Coraz częściej śni mi się, że gram do pustej widowni, i za każdym razem po przyjeździe do kolejnego miasta najpierw biegnę do kasy zapytać, czy kupiono na mnie bilety.

W wielu miastach byłam po kilkanaście razy. Jak dotąd, nie zdarzyło nam się odwołać spektaklu z powodu braku publiczności, bo nie opłaca się grać. Na razie przyjaciel jeszcze ciągle na mnie czeka, a ja co wieczór wychodzę ze skóry, by nie wyszedł zawiedziony. Na szczęście ciągle uśmiechamy się do siebie, wzruszamy, płaczemy i podziwiamy razem. Jeszcze ciągle razem, chociaż coraz trudniej się spotkać.

Boję się krytyków, producentów, organizatorów, reżyserów, dziennikarzy i każdego z was z osobna, ale wszystkich was razem na sali, po zgaśnięciu światła, nie boję się.

I tylko nie wiem, co mam zrobić, kiedy dostaję list ze Szczecina od jakiejś dziewczyny: „Nie kupiłam sobie nowych butów na zimę, żebyśmy tylko mogły z mamą znów Panią zobaczyć". Co mam zrobić? Przyjechać sama? Bez obsługi, bez dekoracji, bez świateł? Grać byle gdzie, żeby było taniej? To absurd! Co mamy wszyscy robić? Bo myślę, że wielu moich kolegów jest w takiej samej sytuacji.

Kobietę zawiedzioną zagrałam w Toruniu po raz setny. Z doświadczenia wiem, że kiedy przekraczam tę zaczarowaną liczbę spektakli, powinnam zacząć myśleć o czymś nowym, dzięki czemu mogłabym się znów zobaczyć z publicznością. Co to ma być? Jakie to ma być? O czym ma opowiadać, żeby widzowie ze mną biegli w tym samym kierunku? Jak to opowiadać?

Myślę, że to należy do mnie. A reszta? Zobaczymy. Budźcie się z uśmiechem!

Bardzo miła historyjka o mężczyznach

Miałam wypadek samochodowy. Zamyśliłam się. W sobotni wieczór, jadąc do teatru, by zagrać *Kobietę zawiedzioną*, na pustej ulicy wjechałam w Bogu ducha winnego opla. Nie wiem, jak to się stało. Kiedy pan od opla zapytał, jakie miałam światła na skrzyżowaniu, byłam przerażona, bo nie wiedziałam jakie. Wiedziałam jedno – nikomu nic się nie stało, a ja muszę za czterdzieści minut stanąć na scenie i zagrać. Przeprosiłam miłego pana tysiąckrotnie i na kartce, którą położył na masce swego samochodu, zaczęłam pisać, co mi kazał, wielokrotnie podkreślając, że wszystko to była moja wina. Trwała cisza. Byliśmy zdenerwowani, ale zachowywaliśmy się spokojnie. Nikogo przy nas nie było. Po jakimś czasie nadjechał brudny, zdezelowany polonez. Zwolnił, kierowca zorientował się w sytuacji i zaparkował nieopodal, całkowicie nieprawidłowo, swój samochód. Wysiadł i już z daleka zaczął krzyczeć. Jak się okazało, na mnie:

– A w domu siedzieć, dzieci rodzić! Dyrektorami im się zachciewa być! Samochodów nabrały i rozbijają się po drogach! A posprzątałabyś, kocmołuchu, w domu! W głowach im się poprzewracało!

Pisałam odwrócona plecami i nie odzywałam się. Był zmrok, nie mógł mnie poznać. Tylko tym się pocieszałam. Nie kierował swoich słów do mnie, tylko ogólnie do kobiet. Zastanawiałam się jedynie, skąd on wie, że to moja wina. Z ustawienia samochodów nie można było tego rozpoznać. Ale dla niego, zdaje się, była to kwestia oczywista. Właściciel opla, który mnie zresztą też nie poznał, zaczął go uspokajać:

– Niech pan przestanie krzyczeć, nie denerwuje pani.

– Pani?! Ja bym je wszystkie w d... kopnął i zagonił na swoje miejsce! – krzyczał „władca".

Skończyłam pisać. Właściciel opla przeczytał moje zeznanie i dowiedział się, kto w niego wjechał. Nawet się ucieszył. Pożegnał się ze mną bardzo miło, pocałował w rękę, czym wprawił w zdumienie właściciela poloneza, który oglądając rozbitego opla, wyzywał mnie dalej. Wsiadłam do swojego pogniecionego, ale sprawnego samochodu, poprosiłam o oderwanie do końca zderzaka, który mi przeszkadzał, i pojechałam do teatru, ścigana przez „władcę" wyzwiskami typu „krowa" i innymi podobnymi.

Podczas jazdy pomyślałam, że muszę przestać traktować czas prowadzenia samochodu jako „mój" czas wolny, czas relaksu, czas refleksji w piekle obowiązków i pośpiechu, w jakim żyję. I zacząć się zastanawiać nad zatrudnieniem kierowcy. Nagle uświadomiłam sobie, że myślę o kierowcy mężczyźnie! Do głowy mi nie przyszło, że może to być kobieta. Jedyne, czego byłam pewna: nie mógłby to być ten pan, który na mnie krzyczał i wyzywał od kocmołuchów. Chyba był pijany, a jeśli ktoś prowadzi po pijanemu, to nie chcę, żeby mnie woził. A poza tym nie mam do niego właściwie zastrzeżeń. Pozdrawiam, przede wszystkim panów i kierowców, dla których stanowię potencjalne zagrożenie na drodze, bo mi się nie chce siedzieć w domu i sprzątać.

PS Przypominam sobie pewne zdarzenie *à propos* powiedzenia „samochodów nabrały" – jak się wyraził „władca". W pierwszym okresie swojego życia zawodowego – a była to połowa lat siedemdziesiątych – z konieczności przyjechałam do teatru białym BMW (mój mały fiat nie zapalił) mego obecnego męża, a wówczas mężczyzny, z którym zaczęłam dzielić radości i smutki. Najlepszym wtedy samochodem na parkingu teatralnym był fiat mirafiori profesora Jana Świderskiego. Wychodząc z parkingu, minęłam jednego z moich kolegów, oniemiałego na widok BMW. Stojąc obok naszego parkingowego, powiedział głośno:

– Patrz pan, co to można sobie d... załatwić!

Jest to jedna z najbardziej lubianych przeze mnie historyjek z mojego życia. W dodatku, skądinąd, miał absolutną rację!

Uroda i ja

Ostatnio coraz częściej dziennikarki zadają mi zdumiewające pytania: „Co pani robi, żeby dobrze wyglądać?", „Jak pani dba o siebie?", „Czy stosuje pani dietę?", „Czy dużo pani sypia?". Rozumiem, że takie pytania zadaje się modelce albo Sophii Loren, która jest prawdziwym dziwem natury, jeśli chodzi o urodę. Ale mnie?

Moja droga publiczności – jeśli jeszcze istniejesz – w grudniu kończę czterdzieści cztery lata. Przepraszam państwa za to i wiem, że jeśli wyglądam staro, to przypominam wam, że czas płynie i wy się też starzejecie, a jeśli prezentuję się dobrze, macie przez moment poczucie, że czas stanął i wszyscy nadal jesteśmy młodzi. I wiem też, że gdy się zestarzeję, to zrobię wam przykrość i nie będziecie mnie chcieli dalej oglądać, by sobie nie uświadamiać przykrych rzeczy. Ale nic właściwie nie potrafię na to poradzić. Przepraszam!

Mogę tylko powiedzieć, że się staram, od czasu do czasu, gdy mi się przypomni. Ale żyję za szybko, śpię za mało, pracuję za dużo, nie mogę zrezygnować z wielu „postarzających" przyjemności, bo nie mam silnego charakteru, i właściwie robię wszystko, żeby wyglądać jak najgorzej, jednocześnie zdając sobie sprawę z tego, że cielesna powłoka to mój „warsztat pracy". Z drugiej strony, nie mogę się oprzeć myśli, że jaki kto się urodził, taki jest i nic na to nie poradzi, choćby nie wiem jak się starał. Jeden ma krótkie nogi i nie da się ich przedłużyć. Druga ma brzydką cerę i rzadkie włosy już od dzieciństwa, a trzecia wygląda fantastycznie od stóp do głów, mimo że nic w tym kierunku nie robi.

Tutaj dygresja... W Milanówku mieszka najpiękniejszy alkoholik na świecie. Kiedyś stałam za nim w kolejce w sklepie. Nigdy nie widziałam piękniejszego kształtu dłoni, ładniej sklepionego czoła, nosa, oczu. Nieprawdopodobna harmonia, klasa i wyrafinowanie. Jestem pewna, że zrobił i robi wszystko, by zniszczyć swoją urodę. I równie pewna, że nigdy mu się to nie uda. Bo tak ma. A inni tak nie mają. Ja na przykład tak nie mam, ale za to nie piję prawie w ogóle.

Wiem, że moim obywatelskim i zawodowym obowiązkiem jest o siebie dbać, że kino moralnego niepokoju, którego byłam gwiazdą, się skończyło, że skończyło się zapotrzebowanie na aktorki brzydkie, nieefektowne, że weszliśmy w czasy kapitalizmu i komercji, a tym samym tylko piękne i wypoczęte mają rację bytu. Wiem, ale... brak mi czasu.

Kiedyś miałam okazję obserwować moją koleżankę, niemiecką aktorkę, jak zajmowała się sobą, dbała o siebie i swoją urodę całymi dniami. Z samozaparciem i perfekcją organizacyjną, właściwą jej narodowi, kształtowała samą siebie i pielęgnowała, traktując zawód aktorki jak posłannictwo. Codziennie rano budziła mnie muzyka Mozarta. Wychylałam się z okna i obserwowałam, a za mną wszyscy goście hotelowi, jak ona w luźnym stroju pląsa po ogrodzie w takt tej muzyki. Fotografowała się sama polaroidem z samowyzwalaczem co godzina, wklejała zdjęcia do „albumu kontroli, opieki i rozwoju", notowała wszystko, co czuje i myśli w chwili fotografowania się. Nie miała dzieci, męża, psa ani kwiatka. Powiedziała mi, że nie będzie miała, bo traktuje siebie poważnie. Nie jadła mięsa, łykała witaminy, wstrzykiwała sobie w uda jakiś preparat z królika, żeby mięśnie nie zwiotczały, na widok papierosa uciekała z krzykiem. Była czysta, piękna i młoda, mimo że przekroczyła czterdziestkę.

Ja nie mogę sobie na to pozwolić. Wymyśliłam więc cały system, „jak dbać o siebie, nie tracąc czasu", przyznaję jednak, że wyniki są mizerne. Ale nic na to nie poradzę. A zatem:

1) Odpoczywam w wannie, z maseczką na twarzy. Jakąkolwiek. Wchodzę do wanny i buch – maseczka! Któregoś dnia przeczytałam na pudełku, że można ją stosować raz na dwa tygodnie. Nieważne!
2) Idę do kosmetyczki jedynie wtedy, kiedy muszę coś przemyśleć, nad czymś się zastanowić. Nie zauważam, co ona ze mną robi, ale wychodzę od niej z rozwiązanym problemem, koncepcją roli, strategią działania.
3) Kupuję sobie coś nowego tylko wówczas, jeśli moja droga wiedzie obok sklepu. Biorę od razu dwie sztuki, żeby zaoszczędzić czas w przyszłości, a ponieważ od lat podobają mi się takie same rzeczy, nie sądzę, by za rogiem czekała na mnie sukienka mojego życia.
4) Ubieram się w dwa kolory, w związku z czym wszystko do wszystkiego pasuje i nie tracę czasu na zastanawianie się, co do czego się nada.

5) Kupuję wszystko za małe, w rozmiarze 36, jak przed dwudziestu laty. Dzięki temu muszę być „taka sama na grubość", jak to określają moje dzieci. Mówię sobie: trudno, chcesz to włożyć – nie żryj!
6) Myję twarz szczoteczką, żeby było szybko i dokładnie!
7) Kiedy układam rzeczy w szafie, jednocześnie farbuję włosy.
8) Kiedy robię sałatkę z ogórka, smaruję twarz obranymi skórkami, jak to robiła moja babcia.
9) Kiedy muszę się uczyć na pamięć, czytać czy powtarzać rolę, idę zrobić pedikiur, manikiur albo korzystam z łóżka opalającego. Zdarzyło mi się kilka razy przed premierami „zagrać" moje monodramy w solarium.
10) Kiedy rodzę dzieci w późnym wieku, podobno odnawiam się biologicznie.

Jak widać, robię wszystko, co mogę. A przede wszystkim kocham się śmiać! Ze wszystkiego! Ale starzeję się – normalnie, po prostu, zwyczajnie, tak jak wy, zgodnie z biologią i naturą, za co was najserdeczniej przepraszam.

PS Tę panią, która mówi, że piszę ciągle o sobie, też przepraszam. Jakoś tak mi wychodzi, poza tym wolę śmiać się z siebie niż z innych. Co prawda, mój mąż uważa, że robię z niego głupka w tych felietonach, ale z nim mogę to sobie potem jakoś załatwić!

Żurnalistka-terrorystka

– Halo, Krystyna Janda, słucham.

– Proszę pani, chciałabym z panią zrobić wywiad.

– Na jaki temat?

– Nie wiem, wszystko jedno, ale szalenie mi na tym zależy.

– Przepraszam, ale nie bardzo mam czas. A poza tym, jeśli pani nie wie o czym, nie bardzo mam ochotę z panią rozmawiać.

– A pani myśli, że ja mam ochotę z panią rozmawiać? Co ja poradzę, że za panią najwięcej płacą? A ja nie mam pieniędzy.

– Ile pani ma lat?

– Dwadzieścia sześć.

– Przychodź.

*

Siedzimy w teatrze po spektaklu, w nocy. Po dwóch godzinach banalnej rozmowy mówię:

– Słuchaj, jest prawie dwunasta, masz chyba wystarczająco dużo materiału, nagrałaś całą kasetę.

*

– Halo, Krystyna Janda, słucham.

– Autoryzowała pani mój wywiad? Strasznie długo to trwa. Chyba pani nie chce, żebym to puściła bez autoryzacji?

– Wiesz, nie podoba mi się ten wywiad.

– Chyba pani żartuje? To co ja teraz zrobię? Nie mam nawet za co nakarmić kota. A poza tym mam chorego psa.

– Dobrze, przyjdź dzisiaj po spektaklu, zrobimy to razem.

*

Siedzimy znów w nocy w teatrze. Piszę wywiad sama ze sobą.

– Czym pani karmi psy?

– Nie przeszkadzaj, bo nic nie napiszę.

– Ile razy się pani zakochała w życiu?

– Nie przeszkadzaj!

– Tylko żeby było tyle samo, bo już zostawili miejsce!

*

– Halo, Krystyna Janda, słucham.

– Bardzo się wywiad podobał. Mogę go skrócić i sprzedać do innej gazety?

– Bez autoryzacji? Nie.

– To niech pani go skróci. Lepiej, żeby to pani zrobiła, bo potem będzie pani miała do mnie pretensje.

– Dobrze.

– Prześle mi to pani faksem? Jutro?

*

Siedzę w teatrze w garderobie. Chwila przed wejściem na scenę. Wchodzi.

– Jak pani myśli, z kim by tu można zrobić wywiad? Niech mi pani załatwi Gajosa.

– Nie.

*

– Halo, Krystyna Janda, słucham.

– Nie mam pieniędzy, da mi pani wywiad?

– Nie.

– Jeżeli nie, to napiszę sama. Dużo już o pani wiem. Ale chyba lepiej, żeby to pani kontrolowała, nie?

– Może być na temat mojej nowej roli?

– A jaka to rola?

– Musisz zobaczyć przedstawienie. I przeczytaj coś o Simone de Beauvoir.

*

Przychodzi do garderoby po spektaklu.

– Podobało ci się?

– Nie mogłam przyjść, bo byłam z psem u weterynarza. Ale pani mi opowie.

*

– Halo, Krystyna Janda, słucham.

– Wie pani co, to nie jest wywiad do mojej gazety. Powiedzieli, że jest za poważny, za specjalistyczny. Idę do gazety zajmującej się teatrem.

*

Siedzę w garderobie, trzydzieści minut do wyjścia na scenę. Zagląda przez uchylone drzwi.

– Może mi pani popilnować psa? Idę na wywiad z Gajosem.

Wpuszcza wielkiego dobermana, zamyka drzwi i znika. Siedzimy z psem i przyglądamy się sobie. Trochę się boję poruszyć. Na dwie minuty przed moim wyjściem na scenę ponownie uchylają się drzwi. Ona gwiżdże. Pies podrywa się i wybiega bez pożegnania.

PS Jestem na jakimś festiwalu filmowym. Mówi się, że dostanę nagrodę. Dzwoni telefon w moim pokoju hotelowym.

– Słuchaj, jestem fotografikiem. Muszę ci natychmiast zrobić zdjęcia. Są potrzebne za dwie godziny.

– Ale wiesz... Jestem po podróży, nieumalowana, zmęczona...

– Biegnę do ciebie na górę.

Otwieram drzwi, za nimi młody chłopak.

– Chodź na dwór, tu nie mogę cię fotografować, nie mam światła.

Stoję zrezygnowana, na słońcu, zmęczona.

– Wiesz, nie lubię się fotografować, nie umiem się zachować, zawsze wychodzę źle.

– Nie denerwuj się. Stań, nie tak, ręka niżej, bądź milsza, twarz pochyl, spójrz w obiektyw!

– To słońce! Czy nie mógłbyś czegoś zrobić, żebym wyglądała dobrze?

Wyciera palcami pot z czoła i smaruje nim obiektyw.

– Filtr! – mówi z uśmiechem.

Po godzinie przynosi mi zdjęcia. Są świetne.

Profesjonalista, myślę z podziwem.

Z perspektywy leżaka

Byłam we Włoszech i nic. W głowie mam pustkę, ale jest mi dobrze. Jestem wyspana, pierwszy raz od dawna, opalona, zaprzyjaźniona na nowo z mężem i dziećmi. I nic.

Przypomina mi się mój kolega, Willy Quatflieg, wspaniały, stary niemiecki aktor o niezwykłym życiorysie artystycznym, który grał niegdyś młodego Fausta w słynnym filmie Gründgensa *Faust*.

Siedzieliśmy kiedyś na planie filmowym, czekając na ujęcie, każde zatopione w swoich myślach. W pewnym momencie usłyszałam ciężkie westchnienie:

– Jak te czasy się zmieniły! Zrobili tunel, siedemnaście kilometrów pod Alpami. Zasnąłem na chwilę przed tunelem, obudziłem się za i już byłem we Włoszech. Goethe pokonywał tę drogę w dwa tygodnie i napisał o swej podróży grubą i wspaniałą książkę...

Byłam we Włoszech i nic. Żadnych wrażeń, żadnych emocji, nic do odnotowania. Plaża, basen, plaża, basen, nikt mnie nie zna, rozkosz! Tylko jakaś Niemka z daleka uśmiecha się porozumiewawczo i któregoś dnia podczas kąpieli w morzu mówi do mnie: *Guten Tag, Frau Bellheim!* (Zagrałam kiedyś w niemieckim filmie kobietę, która tak się nazywała).

Walizka książek, scenariuszy, pamiętników, wspomnień przysyłanych przez różnych ludzi, którzy uważają, że to interesujący materiał na film czy teatr. Urlop jest jedyną okazją, by te materiały przeczytać... A poza tym dieta.

Dieta zmora, dieta przekleństwo, szczególnie uciążliwa we Włoszech, gdzie jeździmy od kilku lat, nie tylko dla słońca, ciepłego morza i zabytków, ale i dla uwielbianej przez nas wszystkich kuchni włoskiej. Leżę na leżaku rano na plaży, po południu nad basenem, czytam wspomnienia z obozów, z powstania, z Kazachstanu; cierpię, męczę się z bohaterami wspomnień, słońce pali, wieje wiatr, szumi morze, a dookoła kobiety, kobiety, kobiety. I wszystkie mówią o jedzeniu. Koszmar. Wychodzi z basenu mój mąż, jeden z niewielu mężczyzn w okolicy (ratownikami też są kobiety), i mówi:

– Krysiu, przy basenie leży bardzo gruba pani i czyta artykuł o orgazmie. Leży, umiera niemal na słońcu, a znad jej wielkiego brzucha krzyczy z gazety olbrzymi tytuł *Orgazm*. Chciałbym to sfotografować.

– Edward, gdzie są włoscy mężczyźni? – pytam.

Tych kilku facetów dookoła nas to mężowie austriaccy, niemieccy, szwajcarscy i czescy. A włoscy gdzie? Kobiety, kobiety, kobiety... Kobiety z dziećmi, często z czwórką czy piątką, kobiety z przyjaciółkami, matkami, kobiety samotne. Kobiety mieniące się kolorami, opalone, prawie zawsze z umalowanymi, czerwonymi ustami, w biżuterii. Gdzie ci mężowie, kochankowie, narzeczeni? Gdzie oni są? Gdzieś są, bo kobiety o nich mówią. Głównie mówią o tym, co im zaraz, podczas południowej sjesty, przygotują do jedzenia. A ja cierpię. Dieta! Jednego włoskiego męża widziałam. Albo przyprowadzał na plażę swoją młodziutką, piękną żonę w dziewiątym miesiącu ciąży, albo wpadał z kolegą, zatrzymywali obok plaży wielki, wspaniały, srebrny motocykl, wypalali po papierosie i jechali dalej. Ona była zachwycona, zostawała na plaży chyba z jego matką i babcią. Patrzyła wokół z dumą, mając nadzieję, że wszyscy zauważyli te odwiedziny.

Widocznie życie mężczyzn toczy się obok, w barach, na placach, gdzie grają w jakieś gry. Może śpią, a może pracują. Ale gdzie? To jest miejscowość wakacyjna, mężczyźni też przyjechali na wakacje. Dzwoni do mnie Polka mieszkająca nieopodal. Spotykamy się kilkakrotnie w ciągu dnia nad basenem, nasze dzieci bawią się razem, chodzimy czasem wieczorem do restauracji.

– Monika, gdzie jest twój mąż? – pytam.

– W „Circolo". Przychodzi do domu w południe, wieczory spędza z kolegami, gra w karty. Też czasem tam chodzę.

– I wszyscy mężowie tutaj tak?

– Wszyscy, których znam.

Szczęśliwa, że nie mam włoskiego męża, cierpię dalej, kupując wyłącznie żywność o minimalnej liczbie kalorii. Wśród przepysznych gorgonzoli, bakłażanów w oliwie i sosów z truflami wyszukuję podobno wyjątkowo smaczne produkty pewnej angielskiej firmy, specjalizującej się w robieniu żywności dla odchudzających się. Ohyda! A przy tym cały czas czuję i widzę, że nie chudnę!

Kilkakrotnie odwiedzamy pobliskie Loreto, starając się przy okazji zwiedzić cmentarz polskich żołnierzy II Korpusu, i za każdym razem bramę cmentarza zastajemy zamkniętą. W przeddzień wyjazdu, po odejściu od zamkniętej bramy, postanawiam zważyć się na wadze stojącej obok słynnej bazyliki, centrum światowego kultu maryjnego. Z wagi wypada bilecik z napisem „55". Nie mogę uwierzyć własnym oczom – nie ma tych przeklętych czterech kilogramów! Mój mąż z właściwym sobie poczuciem humoru obwieszcza:

– Cud w Loreto!

Następnego dnia, tuż przed wyjazdem, kupujemy coś w sklepie ze śrubkami, młotkami i obcęgami, które Edward zwozi z całego świata. W sklepie stoi waga, bardzo precyzyjna, jak zapewnia mnie sprzedawca.

– Czy mogę się zważyć? – pytam.

Waga wskazuje 59 kilogramów...

Załamana wracam do Polski ze świadomością, że przez miesiąc zatruwałam życie swojej rodzinie, zmarnowałam sobie i im wakacje, choćby dlatego, że nie jedli swojego ukochanego deseru, tiramisu, żeby mnie nie drażnić... I wszystko na marne. Mąż proponuje, żebym pojechała zważyć się do Lourdes, Fatimy albo do Częstochowy, a ja przypominam sobie, na szczęście, że przy szosie pruszkowskiej, którą jeżdżę codziennie, jest wielki sklep ze śrubkami. I jest w nim również bardzo precyzyjna waga!

Na tych zdjęciach nie ma Edwarda, bo on je robi. Widzicie, jakie mu wychodzą? Boże, i pomyśleć – taki wybitny operator filmowy!

To tu, we Włoszech tak chudłam.

Gwiazdy mają czerwone pazury

Ja:

– Adasiu, odrobiłeś lekcje?

Adaś:

– Nie.

Ja:

– Dlaczego?

Adaś:

– Bo kazali narysować mamę, a ja cię nie mogę narysować, bo przecież nie wiem, jak wyglądasz.

Ja:

– Jak to nie wiesz, jak wyglądam?

Adaś:

– Nie wiem. Siądź, to ci się przyjrzę.

*

Ja:

– Proszę schować pieniądze do kieszeni, bo zgubicie. Trzeba wszystkie wrzucić na tacę, nie wolno nic schować dla siebie.

Adaś:

– A jeśli ja mam w kieszeni dziurę?

Jędruś:

– Chyba ci diabeł wierci tę dziurę, Adaś?

Ja:

– Jędrusiu, nie wolno też brać nic z tacy dla siebie!

Jędruś:

– Ale tam jest tyle pieniędzy!

Ja:

– Nie wolno! I nie wolno ustawiać się w kolejce po opłatek. Jesteś jeszcze za mały.

Jędruś:
– Gdyby się tak przez ciebie na nas nie gapili, nikt by nie zauważył!

*

Jędruś:
– Mamo, podrap mnie po uchu.
Adaś:
– Albo możesz go podrapać, mamo, po plecach, bo on to lubi.
Jędruś:
– E... nie drap... nie tak... nie umiesz.
Ja:
– A jak się drapie?
Jędruś:
– Nie tak! Zawołaj babcię.

*

Adaś:
– Mamo! Nie śpiewaj! Prosimy cię.
Ja:
– Dlaczego?
Jędruś:
– Bo nie! My nie lubimy, kiedy śpiewasz.
Ja:
– A mogę poczytać?
Adaś:
– Możesz.
Jędruś:
– Mamo, nie czytaj tak!
Ja:
– A jak?
Adaś:
– Babciu! Niech ona nam nie czyta! Chodź, ty nam przeczytaj!
Ja:
– Mamo, jak mam czytać?
Mama:

– Zwyczajnie, bez interpretacji. Oni potem nie mogą zasnąć.
Ja:
– Postaram się... Ale ja chyba nie umiem.

*

Adaś:
– I jak potem było, babciu? Potem mama nosiła nas w środku, chodziła z nami do pracy i miała z Jędrkiem w brzuchu wypadek samochodowy, a potem ty nas urodziłaś?
Ja:
– Ja was urodziłam, nie babcia!
Jędruś:
– Tak, babciu? Czy mama kłamie?
Adaś:
– Mamo, nie baw się chlebem przy stole, bo siostra w przedszkolu u Jędrka mówi, że to dar boży.
Ja:
– Przepraszam.

*

Adaś:
– Mamo, jak ja się nazywam?
Ja:
– Adam Kłosiński.
Jędruś:
– A ja?
Ja:
– Andrzej Kłosiński.
Adaś:
– A Marysia?
Ja:
– Maria Seweryn.
Adaś:
– A dlaczego inaczej?
Ja:

– Bo ona ma innego tatusia.

Jędruś:

– A gdzie jest jej tatuś?

Ja:

– Daleko. Czasem tak jest, że kobieta ma kilku mężów, a mężczyzna kilka żon, ale mamę ma się tylko jedną i tatę tylko jednego.

Adaś:

– A jak ty się nazywasz?

Ja:

– Krystyna Janda.

Adaś:

– To dlaczego ty się nazywasz inaczej niż my?

*

Przygodnie spotkany kierowca podwożący ich i babcię do domu:

– Jak masz na imię, chłopczyku?

Jędruś:

– Andrzej.

Kierowca:

– A ty? Przepraszam, już tutaj skręcam, muszę was wysadzić.

Jędruś:

– On się nazywa Adaś Janda.

Kierowca:

– Aaa... To was podwiozę aż do Milanówka, wiem, gdzie mieszkacie.

*

Adaś:

– Mamo, nie chodź do szkoły. Niech idzie tata albo babcia.

Ja:

– Dlaczego?

Adaś:

– Bo ty chodzisz umalowana.

Ja:

– A inne matki się nie malują?

Adaś:

– Paweł mówi, że jego mama urodziła się na Księżycu. A ty?
Ja:
– Ja nie.
Adaś:
– A Marysia mówiła, że nigdy nie byłaś u niej w szkole.

*

Adaś:
– Mamo, po co te dzieci proszą, żebyś im coś napisała?
Ja:
– Proszą mnie o autograf.
Jędruś:
– Co to jest?
Ja:
– Mój podpis.
Jędruś:
– Po co?
Adaś:
– Bo mama jest gwiazdom.
Jędruś:
– Mamo, jesteś gwiazdom?
Ja:
– Tak mówią. Nie mówi się „gwiazdom", tylko „gwiazdą".
Jędruś:
– A co to jest „gwiazda"?
Adaś:
– To jest najlepsza aktorka, gupi!
Ja:
– Nie zawsze jest to najlepsza aktorka. I nie mówi się „gupi", tylko „głupi".
Jędruś:
– Ja wiem, mama jest gwiazdom telewizyjnom. Tak powiedziały siostry w przedszkolu.
Adaś:
– Tak, mamo? Jesteś gwiazdom telewizyjnom?

Jędruś:
– Mama jest gwiazdom, bo gwiazdy mają takie czerwone pazury.

*

Adaś:
– Jędrek! Wyłącz wideo, bo teraz jest Dobranocka!
Jędrek:
– Który mam wcisnąć?
Adaś:
– Ten... O, zobacz! Janda!

Spodnie w kwiaty

Miałam pisać o ubieraniu się i o zapomnianym świecie krawcowych, o projektowaniu własnych sukienek i o tym, jak świat gotowej konfekcji zubożył naszą inwencję, ostudził emocje związane z ubieraniem się, pozbawił nas elementu twórczego, elementu kreacji. Chciałam pisać, zaczęłam i nie potrafię...

Dziesięć dni temu umarł mój ojciec. Nie mogę zapomnieć, nie mogę tego zrozumieć, cały czas o tym myślę i nie mogę pisać. Właściwie przychodzi mi do głowy tylko jedno – że nienawidził moich spodni w kwiaty. Spodni – skandalicznych, spodni – wyzwania, spodni – symbolu mojej z nim walki.

Były to lata, w których każda szanująca się kobieta miała swoją krawcową. Krawcową – często jedyną przyjaciółkę, doradczynię we wszystkich życiowych sprawach. Krawcową – powiernicę i najwyższego arbitra elegancji, stylu, sztuki podobania się i ubierania.

Krawcowe były to wyrocznie, kobiety kapryśne, groźne, kobiety, od których humoru i terminów zależało wiele. Kobiety, których upodobania do patek, kontrafałd lub obciąganych guzików ciążyły na całych powiatach czy nawet województwach, a dzień Pierwszej Komunii Świętej lub Bożego Ciała w ich rejonie był swoistą demonstracją ich gustu. Często były to dni ich chwały. Christian Dior czy Jil Sander mogą tylko marzyć o „władaniu duszami", które było ich udziałem.

Moja mama też miała krawcową. Była to niezwykle silna osobowość, kobieta wielkiej pracowitości, imieniem Felicja. Wywierała niebywały wpływ na swoje klientki, a dodatkowo odznaczała się tym, że umiała uszyć coś z niczego, ze szmatki czy starej sukienki. Kiedy jako jedenasto- czy dwunastolatka weszłam razem z siostrą w zaczarowany krąg jej klientek i zaczęłam realizować dzięki niej moje marzenia o „sobie", szybko zyskałam jej uznanie swoimi projektami i pomysłami.

Spodnie w wielkie kwiaty, uszyte z amerykańskiego materiału „z paczki", zaszokowały Ursus, gdzie mieszkaliśmy, i stały się w oczach mojego ojca głównym powodem naszej „hańby". Pani Felicja uszyła mi je, gdy miałam piętnaście lat i byłam uczennicą pierwszej klasy liceum plastycznego w Łazienkach. Był to dla mnie okres buntu, „wybijania się na niepodległość" i kreowania swojej niezwykłej, jak mi się wtedy wydawało, osobowości. Wyrażało się to, między innymi, tym, jak się ubierałam. A ubierałam się tak, że nikogo nie zostawiałam obok siebie obojętnym. W tym „dobijaniu" się do siebie towarzyszyła mi pani Felicja, a przeszkadzał ojciec.

Ojciec, który był konserwatywny, purytański, apodyktyczny i... banalny, jak go wtedy oceniałam. Im bardziej on był taki, tym bardziej ja chciałam być awangardowa, wyzwolona i oryginalna. Wszystkie moje działania, cały mój sprzeciw i siła w dążeniu do „wykrzyczenia", kim się właśnie staję, były tym wyraźniejsze, im bardziej nie akceptowałam jego.

Bardzo, bardzo wiele temu buntowi zawdzięczam...

Tato! Jestem dziś sobą, bo tak bardzo chciałam być inna niż ty. I bardzo ci za to dziękuję... Taty niepokój, gwałtowne protesty i starania, żeby mnie sprowadzić w szeregi „normalnych", dawały mi siłę i nauczyły walczyć o siebie. A był tyranem. Silny, emocjonalny, bezwzględny w żądaniach podporządkowania mu się, również w stosunku do mamy. Ambitny, z dużymi sukcesami w zawodzie. Nieznoszący sprzeciwu i do bólu... konwencjonalny.

Od dziesięciu dni go nie ma. Mieszkaliśmy ostatnie lata znów razem. Nie mógł sypiać. Nie pamiętam, żeby kiedyś położył się spać przed moim powrotem do domu, nawet kiedy przyjeżdżałam rano po całej nocy nagrania czy próby, co zdarzało się nierzadko. Od dawna moją „inność" uznawał, „osobowość" – szanował. Po latach walki, żebym była jak inne córki, skromna i normalna, skapitulował. Pogodził się z tym, że zwracam na siebie uwagę. Był ze mnie dumny. Nigdy nie widział mnie na scenie. Nie wiem dlaczego. Jakoś tak się złożyło, od dawna był chory. Myślę, że nie wiedział, o co tak naprawdę w moim życiu chodzi...

Okazuje się, że bardzo go kochałam. Nikt i nigdy tak gwałtownie nie protestował przeciwko temu, jaka jestem. Nigdy z nikim tak nie walczyłam, jak z nim, i myślę, że nikt nigdy mnie tak nie potrzebował jak on.

Dotąd właściwie nie płakałam po jego śmierci – bo nie mogę w nią uwierzyć. Nie mogę zrozumieć, dlaczego go nie ma. Nikt nigdy mi nie wyjaśni – dlaczego?

Mój Tata czasami chodził po ogrodzie w koronie. Ale nigdy nie był w teatrze. Przepraszam, raz był na „Drzewa umierają, stojąc" i zasnął.

Jestem w Ameryce. Pierwszy raz tej nocy w hotelu płakałam po nim. Jutro wracam. Już nigdy nie kupię dla niego prezentu.

Krystyna Janda, córka jak inne córki

Masaż w godzinach szczytu

Mam pierwszy wolny dzień po trzech miesiącach morderczej pracy. Wszystko się skończyło. Premiera – za mną, nieprzespane noce – za mną, napięcia mięśni graniczące z paraliżem – za mną, stosy wypalonych bezmyślnie papierosów – za mną. Gratulacje i moje telefony do kasy z pytaniem, czy ludzie kupują bilety – za mną. Kupa złych i lekceważących (jak zwykle) recenzji – za mną.

Ciekawe, co ja tu przed chwilą grałam?

Wyglądam niczym zwłoki wyłowione po tygodniu z wody. Włosy mi wypadają, zęby się ruszają, skóra na całym ciele pęka, cera na twarzy zielona, sińce pod oczami czarne. Ale mam swoją przyjemność, swoją fanaberię – zrobiłam spektakl teatralny. I mam też świadomość, że „cała warstwa produkcyjna społeczeństwa" pracuje, żebyśmy my, artyści – między innymi i ja – mogli tworzyć te „głupoty", jak całe życie mawiał mój ojciec, który pracował w „warstwie produkcyjnej". No więc mam pierwszy dzień wolny i postanawiam go spędzić tak: masaż, sauna, solarium, basen, kosmetyczka, manikiur, pedikiur, fryzjer. Zajmie mi to cały dzień. Jadę do Warszawy, w godzinach szczytu, w sznurze wolno posuwających się aut. I nagle słyszę w radiu prośbę do emerytów, żeby nie wychodzili z domów, nie jeździli komunikacją miejską, nie wyjeżdżali na ulice swoimi samochodami w godzinach szczytu, bo przeszkadzają.

Biorę to za żart, ale nic podobnego! Do porannej audycji dodzwania się natychmiast dziesięciu słuchaczy, którzy apelują do starszych ludzi, by załatwiali swoje sprawy poza godzinami szczytu, bo i tak nie mają nic do roboty, albo proszą staruszków o nietarasowanie dróg swoimi okropnymi gratami, bo oni nie mogą dojechać do swoich biur, fabryk i przedsiębiorstw. Jakaś pani krzyczy histerycznie, żeby ta emerytka, która co rano jeździ uparcie z baniakiem po wodę do źródełka właśnie wtedy, kiedy ona jedzie do pracy, zastanowiła się i zwolniła miejsce w tramwaju. Mam wrażenie, że zwariowałam. Zjeżdżam na prawy pas moim samochodem o dwulitrowym silniku, bo może komuś przeszkadzam – on jedzie do pracy, a ja na masaż. Uświadamiam sobie poza tym, że w domu zostawiłam mamę emerytkę i niczym się nie martwię, bo ona zajmie się domem i dziećmi, podczas kiedy ja będę pływać w basenie... Ohyda!

Dzisiejsi emeryci byli dziećmi, gdy wybuchła wojna. Nie mieli dzieciństwa, a potem też nie mieli nic, bo nic nie było. Kazano im budować socjalizm, odbudowywać kraj. Potem, po latach ciężkiej pracy, dorobili się byle jakich mieszkanek, czasem okropnego samochodu, wczasów raz w roku i przyjemności stania w kolejkach przed świętami i z każdej zresztą innej okazji. Kiedy wybuchła Solidarność, sekundowali jej z radością i w milczeniu. A teraz, w nowej Polsce – chaotycznej, pełnej smakołyków i zarzuconej kolorowymi gadżetami, których wcześniej nie widzieli na oczy – oglądają reklamy, stają pokornie przed wystawami, bo nie mogą sobie na to wszystko pozwolić. Co pewien czas dowiadujemy się, że jakiś emeryt popełnił samobójstwo, zostawiając list, żeby nikogo za to nie winić, ale on nie chce już dłużej tak żyć. Albo że jakaś emerytka zamarzła, ponieważ nie miała pieniędzy na opał. Nikt o nich nie myśli, nikt ich nie szanuje, mówi się o nich pogardliwie jako o tych, którzy budowali socjalizm i zgadzali się tyle lat żyć w kłamstwie i upodleniu. Teraz przeszkadzają w ogóle, a szczególnie w godzinach szczytu.

Zjechałam na pobocze. Postanowiłam mniej palić i przestać namawiać mamę, żeby mniej paliła – niech ma tę przyjemność w życiu. Przysięgłam sobie, że nie pozwolę jej nic robić, mimo iż twierdzi, że zajmowanie się moimi dziećmi sprawia jej przyjemność i nadaje sens jej życiu. Pomyślałam, że jestem nieznośnie sentymentalna, i zawróciłam do domu, by nikomu nie przeszkadzać i nie wydawać pieniędzy na swoją reanimację. Ja jakoś dojdę do formy, a inni przecież pracują, gonią, produkują, żebym mogła potem coś „głupiego i niepotrzebnego stworzyć". To niech mają luźniej.

Żorż

Jurek Radziwiłowicz to jedyny mężczyzna, z którym mam ślub kościelny. Po nakręceniu sceny naszego ślubu do filmu *Człowiek z żelaza* ksiądz, który nam go udzielał, wziął nas na bok i zapytał, czy nie mieliśmy przypadkiem prawdziwych intencji. Odpowiedzieliśmy, że nie. Wtedy odetchnął i powiedział, że gdybyśmy mieli, ślub byłby w zasadzie ważny.

Nie mieliśmy intencji, ale coś tajemniczego nas wiąże, od pierwszego spotkania w *Człowieku z marmuru* do dzisiaj.

Widujemy się rzadko, prawie zawsze przy okazji obowiązków zawodowych, za każdym razem rzucamy się na siebie z radością i nic ani nikt, łącznie z reżyserem, nie jest nam w stanie przeszkodzić w gadaniu i w cieszeniu się ze spotkania...

Mówię do niego „Żorż". Dlaczego?

Słyszałam tyle razy, w wielu miejscach na świecie, jego imię przekręcane: Żerzi, Jerzi, Jurak. Ale odkąd poznałam go naprawdę – a było to w Paryżu – został Żorżem.

Jurek zawsze był mrukiem. Milczącym, zamyślonym, niechętnym, mrocznym typem, czytającym przy każdej okazji i w każdym towarzystwie książki. Przez całe lata nie słyszałam, i mało kto słyszał, żeby cokolwiek mówił, oprócz tekstów ról, oczywiście.

Pewnego dnia spotkaliśmy się z okazji pokazu jakiegoś filmu w Paryżu. Zobaczyłam go z daleka, otoczonego tłumem gości festiwalowych, dziennikarzy, uśmiechniętego, pogodnego, rozluźnionego i... gadającego, gadającego, gadającego. Myślałam, że śnię. Mówił po francusku, odpowiadał po angielsku, z pasją, z ożywieniem. Kłócił się, dyskutował, miał niezmordowaną cierpliwość do nocnych dyskusji artystycznych (które mnie całe życie nudziły) z awangardowymi twórcami, teoretykami filmu i teatru, z różnymi świrami, analizującymi świat przez sztukę, których zawsze pełno przy takich okazjach. Nad ranem wstawał od stołu i do mnie, śmiertelnie znudzonej i zmęczonej, mówił: teraz idziemy na spacer po Paryżu. I szedł – z gołą głową, z rozwianymi włosami, z piersią charakterystycznie podaną do przodu, z rękoma odrzuconymi w tył. Tak jak w *Człowieku z marmuru*, gdy pijany szedł z cegłą w ręku na komitet partii. Ten sam niezwykły, charakterystyczny chód. Nonszalancko zdobywał przestrzeń, a ja patrzyłam, patrzyłam i nie mogłam się napatrzyć.

Kiedy z uśmiechem połknął już całe powietrze w Paryżu, mówił: a teraz śniadanie tu a tu... Jakby kupował świat. Potem widywałam go w Polsce, znów smutnego, samotnego mruka, sennego, obrażonego niedźwiedzia. I znów spotykałam go, na przykład, w Berlinie, i znów widziałam *bon vivanta*, szałaputa, uśmiechniętego króla życia, sypiącego dowcipami.

Potem przeżyliśmy okres kręcenia we Wrocławiu filmu *W zawieszeniu*. Poznałam innego Żorża, ciepłego, cichego, subtelnie uśmiechniętego, organizującego, jak to nazywał, „domowe wieczory" po zdjęciach, u mnie w pokoju hotelowym. To znaczy: przychodził w kapciach, zamawiał kolację do pokoju, włączał telewizor i oglądał jakieś mistrzostwa w piłce nożnej albo czytał gazetę. Wychodził, kiedy skończył się mecz lub gazeta, po cichutku, nie wiem kiedy, bo już dawno spałam. Lubiłam te wieczory, a on pewnie nie chciał być sam.

Potem wielokrotnie widywałam Żorża w Polsce, za granicą, w Polsce, za granicą. I zawsze tam Szalony Smakosz Życia, tu Mruk. Tu Jurek – tam Żorż.

I przyszedł taki dzień, gdy spotkałam go po kilku latach w Warszawie. Grał Don Juana, którego zresztą sam przetłumaczył. Poszłam do niego do garderoby. I co widzę? Żorż! Uśmiechnięty, rozluźniony, otoczony gośćmi. Mówił! Mówił! Mówił! Zdumiona, obserwowałam go cały wieczór, także podczas przyjęcia, na które poszliśmy razem. Nie mogłam uwierzyć, że to Jurek. W końcu zrozumiałam, że to nie on się zmienił, tylko Polska się zmieniła. Uświadomiłam sobie, że „człowiek z marmuru" i „człowiek z żelaza" żył w innym kraju.

Rano umówiliśmy się, żeby pogadać, przeszliśmy razem przez Nowy Świat, ludzie uśmiechali się do nas, do „naszej pary", a Żorż się wcale nie złościł, tylko się „oduśmiechał", szeroko, promiennie, i szedł tak samo jak kiedyś, w Paryżu. Jakby go pierś niosła, a nogi zostawały trochę z tyłu. Powiedziałam mu, nieco spłycając sprawę: jesteś dowodem na to, że mamy w Polsce kapitalizm...

Niedawno spotkaliśmy się na planie francuskiego filmu, kręconego w Zakopanem. Obserwowałam Jurka z niepokojem. Ale nie! Jest! Uśmiechnięty Żorż z Paryża! Z ulgą pomyślałam, że może w tej Polsce jednak jakoś idzie do przodu.

To razem kiedyś w Paryżu. Widzicie, co oni z nas zrobili. W ogóle nie jesteśmy do siebie podobni.

Człowiek już z żelaza. Sala BHP w stoczni. Słynne podpisanie. Patrzymy na Wałęsę.

Nie rozumiałam Jej

Tak się urodzić, w niedzielę wieczór.
Nie chcieć, nie poczuć, nie przeczuć,
Być jak przesyłka, jak paczka mała,
Sama chciała, sama chciała.

Tak chodzić do szkół, wszędzie po troszku,
Myśli i nerwy mieć w proszku,
Znaleźć i zgubić, co matka dała,
Sama chciała, sama chciała.

Tak się niemądrze w niemądrych kochać,
Nie trwać, nie czekać, nie szlochać,
Potem zazdrościć tej, co umiała,
Sama chciała, sama chciała.

Tak się na dobre rozkochać w tobie,
Z żalu za tobą wypłowieć,
Być nazbyt cicha lub nazbyt śmiała,
Sama chciała, sama chciała.

Tak nagle ustać, w niedzielę wieczór,
Nie chcieć, nie poczuć, nie przeczuć,
Wśród jasnych buków zasnąć jak skała,
Sama chciała, sama chciała.

To jej piosenka, którą śpiewałam w *Białej bluzce*.

Stałam w dniu jej ostatnich urodzin od rana w sklepie z kapeluszami i przymierzałam jeden za drugim. Wiedziałam, że musi być kapelusz, zawsze w kapeluszach ją ostatnio widywałam, wiedziałam, dlaczego kapelusz, wiedziałam, że to może już ostatni kapelusz. Wiedziałam, że jej ulubiony kolor to niebieski i czerwony. Stałam i przymierzałam wszystkie niebieskie i czerwone kapelusze i mój bunt wobec tych kolorów, tych kapeluszy, rósł.

Moja konwencjonalność, konformizm, tchórzostwo, brak wyobraźni, grubiaństwo, banalność, powierzchowne poczucie elegancji kazało mi patrzeć z tęsknotą na szare, beżowe, czarne – piękne dla mnie kapelusze. Mój egoizm, fałszywe poczucie taktu i brak tolerancji patrzyły razem ze mną na wybrane, czerwony i szafirowy, niechętnie, z nienawiścią.

Po dwugodzinnej męce wyboru między mną a nią kazałam zapakować – JĄ, czyli czerwony i niebieski. Wyszłam. Na wystawie zobaczyłam piękny, skromny, elegancki i dyskretny – brązowy. Wróciłam i z całą małodusznością zamieniłam tamte dwa na brązowy, który godzinę później jej ofiarowałam. Był to jeden z największych nietaktów i aktów nietolerancji, jakie popełniłam w życiu. Nigdy sobie tego nie daruję. Jestem pewna, że ani razu go nie włożyła.

Była jedną z najpiękniejszych kobiet, jakie znałam. Uwielbiałam patrzeć na nią i jej słuchać. Bałam się jej i mnie fascynowała, obserwowałam ją z przerażeniem i zachwycałam się nią. Nigdy nie odważyłabym się być taka jak ona. Tak odważna, niezależna, nieodgadniona, nienasycona, niezaspokojona. Tak kochać i tak uciekać, tak pragnąć i tak nie chcieć. Być tak delikatną, tkliwą i czułą, a jednocześnie tak racjonalną i bezwzględną. Tak szaloną, nieobliczalną, a zarazem tak zorganizowaną i solidną. Nie znałam jej – tylko ją przeczuwałam za tą granicą, za którą była dla mnie niedostępna, bo nie nadawałam się, żeby mnie „wtajemniczyć". Nonszalancja, z jaką żyła, przerażała mnie, nie rozumiałam jej, i ona to wiedziała.

Grałam *Białą bluzkę*. Kogo grałam? Ją? Ale tam były dwie. Ta, która pisała listy, porządkowała sprawy, płaciła za światło i gaz, i Ta Druga. Ona? Pierwszą rozumiałam, Drugą starałam się tak zagrać, jak rozumiałam. Siedziała na próbach, nic nie mówiła. Myślę, że mój pragmatyzm w konstruowaniu tej roli ją śmieszył. Co to było? O kim to było? Co jakiś czas ktoś głośno, ostentacyjnie wychodził z sali podczas spektaklu, potem okazywało się, że uznał, że to jego życie, słowa. Ktoś inny przychodził do mojej garderoby, patrzył, nie chciał wyjść, potem okazywało się, że to jej znajomy, że coś w tym tekście odnalazł.

Nic nie rozumiałam. Proszono, żebym przestała to grać, że to zbyt osobiste, obrażano się. Jej znajomi. Mężczyźni. Kobiety. Jej przyjaciółki. Nic nie rozumiałam. Zagrałam ten spektakl sto pięćdziesiąt razy, jeździły za nim po Polsce gromady dziewczyn z plecakami, nie wiem już, ile razy słyszałam, że to o nich, o tym, co czują. Nic nie rozumiałam. Jaka ONA była?

Prosiłam cztery miesiące temu w Nowym Jorku Elżbietę Czyżewską: pogódź się z nią, ona umiera. Dzwonię co noc, odpowiedziała, odkłada słuchawkę.

Złożyłam jej konwencjonalne życzenia świąteczne i noworoczne, nagrywając się na sekretarki, pod kolejnymi zostawianymi numerami kontaktowymi, przysłała kartkę z fotografią jakichś nóg... jeśliby ci zabrakło nóg, wysyłam zapasowe.

Tyle pięknych zdań, tyle mądrych myśli, celnych skojarzeń, efektownych sformułowań. Tyle prawdy i wiedzy o człowieku, o jego małości i wielkości, męce, bólu, miłości i szczęściu. Czy to wszystko było o niej? Jestem tego pewna. Dosłownie o niej. To przerażające.

Chciałabym, żeby tam gdzieś ktoś pokochał ją „na całe życie", nieodwracalnie, bez zastrzeżeń i bezpiecznie. Ale jaka jest gwarancja, że ona nie ucieknie? Miała zwyczaj mówić, że poetami Bóg opiekuje się bezpośrednio, być może...

Na ostatnich jej urodzinach śmiałyśmy się cały czas. My, to znaczy tak zwana Ścisła Egzekutywa: Agnieszka, Magda Umer, Magda Czapińska, Zuzia

Olbrychska i ja, opowiadałyśmy sobie znowu głupoty, oglądałyśmy pierwsze odcinki filmu, który zrobiła o niej Magda Umer. Płakała, śmiała się, była zadowolona, dla niewtajemniczonych oczu była prawie szczęśliwa, ale... zaraz musiała gdzieś tajemniczo iść... jak zawsze. Cały czas dzwonił telefon... sekretariat pana X, sekretariat ministra Y, czy można przysłać kwiaty?... Prosiła, żebym odbierała telefony i mówiła, że później, że teraz są ważniejsze sprawy. Jedyny krótki moment świadomości to sekunda w jej łazience i włosy, pukiel jej wspaniałych włosów zostawiony w pośpiechu na szczotce. Krótki moment, sekunda. A potem... rzuciła w kąt brązowy kapelusz, włożyła czerwony i... poszła, my w jedną stronę, ona w inną, swoją, tajemniczą stronę. Z kim miałam do czynienia? Z kim mówiłam, że się przyjaźnię? Czułam się zawsze przy niej jak proza obok poezji.

Koło mojego łóżka leży jej ostatnia sztuka. Nie przeczytałam jej. Nie zadzwoniłam do niej. Za późno. Na wszystko już za późno. Ja, niestety, zawsze w białej bluzce, idę zapłacić za światło i gaz.

Jak nie palić w Nowym Jorku

Pojechałam na trzy dni do Nowego Jorku. Bywam w Ameryce dość często. W ubiegłym roku trzy razy. Podczas każdego z tych pobytów byłam otoczona znajomymi, kolegami, ludźmi przypadkowo spotkanymi, którzy zajmowanie się mną uważali za przyjemność, albo tymi, którzy mnie zapraszali i w związku z tym organizowali mi czas i rozwiązywali moje problemy. Nie mówię po angielsku. Tak się złożyło. Nigdy mi to dotąd nie przeszkadzało, ale tym razem byłam sama. I chciałam być sama. Tak się złożyło. Mieszkam na Manhattanie. W hotelu. Nie palę od około dwunastu godzin, czyli od wyjazdu z Warszawy. W hotelu nie wolno palić. Po godzinie walki wypalam jednego papierosa w łazience. Nie smakuje mi. Zaczyna się straszna noc. Nie mogę zasnąć, cały czas oglądam telewizję, o czwartej rano postanawiam się wykąpać. Przez dwie godziny staram się jeszcze czytać jakąś książkę, o szóstej decyduję się pójść gdzieś na śniadanie. Sobota. Pusty, zimny Nowy Jork. Nie mam planu miasta, nie wiem, gdzie jestem. Trafiam do jakiegoś parku i zdumienie moje nie ma granic – wydzielone, ogrodzone miejsce dla psów, gdzie pełno stłoczonych na małej przestrzeni zwierząt i ich właścicieli. Ludzie ze sobą nie rozmawiają, psy się nie gryzą. Nadchodzą następne psy, a z każdym dwoje ludzi. Nic nie rozumiem. Przemyka mi przez głowę myśl, że w Polsce na każdego człowieka byłyby dwa psy, a tu odwrotnie. Nic nie rozumiem. Idę dalej, nigdzie nie mogę znaleźć nic do zjedzenia. Wreszcie samotne śniadanie: zamrożone jajko sadzone kładą mi na jakiejś bułce i podgrzewają w kuchni mikrofalowej. Ohyda, ale nic innego nie umiem zamówić. Błąkam się dalej, godziny mijają...

Nie palę osiemdziesiątą godzinę. Po kilku godzinach rezygnuję z trafienia do muzeum, które chciałam zwiedzić. Chce mi się spać, ale właściwie jestem zadowolona. Pierwszy raz sama chodzę po sklepach i domach towarowych. Nie palę dziewięćdziesiątą godzinę. Ze zdumieniem zauważam, że prawie żadna kobieta nie farbuje włosów, toteż wszystkie są siwe albo siwawe już po trzydziestce. Wszyscy tu palą, spacerując i oglądając wystawy. Nie odważam się zapalić, bo całe życie mnie uczono, że kobieta nie pali na ulicy. Wieczorem cudem trafiłam do mojego hotelu, którego wizytówki zapomniałam zabrać (taksówkarz z trudem zrozumiał wypowiedzianą przeze mnie nazwę). W hotelu orientuję się, że zgubiłam albo ukradziono mi zegarek. Nie palę chyba pięćsetną godzinę i chce mi się płakać. Dalej jestem sama. Następna noc równie koszmarna jak poprzednia, do tego nie wiem, która godzina.

Rano (jak się okazuje w recepcji – o siódmej) biorę informator dotyczący repertuaru nowojorskich teatrów i staram się znaleźć teatr grający sztukę, której próby mają się zacząć na wiosnę w Warszawie. Tekst o Callas – *Master Class* – słynny już na całym świecie, w Nowym Jorku grany jest od dwóch lat z niesłabnącym powodzeniem. Mój teatr kupił prawa do tej sztuki. Od jakiegoś czasu kontaktuję się z tłumaczką, która tłumaczy tekst specjalnie dla mnie. Postanawiam obejrzeć to na Broadwayu. Jem gdzieś okropne śniadanie, do teatru jadę taksówką, jest wciąż wcześnie rano. Pod teatrem stoi kolejka. Po otwarciu kasy okazuje się, że bilety są sprzedawane na spektakle, które odbędą się za trzy miesiące. Do okienka należy podchodzić pojedynczo. Porządku pilnuje groźny, ciemnoskóry portier teatralny w mundurze ze złotymi galonami. Postanawiam czekać i dostać się za wszelką cenę. Nie palę tysiąc pięćset dziewięćdziesiątą ósmą godzinę.

Stoję w kolejce cztery godziny. Nigdy w życiu nie stałam tak długo – nigdzie i po nic. Z minuty na minutę wzrasta mój szacunek i podziw dla tej inscenizacji i aktorki, która w niej gra. Po kilku podejściach do kasy w chwilach nieuwagi „groźnego", orientuję się, że warto czekać, bo mogą się trafić zamówione i nieodebrane bilety. Czekam. Nogi mnie bolą, zaczynam być głodna, chce mi się palić. Mój szacunek i podziw rosną. Około pierwszej zaczynają przychodzić ludzie po zamówione pół roku temu bilety. Odbierają je i wchodzą na salę. Mając nadzieję, że może ktoś umarł i nie przyjdzie, co jakiś czas opuszczam na chwilę kolejkę, podchodzę do kasy i mówię „łan tiket pliz". Co chwila przegania mnie z krzykiem portier, kolejka zresztą też. Około drugiej widzę zdenerwowana, że przede mną jest jeszcze kilka osób, a biletów już nie ma. Bolą mnie nogi, jestem głodna, wyznaję portierowi ze łzami w oczach: „aj em aktris". Nie robi to na nim najmniejszego wrażenia, coś mi odpowiada, z tonu sądzę, że pogardliwie.

O drugiej zaczyna się spektakl. Jedni odchodzą od kasy, inni ustawiają się w kolejce, w nadziei że będą mieć szczęście wieczorem. Nagle kasjerka kiwa na mnie palcem i sprzedaje – zdumionej – bilet za 60 dolarów. Stoję osłupiała, nie mogę uwierzyć w to, co mnie spotkało. Rozumiem, że to dlatego, iż jestem sama, a wszyscy inni chcieli dwa bilety (kto chodzi do teatru sam?). Wchodzę na salę. Spektakl już trwa. Rozumiem każde zdanie – ostatecznie znam już nieźle polskie tłumaczenie, nad każdym słowem zastanawiałam się wiele razy. Obserwuję wszystko – każdy pomysł, szczegół, ruch, światło, scenografię – jak maszyna analizująca. Prostota, oszczędność i trafność wszystkiego podbijają mnie całą, bez reszty. Każda zmiana świateł – przemyślana i efektowna. Aktorka grająca Callas – fantastyczna; płacze cztery razy podczas tego wieczoru, płacze naprawdę. Myślę sobie: do cholery, ona to gra od roku dwa razy dziennie (przedtem grała inna aktorka). Jest wspaniała; nie nieobliczalna, nie zaskakująca, ale właśnie wspaniała! Publiczność śmieje się, kiedy trzeba, milknie, kiedy trzeba, wzrusza się, kiedy trzeba, i wiem, jak ta artystka to robi, jak nad nimi panuje. To jest obliczone, przewidziane, wykonane. W przerwie kupuję sobie T-shirt i płytę kompaktową z nagraniem całego spektaklu. Po przedstawieniu zbieram jeszcze porzucone między rzędami programy i wychodzę, zdając sobie sprawę, że połowy tych prostych efektów, choćby ze światłami, nie dałoby się w moim teatrze uzyskać z powodu ograniczeń technicznych. Bo nawet osiągnięcie absolutnej ciemności jest w większości teatrów warszawskich nieosiągalne. Biorę taksówkę. Milcząca, głodna i z poczuciem niższości przyjeżdżam punktualnie na próbę do wynajętego dla nas teatru. Wieczorem na nasze przedstawienie przychodzi tysiąc osób. Jestem zdenerwowana i stremowana jak nigdy. Na sali śmietanka „polskiego" Nowego Jorku. Staram się zagrać jak najlepiej w naszych – ze szmatek zrobionych, na wyjazd – dekoracjach, wśród pospiesznie z konieczności ustawionych świateł i pożyczonych z polskiego konsulatu mebli. Innych niż te, do których jesteśmy przyzwyczajeni w Warszawie. Zmuszają nas one do zmian sytuacji. Puszczają mi nerwy, zapominam tekstu w głównej scenie roli.

Po spektaklu, na przyjęciu, obsypują mnie komplementami. Najbardziej podobał się wszystkim moment, w którym zapomniałam tekstu. Pytają, czy się cieszę z braw, które w tym momencie dostałam. Staram się tłumaczyć, że ostatni raz graliśmy tę sztukę cztery miesiące temu, że z różnych powodów nie mogliśmy zagrać w Warszawie przed wyjazdem. Wybrnęła pani z tego wspaniale, z takim wdziękiem, jest pani nadzwyczajna – słyszę w odpowiedzi. Myślę sobie: kolejny raz wybrnęłam. A ja tego nie chcę. Chcę, żeby było profesjonalnie, nie cudem. Chcę, żeby było tak jak na Broadwayu.

Bravo, maestra

Zajmuję się sztuką o Marii Callas, zatytułowaną *Kurs mistrzowski*. Przez cały pierwszy akt Callas nie pozwala nikomu zaśpiewać albo przerywa po pierwszym dźwięku. Wszystko jest źle, nic jej się nie podoba. Jakby nie mogła znieść, że ktoś profanuje ukochaną muzykę, z którą wiążą się jej największe triumfy, która przypomina śpiewaczce najwspanialsze momenty z życia.

Zachwyca mnie to, bawi, jest w tym coś bardzo prawdziwego, co przypomina mi pewną historię z moich lat w szkole teatralnej i relacje z jedną z najbardziej zachwycających osób, jakie dane mi było w życiu spotkać – panią profesor Janiną Romanówną, wielką aktorką, wspaniałą kobietą i niezwykłym pedagogiem.

Szybko zorientowaliśmy się, że najwspanialsze spotkania z panią profesor to te, podczas których ona gra, parodiując nasze błędy lub pokazując coś, co trudno jest przekazać słowami. Wtedy uczyliśmy się najwięcej. Cała sztuka polegała więc na tym, żeby ją sprowokować, wywabić zza stolika. Wynajdywaliśmy w tym celu tysiące pretekstów, wybiegów i sposobów. Nigdy nie zapomnę jej absolutnie genialnych pokazów, jak posługiwać się wachlarzem, szalem, jak radzić sobie z trenem u sukni albo w jaki sposób chodzić i siadać we fraku. I zawsze będę pamiętać, jak kiedyś na zajęciach zagrała grubego, chorego Dauma z *Panny Maliczewskiej* – niedoścignionego w wyrażaniu przebogatej gamy uczuć (tak jak nigdy nie zapomnę profesora Zapasiewicza, który – zniecierpliwiony naszą nieporadnością – zagrał scenę obłędu Ofelii. Była to najbardziej niezwykła, krucha, bezradna i nieszczęśliwa Ofelia, jaką można sobie wyobrazić).

Pani profesor Romanówna nie cierpiała mnie. Uosabiałam wszystko, czego nie lubiła. Nowoczesna, krótko ostrzyżona, przeraźliwie chuda, bez piersi. Dziewczyna chłopak, bez wdzięku i cienia tego, co się nazywa kobiecością. Słyszałam: „Moja złota Jando (ach, to cudne „ł” przedniojęzykowe, które dla mnie było nieosiągalne, którego nie chciałam się uczyć i w swojej głupocie uważałam za bzdurę i szczyt nieprawdy. Mawiałam z pogardą: do muzeum! A bez tego „ł” cały Fredro i Mickiewicz brzmią naprawdę gorzej), nie dość, że jesteś niezdolna, to masz jeszcze nazwisko do cyrku. Umaluj się. (Chodziłam zupełnie nieumalowana i też, szczerze mówiąc, nie bardzo się prywatnie sobą zajmowałam, najważniejsza była „twórczość"). Umaluj się, bo wyglądasz, jakbyś przed chwilą rzygała. Jak chłopcy chcą się z tobą całować? Proszę na moje zajęcia przychodzić umalowaną i być kobietą!".

Nie obrażałam się, bo ją uwielbiałam. Na zajęcia szłam więc pomalowana jak stary płot, aż w końcu jej asystent, Piotr Fronczewski, przeprowadził ze mną poważną rozmowę, w której dał mi do zrozumienia, że przesadzam.

Zapytała pewnego dnia, co chcielibyśmy zagrać na egzaminie. Oczekiwała propozycji scen, nad którymi chcemy pracować. Natychmiast zgłosiłam *Pigmaliona,* scenę, w której Eliza rzuca kapciami w Higginsa. Pani profesor zamarła. Eliza w *Pigmalionie* i Elwira w *Mężu i żonie* były jej największymi rolami, grała je zachwycająco. W jej oczach moja bezczelność nie miała granic. Eliza – uosobienie wdzięku, kobiecości i... ja. Powiedziała: „Jak chcesz, ale nawet najzdolniejsza i najładniejsza studentka, jaką znałam w tej szkole, Ewa Wiśniewska, miała problem z tą sceną". Na każde zajęcia przygotowywałam nową wersję owej sceny i za każdym razem nie pozwalała mi zagrać ani kawałka. Przerywała najczęściej już na samym początku; nie podobało jej się nic. To, na przykład, że wchodziłam w kapeluszu. Krzyczała: „Stop! Zdejmij to ułatwienie z głowy!". Albo: „Stop! Jak ty chodzisz! Eliza chodzi małymi krokami..." – i tak dalej. Przez dwa miesiące nie wyszłam poza pierwsze zdanie sceny. Zaczęła się między nami jakaś tajemnicza walka. Ona przerywała, ja się zacinałam coraz bardziej. Koledzy przed każdymi zajęciami zakładali się, w którym momencie mi przerwie. Wojna trwała.

Kobieta zawiedziona. Próba generalna.
Moja ukochana rola.

Przeczytałam wszystkie dostępne opisy mówiące o tym, jak ona to grała, wypytałam wszystkich pamiętających ją w tej roli profesorów o szczegóły, obejrzałam wszystkie zdjęcia. Wiedziałam wszystko. Postanowiłam zagrać tak, jak ona. Założyłam się z całą szkołą o skrzynkę wina, że tego dnia mi nie przerwie. Cała szkoła położyła się na korytarzu pod drzwiami audytorium. Koledzy z roku siedzieli w napięciu, czekając na rozwój wydarzeń.

Nie zdążyłam wejść, od razu krzyknęła: „Stop!".

Buchnęła salwa śmiechu, koledzy tarzali się po podłodze. Zapytała zdziwiona: „Kto kichnął?". A ja zaczęłam krzyczeć i walić pięścią w jej stół. „Dlaczego? Dlaczego? To niesprawiedliwe! Nie pozwoliła mi pani nigdy zagrać tej sceny! Nawet spróbować zagrać! Przez całe dwa miesiące! Dlaczego pani tym razem przerwała?". Odpowiedziała: „Bo dywanik leżał z lewej strony!".

Po latach dostałam propozycję zagrania w *Mężu i żonie*. Podobno ani przed profesor Romanówną, ani po niej nie było takiej Elwiry jak w słynnym przedstawieniu Bohdana Korzeniewskiego. Wyszukałam w archiwum Kroniki Filmowej dwudziestominutowe nagranie z tamtego przedstawienia, w większości bez dźwięku. Postanowiłam powtórzyć wiernie ten fragment, najdokładniej jak potrafię. Ukłonić się przed nią najgłębiej, jak zdołam.

Dzięki temu fragmencikowi roli rozszyfrowałam interpretację całości, na którą sama bym nie wpadła, a każdego wieczoru, kiedy gram ten fragment, reakcja publiczności jest nadzwyczajna. Dokładnie się sprawdza! Powtarzam wiernie jej modulację głosu, pauzę, zawieszenie i ruch ręki. Zawsze słyszę śmiech, często brawa. *Bravo! Bravo, maestra!*

Bardzo, bardzo dziękuję!

Chopin tęskni za Warszawą

Nie cierpię festiwali. Denerwują mnie. Ale w tym roku Rysio wynagrodził mi wszystko.

Lubiłabym festiwale, gdybym mogła po prostu spokojnie oglądać filmy, zwyczajnie, bezinteresownie, a nie jak „konkurencja", albo na przykład juror. Nie cierpię oceniać innych.

Niestety. Moja obecność na festiwalach związana jest ze „ściganiem się", co pociąga za sobą obowiązek uśmiechania się, odpowiadania – bez prawa odmowy – na wszelkie pytania, bywania na bankietach, fotografowania się z każdym, kto ma na to ochotę, itede, itede...

Zawsze mówiłam: wystarczy pracować, a „rezultaty niech jeżdżą na festiwale same" – jak coś ma być zauważone, to i tak będzie. I zawsze producenci, reżyserzy, koledzy, dziennikarze przekonywali mnie, że jest zupełnie odwrotnie. Że sukces się „robi", że najważniejszy jest festiwal i to, żeby tam być. Moje doświadczenie zawodowe przeczy temu. Wszystkie nagrody, jakie dostałam, dostałam pod swoją nieobecność, większość z nich odebrali za mnie reżyserzy, producenci albo przedstawiciele Filmu Polskiego, i w związku z tym jeżdżę na festiwale tylko pod przymusem, niechętnie, przekonana, że moja rola nie zostanie zauważona, jeśli tam będę. Przynoszę sama sobie pecha albo rozczarowuję, niezarejestrowana na celuloidzie.

Od dawna nie miałam roli na żadnym festiwalu, od trzech, czterech lat dostaję faksy z Kanady, Francji, Niemiec z pytaniami: „Jak pani teraz wygląda?", „Czy moglibyśmy panią zobaczyć?", „Prosimy o ostatnią rolę na kasecie wideo", „Ile pani ma lat?". I tak dalej, i tak dalej...

Jubileuszowy, pięćdziesiąty festiwal w Cannes, zaproszenie przysłane pół roku wcześniej, telefony, listy, naklejki na walizki ułatwiające im dotarcie bez zagubienia na miejsce. Jadę, postanawiam. Pokażę się! Trudno!

Pracowałam ostatniego dnia do późna w nocy. Sobota rano. Samolot mam o dwunastej. Od rana dzwonię, żaden fryzjer nie chce mnie przyjąć, nie mają wolnego terminu. Wreszcie ktoś się lituje... że festiwal... że Cannes... wciśnie mnie jakoś. Próbuję się spakować... Jadę na jeden dzień, myślę, bez przesady! Suknia? Znam Cannes – im bardziej wieczorowa, bogata, ekstrawagancka, wydekoltowana – tym lepiej; na samą myśl już jestem zła – wybieram najskromniejszą, najprostszą, jaką mam w szafie, i czuję się lepiej. Biżuteria? Żadnej. Teraz, omawiana wielokrotnie przez telefon, kreacja do uroczystego, jubileuszowego, zbiorowego zdjęcia „złotopalmowego". Ma być ciemna. Stoję pół godziny bezradna. Potem wrzucam do walizki cokolwiek, jest beżowe. Mam poczucie winy, ale szybko jadę do fryzjera, a potem na lotnisko. Samolot spóźnia się z Paryża, więc wylecimy mniej więcej za dwie godziny. Kupuję biografię Chopina. Zaczynam czytać. Cannes odpływa. W Paryżu nie zdążam z przesiadką. Chopin przenosi się z rodzicami z Żelazowej Woli do Warszawy. Odlatują mi dwa kolejne samoloty do Nicei. Już się nie denerwuję – Chopin odnosi pierwsze sukcesy w Warszawie. W nocy ląduję w Nicei. Zamykam książkę, szczęśliwa, że doleciała za mną walizka. Na lotnisku nikogo nie ma. Nikt na mnie nie czeka. Biuro festiwalowe zamknięte. Do Cannes czterdzieści kilometrów. Widzę chłopaka z plakietką festiwalową, rozmawia przez telefon. Pytam:

– Słuchaj, są tu jakieś samochody festiwalowe?

On mówi:

– Uspokój się, samochody są dla gwiazd! Jedź autobusem!

– A taksówki? – pytam.

Pokazuje palcem.

– Tutaj!

Wsiadam.

– A ty kto? Dziennikarka? Aktorka? – krzyczy za mną.

– Tak! Mam Złotą Palmę! – odkrzykuję.

– Ty! Nie wygłupiaj się! Zaraz zadzwonię do biura! – I biegnie za moją taksówką.

Macham mu ręką, że nieważne, i odjeżdżam. Oglądam znajome widoki – robiłam tu przez sześć miesięcy film dla telewizji francuskiej. Lubię to miejsce, ogarnia mnie wzruszenie.

Cannes. Wchodzę do recepcji hotelu, którego nazwę wymieniano w korespondencji. Nie ma mnie na liście gości hotelowych. Otwieram książkę. Recepcja dzwoni do biura festiwalowego. Chopin wyjeżdża z Warszawy do Wiednia. Po godzinie okazuje się, że czekają na mnie w innym hotelu. Długo opowiadam przydzielonemu mi francuskiemu aniołowi stróżowi, że samoloty, że przepraszam, że przykro mi, on, że czekał na mnie od piątej po południu na lotnisku. Mówi przez telefon, żebym czekała, przyjedzie po mnie. Otwieram książkę. Chopin tęskni za Warszawą.

Wchodzę do swojego pokoju hotelowego. Wszystko przygotowane. Plan jutrzejszego dnia w kopercie w recepcji. Kwiaty w pokoju, jubileuszowa księga festiwalowa, oprawiona w czerwoną satynę, na poduszce. W książce złota zakładka na stronie 117. Tam jest o mnie. Mój podziw dla organizatorów nie ma granic. Anioł pyta, co chcę robić. Jest pierwsza w nocy. Będzie mi towarzyszył. To jego obowiązek. Mówię, żeby szedł do domu. Otwieram książkę. Chopinowi źle idzie w Wiedniu. Myśli o Londynie. Nagle wybuch. Muzyka. Pokaz sztucznych ogni, jakiego nie widziałam nigdy w życiu. Oglądam go z balkonu. Postanawiam wyjść. Słynna ulica Croisette – w tłumie ludzi las Złotych Palm wystrzeliwanych w niebo. Idę sama. Myślę o Chopinie. Nikogo znajomego. Cudowna noc. Jak dobrze.

– Proszę pani! Czy to pani? Jezus, ja zwariuję! Pamięta mnie pani? O matko, nie mogę w to uwierzyć! To ja! Rysio! To wszystko przez panią! No, Rysio! Byłem cały czas z panią przy *Modrzejewskiej*! No jasne, że mnie pani nie pamięta. Miałem trzynaście lat! Uciekłem z domu, żeby z wami być! Ja zwariuję! Pani Krystyno, niech mnie pani uszczypnie! Kupiłem kamerę. Robię reportaż. Mieszkam w Paryżu. Jestem w szkole filmowej. Matko, to pani! Nagrodzili mój pierwszy film w Ameryce. Piętnastominutowy. O świni. Wszystko przez panią! Ja zwariuję! Będę reżyserem!

– Rysiu, jestem zmęczona.

– Odprowadzę panią!

Trzecia rano. Zostawia mnie niechętnie w recepcji. Jeszcze robi sobie ze mną zdjęcie.

Patrzę na plan dnia. Rano słynny seans zdjęć jubileuszowych (wiele „Palm" przyjechało z całego świata, głównie z powodu tych zdjęć, niewiele osób zostaje nawet na wieczorną galę). Wszystko zaczyna się o dziewiątej rano. Później obiad z prezydentem Francji. O szesnastej jesteśmy wolni. Wieczorem gala.

Rysio dzwoni już o siódmej rano. Odpowiadam mu, że nie mogę. Mam zajęcia do wieczora. Nie przysyłają po mnie samochodu. Anioła stróża nie ma. Myślę: przecież to siedem kroków, po co mi samochód. Pałac festiwalowy tak obstawiony policją, że nie mogę się do niego dostać. Na szczęście mam przy sobie całą korespondencję i zaproszenie. Za każdym razem policjant po odnalezieniu mnie na liście wypręża się jak struna, salutuje i pyta, dlaczego nie przyjechałam samochodem. Odpowiadam z uśmiechem: bo mam blisko. On nie rozumie żartu. Zanim wejdę, powtarza się to osiem razy. Osiem uśmiechów nic nierozumiejących policjantów. Nareszcie docieram na miejsce. Zdumiona i zażenowana, obserwuję, jak Bibi Anderson literuje nazwisko i szuka siebie na liście. Wchodzę na salę. Masa luster. Charakteryzatorek gotowych, żeby nas malować. Fryzjerów, żeby czesać. Wchodzę na Davida Lyncha stojącego samotnie w kącie, palącego papierosa za papierosem. Kłania mi się, myślę, że śnię. Ach, przypominam sobie. Przecież dostaliśmy Złote Palmy w tym samym roku. Może mnie zapamiętał. Jest beznadziejnie uczesany. Myślę, że ktoś tutaj go tak fatalnie uczesał i pewnie dlatego Lynch jest taki zdenerwowany. Odwracam się i co chwila myślę, że zemdleję. Gina Lollobrigida, Claudia Cardinale, Antonioni, Vanessa Redgrave wpada spóźniona z jakimś bardzo przystojnym aktorem, nie mogę sobie przypomnieć, kto to jest. Malują mnie. Czeszą. Siadam na swoim krześle do wspólnego zdjęcia. Rząd 2, miejsce F. Patrzę, patrzę i patrzę. Tarantino, Polański, Angelika Houston, Jeanne Moreau, Dominique Sanda, Andrzej Wajda siedzący w pierwszym rzędzie, chyba obok Coppoli, macha do mnie z daleka, rozbawiony moją miną. Gina Lollobrigida pyta, dlaczego ona siedzi z brzegu, Emma Thompson nie pali (chyba jedyna). Boże! Kto to? Kto to? To niemożliwe. Mari Töröcsik, moja ukochana aktorka, właścicielka chyba ze dwóch Palm. Nie mogę od niej oderwać oczu. Zdjęcia. *One, two, three*, zdjęcie, *one, two, three*, zdjęcie. Tak spędzamy dwie godziny. Wychodzę za grupą aktorów idących szybko na obiad... gdzieś tam. Policja zatrzymuje tłumy wrzeszczących ludzi. Dlaczego oni tak krzyczą? Nic nie rozumiem. Idę za grupą, która posuwa się jakoś szybciej. Winda. Korytarz. Winda. Dlaczego oni tak biegną? Jesteśmy w garażu. Rozumiem. Poszłam przypadkowo za grupą ochroniarzy Johnny'ego Deppa, który ucieka z obiadu. Depp gasi papierosa. Wszyscy wsiadają do samochodów. Jego agentka coś strasznie krzyczy. Odjeżdżają. Zostaję sama. Cholera! Jak ja trafię na ten obiad? Może nie pójść? Nie. Irenka Jacob – umówiłam się, że porozmawiamy. Ciągle płacze po Kieślowskim. Ciągle mówi, że on powinien tu być.

Po obiedzie do hotelu, w recepcji Rysio czeka już od kilku godzin.

– Rysiu! Nie trać czasu! Twój reportaż.

Macha ręką.

– A pamięta pani, jak upadłem z herbatą? Powiedzieli mi, że mogę zostać, jak będę nosił herbatę. Matce powiedziałem, że strasznie dużo zarabiam. Pamięta pani, jak zalałem pani herbatą suknię? Wszystko przez panią, będę reżyserem.

– Rysiu, za godzinę mam samochód, który mnie zawiezie pod czerwony chodnik na schodach festiwalowych. Muszę się przebrać.

– Ja się tam nie dostanę, nie ma mowy. Nie mam akredytacji. A ludzie tam już stoją od wczoraj!

Pod słynne czerwone schody jadę z moim aniołem. Samochód festiwalowy jedzie długo wśród tłumu ludzi. Chcę wysiąść i pójść bokiem. Wcisnąć się między Marinę Vlady i egipskiego reżysera. Niezauważona. Zostaję przywołana do porządku przez faceta ze słuchawkami telewizyjnymi na uszach. Mój anioł się uśmiecha. Trzeba poczekać. Powoli. Przyjdzie moja kolej. Każdy musi mieć swoje wejście. Wskazuje mi numer naszego samochodu. Jest kolejność, inaczej im się tam, w telewizji, pomylą nazwiska. Już! Anioł mówi: będę szedł trochę z tyłu, inaczej pomyślą, że jestem pani mężem. Poprawia znaczek festiwalowy. Kroczy przy mnie z dumą. Jestem mu wdzięczna. Krystyna Janda. Rok 1990. Kristina, tutaj! Halo! Halo! Uśmiechnij się! E! E! Ty! Ty! Spójrz na mnie! Pomachaj nam! Madame Janda, uśmiech! Spojrzenie w mój obiektyw! Paaaaaniiii Krryyyyyssssiiiiiuuuu! Tuuuuuu, Ryyyyyssssiiiioooo! Wyyyyżeeej! Jeeeeszcze! Dooobrzeee, żeeee paaaaaniii włoożyyyyłaaaa peeeleeryyynęęęę, boooo ziiiiimnoooo! Niiiieeeech paaaniii paaatrzyyy, jaaak maaarznieeee taaaa zaaa paaaniiiąąą! Wszyscy patrzą na Rysia.

Koniec.

Wchodzę na salę. Koniec. Pokazałam się. Tak wyglądam. Jak gram? W jakiej jestem formie zawodowej? Nie wiadomo! Wracam w nocy. Na moim GSM 11 wiadomość od Rysia. Że byłam super. Otwieram książkę. Chopin postanawia jechać do Paryża, ale nie ma pieniędzy. O ósmej rano budzi mnie Rysio. Że czeka od szóstej w recepcji. Że chce zrobić wywiad. Że przyniósł szampana. Dobrze. Zaraz zejdę. Mam za chwilę samochód. Jadę na lotnisko. W recepcji plik wiadomości. Wszyscy polscy dziennikarze i fotografowie chcą się ze mną zobaczyć. Nie wiedzieli wcześniej, że tu będę. Nie mogę. Staję tylko przed kamerą Rysia.

– Rysiu, widziałeś *Modrzejewską*?

– Nie. Ale pani na planie była super. Jak pani grała, to zawsze pani wierzyłem.

Nicea. Samolot nie odlatuje do Paryża. Ma spóźnienie. Chopin daje pierwszy koncert w Paryżu. Spóźniam się na samolot z Paryża do Warszawy. Lecę jakąś kombinacją. Chopin zdobywa uznanie i popularność w Paryżu. Przylatuję do Warszawy w nocy. Chopin poznaje George Sand. Nie podoba mu się. Nie lubi jej. Przeraża go.

Jadę w nocy sama szosą katowicką do Milanówka. Szybko. Zatrzymuje mnie policja. Dowód osobisty proszę! Policjant otwiera dowód. W dowodzie karteczka włożona przeze mnie jakiś czas temu... „W razie śmierci zgadzam się na pobranie moich organów dla kogoś innego. K.J.”. Policjant salutuje, przeprasza. Niech pani uważa na siebie i jedzie wolniej. Zamyka moje drzwi. Dobrej nocy.

ZŁOTA
PALMA

Moja prawdziwa Złota Palma, zrobiona przez małą Weronikę Olbrychską. Bo tamtej w rezultacie nigdy nie dostałam, mam tylko Dyplom.

Jak świat światem, a teatr teatrem

Gdyby nie wczorajszy dzień, nigdy nie napisałabym tego felietonu. Zaczęło się rano. Ósma. Telefon.

– Krysiu, czy wiesz, że na Teatrze Powszechnym jest napis: „Krystyna Janda jako Maria Callas, Joanna Szczepkowska jako Goła Baba", co ty na to?

Wybucham śmiechem.

– No właśnie, ludzie też się śmieją. Wiem, że się nie lubicie, ale...

– Skąd wiesz, że się nie lubimy? – pytam zdumiona.

– Nieważne. Wszyscy o tym wiedzą.

– To absurd. Co to za pomysł? Kto na to wpadł?

Ósma dwadzieścia.

– Joasiu? Obudziłam cię? Przepraszam! Słuchaj, podobno na teatrze jest napisane w jednym zdaniu „Krystyna Janda...". Co ty na to?

– Tam jest słowo „jako"?

– Podobno.

– To zabawne.

– No właśnie, ludzie się śmieją.

– Nie dziwię się, niech się śmieją. Mnie to nie przeszkadza. Niech tak zostanie.

– Przepraszam, że cię obudziłam.

Czy my się nie lubimy? – zastanawiam się. Skąd coś takiego ludziom przychodzi do głowy? Skąd się to bierze?

Ludzie chcą, żebyśmy się nie lubiły. Poza tym, jak świat światem, a teatr teatrem, towarzyszą mu historie o nienawiściach, konkurencji, niszczeniu się wzajemnym, gigantycznych intrygach. Historia teatru mogłaby zostać przedstawiona jako pasmo legendarnych nienawiści, chorobliwych ambicji, konfliktów i sporów artystycznych, które często owocowały dziełami sztuki. Wielu też spłonęło w tej obłędnej walce, walce o miłość publiczności, co więcej, publiczność te „zawody" uwielbiała i zawsze chętnie dawała się w nie wciągać.

Poszłam kiedyś w Las Vegas na recital Deana Martina i siedziałam wstrząśnięta. Cały pomysł wieczoru był oparty na „mówieniu źle" o Franku Sinatrze. Dean Martin kpił ze wszystkiego: z tego, jak tamten śpiewa, żyje, z jego teściowej, kolejnych żon, a nawet z tego, że prawdopodobnie ma przelotne kłopoty z potencją. Grając pijanego, wyśmiewał się też z alkoholizmu Sinatry. Nigdy nie widziałam publiczności równie zadowolonej i dowartościowanej. Byłam w szoku do momentu, kiedy poszłam na show Franka Sinatry grany w sąsiedniej sali i uczestniczyłam w podobnym wieczorze, którego bohaterem był Dean Martin. Sinatra robił to równie genialnie i z równym wdziękiem, może z wyjątkiem szczegółowego wyjaśniania, który ząb Deana Martina jest prawdziwy, a który sztuczny. Panowie umówili się, poprosili najlepszych specjalistów, żeby napisali teksty, i wykorzystując najniższe instynkty publiczności, zarabiali pieniądze. Byli przyjaciółmi.

Pomysł prawdziwie amerykański. Ciekawe, jak zareagowałaby na to polska publiczność? Popularność brukowej prasy odpowiada nam na to pytanie bez najmniejszej wątpliwości. Wracajmy do wczorajszego dnia.

Dwunasta. Telefon dziennikarki z redakcji jednego z popularnych miesięczników:

– Proszę pani, zajmujemy się zawiścią i zazdrością. Chcielibyśmy panią zapytać, czy w swojej pracy spotkała się pani z nienawiścią, niechęcią, przykrościami spowodowanymi zazdrością ze strony środowiska?

– Ze strony środowiska? Nie, nigdy mnie nic poważnego nie spotkało, tylko żarty, które uwielbiam. Uwielbiam na przykład poczucie humoru Grażyny Szapołowskiej. Kiedyś podczas oficjalnej kolacji w Paryżu, kiedy chwalono moje warszawskie sukcesy teatralne, przerwała znudzona: „Też chyba muszę coś zagrać w teatrze, ale w Śródmieściu..." (jestem aktorką Teatru Powszechnego, który ma siedzibę na Pradze).

Dziennikarka pyta mnie dalej, czy sama jestem zazdrosna.

– Tak! – odpowiadam. – Zazdroszczę wspaniale zagranych ról, pomysłów, na które bym nie wpadła, spokoju, którego mi brak, błyskotliwych spostrzeżeń, które mnie przychodzą do głowy dopiero w domu. Zachwyca mnie wiele rzeczy i wielu rzeczy w związku z tym zazdroszczę.

Szesnasta. Wyjmuję listy ze skrzynki.

Od razu rozpoznaję znane już koperty. Trochę boję się otworzyć. Ciekawe, co tym razem...

„Ty stara k... ty artystyczna hieno. Jak ty śmiesz grać Marię Callas – ty, która jesteś aktorką jednego gestu, tzn. nerwowo wypalanego papierosa. Ty bezczelna świnio – jesteś kompletnie bez głosu. Twój występ w Opolu to po prostu jedna wielka kompromitacja. Gdybyś miała odrobinę taktu i kultury, to dawno byś zeszła ze sceny i poszła na zasłużoną emeryturę. Dobrze, że wielka Ola Śląska nie dożyła tej chwili, kiedy ty, takie potorondzie, taka kuchta artystyczna, gra Callas. Jak ty wstydu nie masz. Jedyna, która mogłaby grać tę rolę, to Agnieszka Fatyga – bo uroda i głos. Ale ty w swej potwornej zawiści i zachłanności zabroniłaś jej występować w telewizji. Życzę ci, żebyś jak najszybciej zdechła w najcięższych męczarniach na raka".

Dziś rano pokazałam ten felieton Joasi Szczepkowskiej.

– A, to ty też dostajesz takie listy? Myślałam, że ciebie to omija.

– Ciekawe, jakie dostaje Agnieszka Fatyga czy Grażyna Szapołowska.

Ten felieton był zupełnie niepotrzebny. Jedyne, co mogę powiedzieć na swoje usprawiedliwienie, to to, że moje felietony ukazują się w rubryce *Emocje*.

W lesie

Całkiem niedawno panowało szaleństwo wahadełka, pamiętacie? Wahadełko można było kupić w sklepie, dostać w prezencie, można je było także zrobić samemu, jeśli ktoś wstydził się kupować. Wszyscy uważali, że mają w dłoniach cudowną moc, i posługiwali się wahadełkiem na co dzień i w każdej sprawie.

Miałam w rodzinie i wśród znajomych wielu mężczyzn, którzy nie rozstawali się z wahadełkiem w ogóle, sprawdzali wszystko. Czy zupa, którą za chwilę zaczną jeść, jest dla nich dobra, którą część ciała oni i ich znajomi mają chorą, czy w domu, do którego weszli, panuje dobra dla nich aura. Pewien mój znajomy przed podróżą samochodem sprawdzał wahadełkiem nad mapą, czy to będzie bezpieczna trasa i gdzie ma uważać szczególnie. Raz nieznajoma pani w kawiarni, w której byłam z nią umówiona, na oczach wszystkich sprawdziła mnie wahadełkiem, czy jestem w porządku, zanim zaczęła ze mną rozmawiać. Życie z wahadełkiem było proste i piękne, można było nie brać za nic odpowiedzialności. Szaleństwo wahadełek, horoskopów, wróżek, jasnowidzów, numerologii jest podobno charakterystyczne dla schyłku wieku. Mówią, że sto lat temu było dokładnie tak samo.

Pamiętacie obłęd z Kaszpirowskim? Dzięki niemu mojej teściowej, inteligentnej i rozsądnej pani, zniknęła blizna na brzuchu i pociemniały na nowo siwe włosy. Pamiętam mój dramatyczny telefon do niej:

– Mamo! Kaszpirowski sobie farbuje włosy, powiedziały mi to charakteryzatorki z telewizji, które go pudrowały przed występem.

Odpowiedziała:

– Może on sobie sam nie może pomóc, kochanie?

Ostatnio telewizja Polsat emituje program pana Nowaka, który leczy dłońmi przez ekran. Któregoś dnia przypadkowo trafiłam na ten program i słyszę, że mam postawić przed telewizorem butelkę wody mineralnej, skupić się i myśleć o mojej dolegliwości. On przez telewizor z tą wodą coś zrobi, potem mam ją pić co dzień rano, po pół szklanki. Złapałam butelkę, krzyczę do mamy i gosposi, żeby robiły to samo. Postawiłyśmy trzy butelki, każda myślała o swojej chorobie. Zaczarował. Tydzień piłyśmy tę wodę i nie było żadnych zmian, a potem się okazało, że pomyliłyśmy butelki i ja piłam wodę gosposi, na jej chorobę, mama moją, a gosposia mamy. Nic dziwnego, że nam nie pomogło. Szczęście, że się nie pogorszyło.

Miałam przyjaciółkę, aktorkę francuską. Strasznie chciała zrobić wielką karierę. Posługiwała się w celu jej osiągnięcia między innymi czarami, kartami, wróżbami, jakąś tajemną mocą, do której ja nie miałam dostępu. Grałyśmy razem w jednym filmie. Każdego dnia przed rozpoczęciem zdjęć stawiała nam obu horoskop na ten dzień, co wieczór po zakończeniu pracy wróżyła i coś czarowała. Wierzyłam w to święcie, bo jej dziadkowie pochodzili spod Białegostoku, a poza tym któregoś dnia rano (film był kręcony w Portugalii i mieszkałyśmy w ekskluzywnym hotelu, przerobionym ze średniowiecznego klasztoru) zobaczyłam, jak z jej pokoju razem z nią spokojnie wyfruwa nietoperz.

Helenka (tak miała na imię) o włosach czarnych jak heban, najdrobniejszych rączkach i stopach, jakie widziałam, nauczyła mnie tajemniczej zabawy, polegającej na zadawaniu czterech niewinnych pytań wybranej osobie:

1. Idziesz przez las. Jaki to las? Jak go sobie wyobrażasz?

Odpowiedziałam: świetlisty, jasny, przyjemny, pachnący, z cudowną polaną.

2. Napotykasz przeszkodę. Jaka ona jest? Co robisz?

Odpowiedziałam: wielki czerwony mur, nie do pokonania. Patrzę w prawo, tam dziura.

3. Wędrujesz dalej, znajdujesz filiżankę. Jaka to filiżanka? Co z nią robisz?

Odpowiedziałam: cudowna, zachwycająca, z białej porcelany. Zabieram ją sobie.

4. Na swojej drodze napotykasz wodę. Co to za woda? Co robisz?

Odpowiedziałam: leśny, krystalicznie czysty strumień. Myję się w nim, a potem piję z niego wodę, jest pyszna, bo piję ją z tej cieniutkiej porcelanowej filiżanki.

Las – to dla pytanego życie, przeszkoda – to kłopoty, problemy, filiżanka – pieniądze, woda – seks.

Lubię się w to bawić. Postanowiłam w imieniu państwa zadać te cztery pytania znanym osobom, które spotkałam w tym tygodniu. Piszę w kolejności ich spotykania. Żaden z moich rozmówców nie wiedział, po co pytam ani co będą symbolizować kolejne pytania. Bawiliśmy się przy tym świetnie. Proszę dalej bawić się bez nas. Tylko nie potraktujcie tego zbyt serio. To wakacyjny felieton. Jestem teraz na urlopie i leżę tyłkiem do góry na plaży. Pa. Ciekawe, w co będziemy się bawić jesienią.

PS Najpierw myślałam, aby zadać te pytania przez telefon kandydatom przed wyborami. Żebyście mieli łatwiej. Ale jakoś mi się odechciało, a poza tym nie mam ich numerów telefonów. W sprawie wyborów idźcie do wróżki!

(las – twoje życie; przeszkoda – kłopoty; filiżanka – pieniądze; woda – seks)

Odpowiadali na te pytania:	**Idziesz przez las. Jaki to las? Jak go sobie wyobrażasz?**	**Napotykasz przeszkodę. Jaka ona jest? Co robisz?**	**Wędrujesz dalej, znajdujesz filiżankę. Jaka to filiżanka? Co z nią robisz?**	**Na swojej drodze napotykasz wodę. Co to za woda? Co robisz?**
Daniel Olbrychski	Las to zapach, jest sucho, a jak pada, jest mokro, i to jest cudowne. Jadę konno i nie chce mi się z tego lasu wyjechać.	Wielki zwalony pień, zsiadam z konia i prowadzę go dookoła.	Filiżanka mała, niebieska. Podnoszę ją delikatnie, w galopie. Stawiam na półce u siebie w domu i nie dotykam jej, tylko na nią patrzę.	Strumień. Straszliwie brudny strumień. Próbuję w nim pływać żabką.

Odpowiadali na te pytania:	Idziesz przez las. Jaki to las? Jak go sobie wyobrażasz?	Napotykasz przeszkodę. Jaka ona jest? Co robisz?	Wędrujesz dalej, znajdujesz filiżankę. Jaka to filiżanka? Co z nią robisz?	Na swojej drodze napotykasz wodę. Co to za woda? Co robisz?
Magda Umer	Piękny las. Mchy, sosny, i nie boję się, bo jest przejrzysty. Leżę na mchu i patrzę na sosny.	Przeszkoda to ogrodzona szkółka leśna, jeśli jest furtka, to idę, ostrożnie, żeby nie uszkodzić sadzonek, jeśli nie ma, wyjmuję skrzydła i lecę.	Duża filiżanka z Ikei, żółta, słoneczko. Biorę ją, bo zbieram filiżanki.	Strumień, który wpada do morza. Rwący. Wszystko ze sobą zabiera, kamienie, ziemię. Nie wchodzę do wody, tylko z nim współistnieję.
Andrzej Dudziński	Las jodłowy, spadziowy, jagodowy.	Okop. Powojenne okopy, próbuję przejść i wpadam do środka.	Znajduję samo uszko od filiżanki, pakuję je do plecaka.	To jest strumyk z potwornie zimną wodą. Usiłuję się w nim zanurzyć, ale wyskakuję, woda jest za zimna. Ale się w niej zanurzam.

Odpowiadali na te pytania:	**Idziesz przez las. Jaki to las? Jak go sobie wyobrażasz?**	**Napotykasz przeszkodę. Jaka ona jest? Co robisz?**	**Wędrujesz dalej, znajdujesz filiżankę. Jaka to filiżanka? Co z nią robisz?**	**Na swojej drodze napotykasz wodę. Co to za woda? Co robisz?**
Andrzej Łapicki	Liściasty. Dębowy. Ciemny.	Zwalone, ułożone drzewa. Omijam.	Filiżanka jest zbita i przypominam sobie, jak po Powstaniu wyniosłem tylko zbitą filiżankę; wkładam ją do kieszeni, na coś mi się przyda.	Woda? Oczko, rzęsą strasznie porosłe. Żaby! I bąbelki! Lubię tę wodę i się jej przyglądam. Nie wchodzę. Kto by wchodził do takiej wody?
Piotr Machalica	Iglasty. Gęsty, pachnący. I jest tak ciepło!	To jest dziwna rzecz. Gęste pokrzywy, że nie można przejść, szeroki na dwadzieścia metrów pas pokrzyw. Chcę przejść, strasznie mnie parzy, ale idę tak długo, aż się skończą.	Filiżanka porcelanowa, Rosenthal, stara, ale zupełnie nieuszkodzona. Biorę ją sobie do domu.	Woda? Jaka woda? Wiecie? Woda w butelce w ogóle mnie nie interesuje.

Odpowiadali na te pytania:	**Idziesz przez las. Jaki to las? Jak go sobie wyobrażasz?**	**Napotykasz przeszkodę. Jaka ona jest? Co robisz?**	**Wędrujesz dalej, znajdujesz filiżankę. Jaka to filiżanka? Co z nią robisz?**	**Na swojej drodze napotykasz wodę. Co to za woda? Co robisz?**
Janusz Gajos	Gęsty, tajemniczy las. Ale są tam takie wolne przestrzenie, takie urocze polany.	Bagnisko, przez które nie można przejść. Próbuję znaleźć obejście, ale jak nie znajdę, to zawrócę.	Piękna, porcelanowa. Jak fajna, to zabieram.	Żywa, czysta woda. Takiej już nie ma. Zażywam kąpieli i odświeżony idę dalej.
Ewa Dałkowska	Liściasty. Widzę go i już się zniechęciłam.	Stara zagroda poniemiecka. Siadam i patrzę. Gwiżdżę na psa. Znajdujemy ścieżynkę. Nie przedzieram się przez chaszcze. Rozglądam się za grzybami przy okazji, kątem oka.	Nowa filiżanka z porcelitu. Ubrudzona ziemią. Bardzo zwyczajna. Przechodzę koło niej i myślę, co spowodowało, że ktoś ją tu przyniósł.	Stawik. Ładny. Obrośnięty drzewami. Można pływać na golasa. Pływam sobie, ale się boję. Woda czysta, a mułu nie dotykam.

Odpowiadali na te pytania:	**Idziesz przez las. Jaki to las? Jak go sobie wyobrażasz?**	**Napotykasz przeszkodę. Jaka ona jest? Co robisz?**	**Wędrujesz dalej, znajdujesz filiżankę. Jaka to filiżanka? Co z nią robisz?**	**Na swojej drodze napotykasz wodę. Co to za woda? Co robisz?**
Zbyszek Zapasiewicz	(długa cisza) Na pewno liściasty, gorący, z piaszczystą drogą. Tylko żeby nie było pory zmierzchu, bo zaczynam się bać.	Przeszkoda to koniec tej drogi. Płot. Nie mogę iść dalej, a boję się wejść za ogrodzenie. Odchodzę, nie idę dalej. Rezygnuję.	Porcelana, bez uszka. Lekko pożółkła. Nie jest tu zostawiona przypadkowo. To ślad ludzkiej obecności. Zostawiam ją tam. Nie dotykam.	Oczko wodne. Błotniste. Z przeprawą dla bydła. Nie nadaje się do odpoczynku. Mętne, muliste. Ładne. Staję i patrzę, nie idę przez nie, mimo że jest płytkie. Nie idę. Nie pociąga mnie ta woda. Widać, że to miejsce nie jest atrakcyjne. Kiedyś było ładne.

Odpowiadali na te pytania:	**Idziesz przez las. Jaki to las? Jak go sobie wyobrażasz?**	**Napotykasz przeszkodę. Jaka ona jest? Co robisz?**	**Wędrujesz dalej, znajdujesz filiżankę. Jaka to filiżanka? Co z nią robisz?**	**Na swojej drodze napotykasz wodę. Co to za woda? Co robisz?**
Maryla Rodowicz	Czarny, ma grube drzewa i boję się go.	Bardzo wysoki, gruby ponury mur. Próbuję się przedostać po konarach, po drzewach. Przechodzę.	Duża, niebiesko-biała. Stara. Prosta. Z grubej porcelany. Zabieram ją.	Duże jezioro z czarną, mętną, głęboką wodą, której się boję. Z roślinami, które mnie mogą złapać za nogę. Nie chcę do niego wchodzić. Uciekam.
Wiktor Zborowski	W ogromnej mierze liściasty. Ze sztuczną polanką utworzoną pod dębem. Zasadniczo suchy las, bardzo przyjazny, dużo światła.	Parów porośnięty gęsto krzakami jeżyn. Omijam.	Nic niewarta filiżanka. Pęknięta. Rozbita na dwie części. Zostawiam ją.	Nieduże leśne oczko z trudnym dostępem do wody. Trzciny. Bagniste brzegi. Zastanawiam się, jak tu wrócić z wędką i sobie połowić.

Odpowiadali na te pytania:	**Idziesz przez las. Jaki to las? Jak go sobie wyobrażasz?**	**Napotykasz przeszkodę. Jaka ona jest? Co robisz?**	**Wędrujesz dalej, znajdujesz filiżankę. Jaka to filiżanka? Co z nią robisz?**	**Na swojej drodze napotykasz wodę. Co to za woda? Co robisz?**
Krzysiek Materna	Puszcza, dzika, poplątana. Mgiełka. Pierwsze promyki słońca się przedzierają.	Ogromne drzewo, zwalone. Natychmiast się wdrapuję. Ześlizguję się, ale walczę. Udaje mi się przejść, jestem bardzo podrapany.	Bardzo stara, popękana filiżanka w niebieskich kolorach. Posklejana, ale bardzo ozdobna. Cieszę się, że ją znalazłem. Myję ją delikatnie, żeby się nie rozsypała. Nikomu jej nie oddaję. To jest moja tajemnica.	Malutkie źródełko, co wypływa spod kamyczków. Obmywam zadrapania po przeszkodach i pomalutku zaczynam pić. Rozsmakowuję się w kryształowo leśnym smaku.

Odpowiadali na te pytania:	**Idziesz przez las. Jaki to las? Jak go sobie wyobrażasz?**	**Napotykasz przeszkodę. Jaka ona jest? Co robisz?**	**Wędrujesz dalej, znajdujesz filiżankę. Jaka to filiżanka? Co z nią robisz?**	**Na swojej drodze napotykasz wodę. Co to za woda? Co robisz?**
Zbyszek Zamachowski	Jesienny zmierzch. Bardzo lubię ten las.	Wzgórek łatwy do pokonania. Ciekawi mnie, co jest za wzgórkiem.	Filiżanka z kredensu mojej babci. Nie jest to subtelność miśnieńska. Fajans. Ulubiony zapach cudownie parzonej kawy zbożowej. Znajduję ją pełną kawy, oczywiście. Wypijam z radością i zostawiam filiżankę dla innych.	Płytka rzeczka. Zdejmuję buty i gmeram nogami w tej wodzie. Rybka czasem przepłynie. Idę dalej boso.

Odpowiadali na te pytania:	**Idziesz przez las. Jaki to las? Jak go sobie wyobrażasz?**	**Napotykasz przeszkodę. Jaka ona jest? Co robisz?**	**Wędrujesz dalej, znajdujesz filiżankę. Jaka to filiżanka? Co z nią robisz?**	**Na swojej drodze napotykasz wodę. Co to za woda? Co robisz?**
Ania Jopek	Las iglasty, województwo siedleckie. Nie zbieram grzybów, absolutnie, niech tata zbiera grzyby. Lubię się zgubić w lesie. Połazić bez celu.	Grząska, mulista rzeczka to przeszkoda. Dzień jesienny, zimno. Przeszkoda nie do przebycia. To dramat. Zimno mi w nogi, ale nic mnie nie gna do przodu, zostaję na swoim brzegu.	Z chińskiej porcelany, smukła, nieduża. Jedyne, co mnie w niej drażni, to że nie ma do niej spodeczka i już nigdy go nie dobiorę. Oczywiście, zabieram jako najcenniejszą zdobycz z lasu. Okazuje się, że po to była ta wyprawa przez las.	Mały, wąski strumyczek w województwie siedleckim. Świetna woda. Na pewno bym się napiła, nie bacząc na wszelkiego rodzaju zatrucia. Spróbowałabym. Lubię się też zapatrzyć.
Janek Englert	Mieszany, oświetlony słońcem. Zbieram grzyby.	Powalony pień. Wdrapuję się na ten pień, chwilę odpoczywam i idę dalej.	Bardzo piękna filiżanka, z wierzchu cała zabrudzona. Czyszczę ją i zabieram ze sobą.	Jezioro. Czyste. Powoli się zanurzam i leniwie pływam.

Wprowadź do pamięci jako nie palić

Nie palę od dwóch miesięcy. Poprzednio nie paliłam trzy razy po półtora roku. Za każdym razem, kiedy byłam w ciąży i karmiłam. Za każdym razem dla kolejnego dziecka gasiłam bez żalu ostatniego papierosa i spokojnie zapalałam po odstawieniu go od piersi. Zapalałam z rozkoszą nieziemską, nieludzką. Wracałam do swojego życia. Teraz przestałam palić, bo miałam poważną miażdżycę.

„Ma pani taką różnicę tętna w obu nogach... Proszę to natychmiast dokładnie przebadać... na to nie ma lekarstwa... amputacja nogi... dieta i nie palić!!!"

Dobrze. Zgasiłam papierosa. Przebadać się dokładniej nie poszłam, bo zajęłam się, jak zwykle zachłannie, przyjemnościami, to znaczy pracą i życiem. Kiedy się nie pali dla dziecka, to co innego. I tak w ciąży nie jest się sobą, jest się tylko cennym opakowaniem. O cudowny okresie ciąży! Czasie, kiedy za nic się nie odpowiada, nic nie jest ważne, tylko to w środku. Kiedy nas nie ma. Ale nie palić bez powodu!? To zupełnie coś innego.

Od dwóch miesięcy żyję „tymczasem" albo „na razie". Nic nie wydaje mi się ważne ani prawdziwe. Przychodzę na śniadanie, spotykam rodzinę, jem, rozmawiam, śmieję się, ale nic z tego nie zapamiętuję bez papierosa. Po śniadaniu wszystkie słowa, myśli, refleksje, „zdarzenia śniadaniowe" gdzieś ulatują, nie zostaje nic. Nie było czasu na zapisanie ich w pamięci. Patrzę na cudowną zatokę, pełną jachtów. Jeden z nich nazywa się „Elektra". Coś zaczyna powstawać w mojej głowie, zaczynam myśleć o pływaniu na tych jachtach. O całorocznym pobycie na wodzie z małymi dziećmi. O tym stylu życia. Nie mogę! Nie mogę! – bez papierosa nic mi się nie układa. Nie potrafię się nad niczym zastanowić! Nie mam żadnych refleksji. Gdzieś idę, biegnę, gnam dalej do czegoś stabilnego, jakiejś chwili stałej, pewnej, spokojnej... z papierosem.

Nie ma mnie. Żyję po wierzchu, bez zatrzymania pracy komputera, bez klawisza: czytaj, co napisałeś, i wprowadź do pamięci w tej wersji. *Save as.*

Tak żyję–nie żyję już dwa miesiące. Piszę teraz–nie piszę – chcę już iść gdzieś dalej. Chcę się zastanowić. Nie mogę. Nie mogę się skupić.

Piszę, bo od wczoraj wiem, że nie mam miażdżycy... i nie wiem, co robić dalej. Dwa dni temu odwiedziliśmy przyjaciół w Schwarzwaldzie, tak zwanym Czarnym Lesie, części Niemiec, w której obok cudownych „okoliczności przyrody" znajdują się najznakomitsze sanatoria. W jednym z nich nasza przyjaciółka jest lekarzem.

– Od dwóch godzin nie zapaliłaś! Nie palisz?

– Nie.

– Dlaczego?

– Bo mam miażdżycę.

– Co masz?

– Miażdżycę.

– Gdzie?

– W nodze.

– Czyś ty zwariowała! Kto ci to powiedział? Zrobiłaś badania?

– Nie.

– Natychmiast jedziemy do kliniki!

Z furią, bez chwili zwłoki, za pomocą najlepszych, zdumiewających urządzeń, w cichym, pustym szpitalu (z powodu reformy ubezpieczeń wszyscy tam z dnia na dzień przestali chorować) zbadała mi wszystko. Obejrzała wszystkie żyły na jakichś monitorach, serce, zbadała tętno we wszystkich nogach i rękach.

– Jesteś obrzydliwie zdrowa. Żadnej miażdżycy. Układ krwionośny i żyły jak u dziecka.

– A może mam coś w żołądku? – zapytałam z nadzieją. Byłam załamana. Dwa miesiące męki po nic. – Pamiętasz, podobno miałam kilka lat temu cztery broczące ranki, każdy papieros mnie wykańczał.

Kolejna seria badań. Nic. Wątroba. Nic. Nerki. Nic. Tarczyca. Nic. Śledziona. Trzustka. Nic. Patrzyła na mnie z coraz większym obrzydzeniem.

– Ale przecież robiłaś mi akupunkturę na bezsenność i mówiłaś, że to przez papierosy.

– To przez głowę.

– Wiesz przecież, że mam jedną nogę ciepłą, drugą zimną, że śpię w jednej skarpecie – broniłam się.

Spojrzała na mnie z politowaniem.

– Jesteś zdrowa jak krowa! Masz tu wszystkie zdjęcia, wyniki, ale nie umiem tego opisać po polsku. Mogę ci zrobić opis po niemiecku.

– A po co mi?

I co mam teraz zrobić? Zostałam jak głupia z tym niepaleniem. Co robić? Marlena Dietrich pisze w swoich pamiętnikach: „Uwielbiam palić! Kocham palić! Nie wierzę, że papierosy szkodzą. Ale nie palę, bo przyrzekłam Noëlowi Cowardowi, że nie będę palić". Może by to komuś przyrzec? Komu? Mężowi? Ale mąż mówi zawsze:

– Krysiu, przecież jesteś dorosła. Rób, co chcesz.

– Nie jestem pewna, czy jestem dorosła. Ty rzuciłeś palenie.

– Mamy małe dzieci. Ktoś musi przeżyć.

PS Kiedy my tu teraz czytamy „Urodę" i nie palimy, oni, ci z jachtów, kończą sezon, na przykład na Morzu Śródziemnym, i zaczynają płynąć w kierunku Karaibów albo Filipin. Poznałam kiedyś Polaków, którzy od lat byli „na wodzie". Mieli trzy łodzie, dwie zarabiały, a oni żyli na trzeciej. Nie mieli nawet mieszkania na stałym lądzie. Mówili, że im to niepotrzebne. Że to kłopot. Nie mogę przestać o tym myśleć.

Zwycięska Callas

Ostatni raz o Callas. Przysięgam! Niedługo premiera, więc skończy się ten obłęd. W samochodzie Callas, w domu Callas, na wideo Callas. Od trzech miesięcy zawsze i wszędzie śpiewa Callas.

Nie znałam muzyki operowej. Z przypadkowo usłyszanymi fragmentami nie kojarzyły mi się żadne tytuły, historie, namiętności zapisane w tych nutach. Znałam to, co było trzeba, z obowiązku, z nauki w szkole muzycznej. Teraz weszłam w ten świat całkowicie. Mogę opowiedzieć wszystkie opery, w których śpiewała, porównuję wykonania, słucham innych śpiewaczek, o których mówię jak Callas – najczęściej pogardliwie.

Świat opery jest fascynujący. Kiedyś denerwował mnie, nie widziałam w nim żadnej urody. Teraz z kilkoma ariami wykonanymi przez Callas pojechałabym na bezludną wyspę jako z jedynymi dziełami sztuki, które chciałabym mieć przy sobie. Co to była za kobieta! Co to był za potwór! Co za zjawisko! Wielkość! (Swoją drogą, myślę sobie czasem, jakiej wiary i naiwności trzeba, żeby ją zagrać! I mieć nadzieję, że ta postać może być godna niej samej. Podobne założenie musi być megalomańskie, ale w dobrym tego słowa znaczeniu. No... ale taki już mój zawód).

Zapanowała nade mną całkowicie i absolutnie. Stałam się jej sługą i zachwyconym wyznawcą. Z trudem próbuję ratować ostatnie chwile rozsądku i zagrać ją „obiektywnie".

Zwyciężyła. Nie tylko mnie.

Dwa miesiące temu kupiłam gwarka, ptaka-naśladowcę dźwięków. Mojemu synowi na urodziny. Weszliśmy razem do sklepu zoologicznego i usłyszeliśmy: „Kuba! Kuba! Halo! Halo! Piwo! Piwo! Bandyto!".

– Co to jest? Kto tak krzyczy? – zapytałam zdumiona.

– Gwarek – odpowiedziała sprzedawczyni i pokazała nam zachwycające, czarne ptaszysko. Przypomniałam sobie natychmiast, że lata temu Basia Wrzesińska miała gwarka, który siedział ciągle w domu sam i nauczył się dźwięków pustego mieszkania w bloku. Wydał mi się najtragiczniejszą istotą, jaką spotkałam. Ptak, który skrzypiał jak szafa, gdzieś z daleka spuszczał wodę, długo dzwonił jak nieodebrany telefon, kapał kropelkami niedokręconego kranu. Zrobił na mnie wielkie wrażenie. Natychmiast podjęłam decyzję.

– Jędrusiu, pozwól mi kupić gwarka na twoje urodziny! Proszę cię. Tak bym chciała, żebyśmy mieli gwarka. Masz dużo czasu, będziesz z nim rozmawiał. Nauczy się śmiać od ciebie.

Zabraliśmy ptaka do domu. Wiozłam go samochodem. Zdenerwowana, bo histerycznie boję się ptaków. Wspomnienie z dzieciństwa – niedorżnięty kogut biegający bez głowy – zostawiło ślad na całe życie. Każdy ptak budzi we mnie przerażenie. Jazda samochodem bardzo gwarka podnieciła. Całą drogę brzęczał jak butelki piwa wiezione w metalowych skrzynkach. Później przez tydzień: „Kuba! Kuba!" – wołał całymi dniami samego siebie. „Piwo! Piwo!" – darł się jak opętany. Moja mama, zmęczona tym krzykiem, mówiła: daj mu piwa, bo zwariujemy. „Parzył" ciągle kawę w ekspresie i wydawał tysiące dziwacznych dźwięków aż do dnia, kiedy po raz pierwszy usłyszał Callas.

Na dźwięk jej głosu stanął nagle dęba, wyprostował się, wyciągnął szyję, wybałuszył oczy i... zamarł. Siedział cicho przez całą pierwszą arię (*Tosca*), po czym zaczęło się... Śpiewał razem z nią, trylował, powtarzał jej dźwięki, naśladował barwę, ścigał się z nią w koloraturach. Największe wrażenie zrobiła na nim Norma, bo aż ucichł. Z konieczności duetu Callas i gwarka słuchałam przez cały miesiąc. Potem zniknęłam z domu na tydzień, a razem ze mną Callas. Kiedy wróciłam, gwarek siedział smutny, osowiały i miał wyrwane pióra z piersi. Źle jadł, denerwował się byle czym i wtedy wyrywał sobie piórka.

Wezwaliśmy lekarza. Diagnoza: gwarek jest to ptak błotno-wodny, potrzebuje więcej wilgoci. Stawiamy miski z wodą, prysznice, wanienki, nawilżacze powietrza koło klatki.

Nie ma poprawy! Wzywamy lekarza!

Diagnoza: złe pożywienie. Musi mieć pokarm z owadami o chitynowych pancerzach. Dwoimy się i troimy, szukamy takiego pokarmu. Okazuje się to trudne. Ale jest! Sukces. Zmiana diety. Owoce egzotyczne i chitynowe owady.

Nie ma poprawy! Wzywamy lekarza!

Opowiadamy lekarzowi o Kubie wszystko ze szczegółami, o jego nawykach, reakcjach, o całym jego krótkim u nas życiu. Że przez pierwszy tydzień nauczył się szczekać jak nasz pies, dzwonić jak nasze telefony i dzwonki do bramy i do drzwi, naśladować ptaki w ogrodzie, no i... Callas. Relacjonujemy, jaki był szczęśliwy, kiedy słyszał Callas.

Diagnoza: może tęskni za Callas? Pozwolić mu słuchać Callas.

Całkowita poprawa!

Radosny, skaczący, o błyszczących piórach, zadowolony z życia ptak. Kąpie się cały dzień i śpiewa.

Najbardziej lubi Mozarta. O boska! *O la divina!* Kochamy cię!

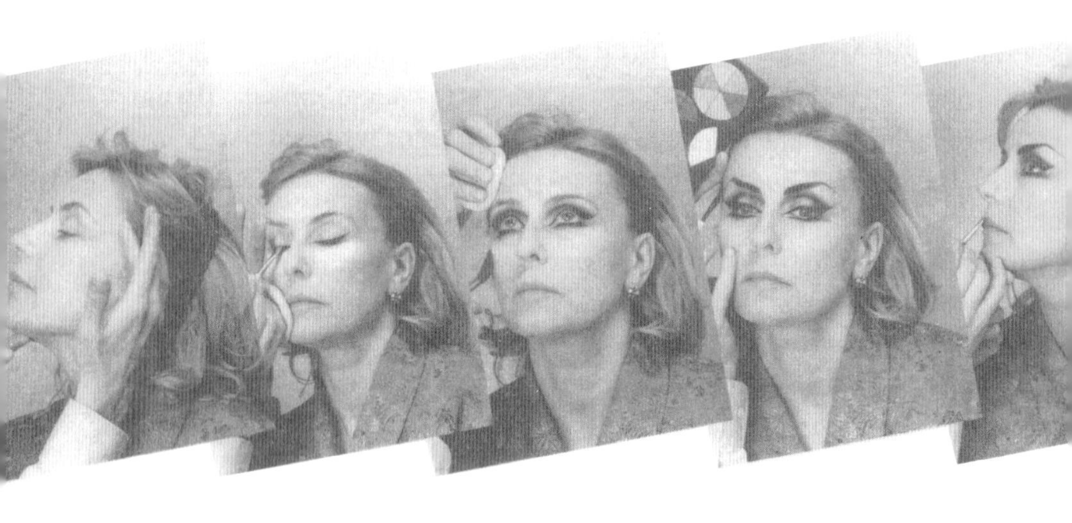

Czy ktoś wie, jak pozbyć się kreta, nie zabijając?

– Nie możesz spać?

– Tak.

– Dlaczego?

– Wydaje mi się, że wszystko jest bez sensu. Wszystkim się martwię. Może to jesień. A ty nie masz problemów?

– Nie. Chciałbym tylko, żeby ten kret wyprowadził się z naszego ogrodu.

– Nie śpij, porozmawiaj ze mną!

– O czym?

*

– Na ile ja lat wyglądam?

– Na dwadzieścia.

– Przestań! Rozmawiaj ze mną poważnie!

– Rozmawiam poważnie.

– Podobam ci się jeszcze? Co sobie myślisz, kiedy mnie widzisz? Co byś sobie myślał, gdybyś mnie nie znał?

– Ale cię znam. Ten kret zrobił znowu dwa nowe kopczyki! Idę, nasypię mu tego proszku, co śmierdzi.

*

– Słuchaj, kiedy do ciebie mówię! Zawsze, jak zaczynam mówić, ty gdzieś odchodzisz. I żeby ci coś powiedzieć, muszę iść za tobą!

– Ale słucham. Chciałem tylko iść odkręcić wodę, postanowiłem zalać go wodą. Ale cały czas cię słucham.

*

– Czy kiedy czytałeś *Hamleta,* rozumiałeś historyjkę? Bo ja nie.

– Nie pamiętam.

– Słuchaj, ludzie, moim zdaniem, nie rozumieją tej najprostszej historyjki, ani w *Hamlecie,* ani w *Makbecie,* a my się zajmujemy piętrami interpretacji, czy Hamlet się waha, czy nie waha, a oni nie rozumieją, przed czym się waha. Wszystko jest bez sensu. Trzeba im najpierw zrobić tak, żeby rozumieli najprostsze.

– Mówią, żeby włożyć śledzie do korytarzy. Że one tego nienawidzą. Mamy śledzie?

– Nie wiem. A po przeczytaniu *Makbeta* wiedziałeś, że oni próbowali już raz go zabić? Że była taka próba? Ja nie. To czego my od ludzi chcemy? A może to ja jestem wyjątkowo głupia?

– Możliwe.

*

– Boże, jaka znowu zła recenzja. Chyba oni mają rację. To jest za proste. Za prawdziwe, za zwyczajne. To nie jest „sztuka"! Czy nie masz wrażenia, że oni pogardzają realizmem, generalnie?

– Nie, oni chcą zrobić z awangardy główny nurt teatru, a to bzdura. Mam wrażenie, że jest ich kilka w tym miejscu.

– Kogo?

– Kretów.

*

– Czy ciebie też wszystko nudzi? Nie mogę obejrzeć żadnego filmu, żadnego Teatru Telewizji. Już tylko dokumenty mnie zatrzymują na chwilę.

– Wiesz, Elżbieta Grocholska je łapie. I wywozi do lasu.

– Wszystko mnie denerwuje, nie mogę przeczytać żadnej książki, nudzi mnie każda wymyślona historyjka, a na samą myśl, że miałabym przeczytać wiersz, robi mi się niedobrze. Myślisz, że się starzeję?

– Nie, masz nerwicę. Będę codziennie strzygł trawnik. Podobno wtedy się wynoszą, bo je denerwuje hałas.

*

– Kochasz mnie jeszcze?

– Kocham. Jak spektakl?

– Dobrze, ale nie wstali.

– Jak mogli!

– Nie, źle gram. Nie mogę się skupić. Jestem beznadziejna.

– A co kret? Zrobił nowe kopce?

– Nie wiem. O której mam cię odebrać z lotniska?

– Spróbuj nasypać mu jeszcze tego proszku. I polej wodą.

*

– Dlaczego ze mną nie rozmawiacie! Musimy rozmawiać ze sobą! Jak pytam, co w szkole, co słychać, nie odpowiadajcie mi jednym słowem! Bo mnie lekceważycie! Nikt się mną nie przejmuje!

– Zostaw dzieci, chłopcy mają swoje sprawy.

– Tak, ale jeżeli nie będziemy w domu opowiadać o swoich problemach, to wszystko będzie beznadziejne. Musimy sobie pomagać!

– Ale oni nie mają problemów ze sobą, a ty masz. Daj im spokój. Mnie męcz. Ja się poświęcę. O czym chcesz porozmawiać?

– O krecie!

*

– Sąsiad opowiadał mi, że całe wakacje polował, nigdzie nie wyjechał. I złapał je wszystkie.

– Zabił je?

– Nie. Chyba nie. Nie wiem.

– Słuchaj, ja już ze sobą nie mogę wytrzymać. Jak mam wychodzić na scenę i ludziom coś mówić, jeśli sama jestem beznadziejna? Jak mam mieć przekonanie, że jestem kimś wyjątkowym i mam do tego prawo?

– Dopiero teraz masz takie wątpliwości? Gratuluję.

*

– Wszystko wydaje mi się bez sensu. I głupie. Ja sama jestem głupia. Mam napisać felieton. I znów nie interesuje mnie nic oprócz mnie samej. Starzeję się? Wczoraj przyszła dziennikarka i zapytała, czy nie mam uczucia, że jest mnie za dużo, że za dużo gram!

– Było ją wyrzucić.

– Nie, tłumaczyłam się, że koleżanka złamała nogę i muszę grać, że teatr to mój zakład pracy, że inni nie mogą, bo są zajęci. Chciało mi się płakać.

– Ale bilety są sprzedane. Zobacz! Sukinsyn przeszedł na drugą stronę ścieżki! Ja tego sukinsyna!... Są jeszcze świece dymne? Ja go!...

– Przestań, znowu się poparzysz!
– Wszystko mi jedno!
– Porozmawiaj ze mną!!! Zostań tu!
– Dobrze, ale o czym mam z tobą rozmawiać?

*

– Proszę państwa. Jest jesień. Mam wątpliwości na każdy temat. Znowu nie umiem pisać o niczym innym, tylko o sobie. Jakim prawem mogłabym przypuszczać, że kogokolwiek to zainteresuje? Kim trzeba być? Jakim trzeba być? Jak wielką trzeba mieć odporność psychiczną, by wierzyć, że można sobą zainteresować innych, przez tyle lat? Patrzę dookoła siebie. Książki, stosy nieprzeczytanych książek, tak dawno nie byłam w teatrze, bo sama ciągle coś gram. Gdy ostatni raz byłam w kinie, wyszłam w połowie filmu, kiedy bohaterowi siódmy raz kołdra zamieniła się w pustynię (*Angielski pacjent*). Nowości oglądam na wideo „na szybkim biegu", i musi być nie lada co, żebym zwolniła. Nic nie wiem, nic nie rozumiem, tracę wiarę. I entuzjazm. Jak mogę myśleć, że mój punkt widzenia, moja wyobraźnia, moja interpretacja może kogoś zająć za 20 złotych od biletu? Jedyna moja nadzieja jeszcze w tym, że i wy macie podobne problemy. Ale wątpię.

Czy ktoś wie, jak pozbyć się kreta, nie zabijając go?

PS Wykręćcie jakiś niedobry numer telefoniczny. I posłuchajcie, jak ta pani mówi: „Nie ma takiego numeru...". Zachwyca mnie ta interpretacja. Jest w niej wszystko. Nostalgia, tajemnica, przeznaczenie, nieuchronność, nieuchwytność, żal i smutek, a jednocześnie pocieszenie. Wykręcam taki numer kilka razy dziennie i uczę się.

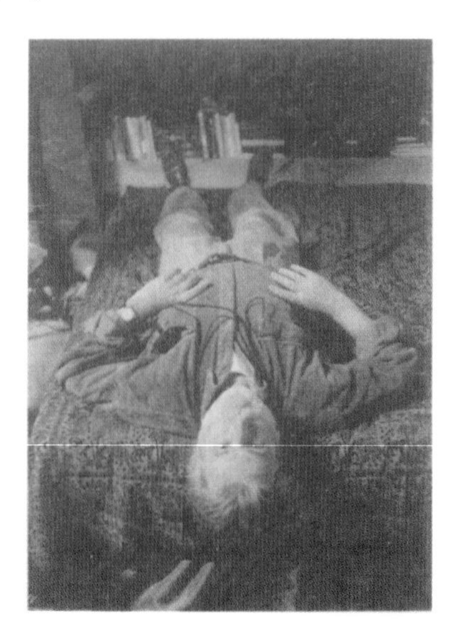

Ani piękna, ani młoda

Nagrywam dla telewizji *Fizjologię małżeństwa* Balzaca. Czytam i czytam, godzinami. W średnim planie, w pełnym planie, na zbliżeniu. Całymi dniami, umiem już tę książkę na pamięć.

Jest to fascynująca lektura, zdumiewająca. Książka napisana pozornie przeciwko kobietom. Przewrotna, czarująca, błyskotliwa i dowcipna analiza zachowań kobiet, ubrana w formę poradnika dla mężczyzn – mężów. Jak je zdobywać, zatrzymać tylko dla siebie i żyć z nimi. Z kobietami! Z kobietą! Skarbem największym dla mężczyzny!

Zdrada jest wpisana w literaturę, tradycję i historię francuską. Kobieta jako cud, rozkosz, niekonsekwencja, dobro, zło, cel najwyższy, racja istnienia. Istota tajemnicza, rozkosznie kapryśna i skomplikowana, ze wszech miar interesująca. Stworzona do miłości, ze zdradą w naturze urodzona, co dodaje jej tylko uroku. Sztuka życia, miłości, konwersacji, kokieterii i uwodzenia doprowadzona do doskonałości i dla niej stworzona. Z całkowitą znajomością – podziwianego przeciwnika... „Mężczyzna nie powinien się żenić, jeśli nie zna anatomii kobiety i nie sekcjonował przynajmniej jednych zwłok kobiecych" – pisze Balzac. Zachwyca mnie lekkość i to coś, nieobecne w naszej tradycji i literaturze, w której obok słowa „miłość" zawsze jest gdzieś w pobliżu słowo „obowiązek", a obok zdrady – dramat i śmierć.

Czytam i czytam, jak wybrać żonę, jak się jej podobać, ile razy w tygodniu myć głowę, żeby nie być dla niej „przykrym", czytam o „teorii łóżka", „teorii migreny", o „kochanku" – jak z nim walczyć i wygrać i tak dalej, i tak dalej. Od dwóch tygodni. W nocy przychodzę do domu i otwieram zostawione przez mamę pisma dla kobiet (które, nie wiem, czy zauważyliście, bardzo chętnie przeglądają mężczyźni). Uderzają mnie tytuły: Mąż pod kontrolą / Co robić, żeby był zadowolony? / Jak być dla niego atrakcyjną? / Jak przetrwać zdradę? / To moja wina / Jak nie utonąć w samotności? / Samotne matki / Wypijmy za błędy, i w końcu reklama pralki z hasłem – „Testowana na mężczyznach"! Te wszystkie gazety mówiące kobietom, co mają robić, aby były młode, atrakcyjne, interesujące i przez niego pożądane, mówią im jednocześnie, że są one beznadziejne. Że są beznadziejne i muszą się zmienić, poprawić i starać dla niego.

Istnieją kobiety, które są zawsze same, nawet jeśli żyją w udanym, jak się to określa, i wartościowym związku. Ale to, co robią, co myślą – ich mężczyzny czy mężczyzn nie interesuje. Znam takie, które nigdy nie są same. Na czym to polega? Na urodzie? Młodości? Piersiach? Nogach? Tak, ale przez pierwsze dwa tygodnie, a potem na czymś bardzo, bardzo prostym. Na stosunku do świata i życia. Na tym, że ich mężowie, kochankowie, mężczyźni oprócz tego, że je, jak mówią, kochają, także je lubią. Po prostu. Spotkałam wiele takich kobiet w życiu. Ani mądrych, ani pięknych, ani młodych, a ich towarzysze życia nie mogli się obyć bez nich ani przez chwilę. Mimo że nie dbały o swoją sylwetkę, źle gotowały, nie umiały się ubrać i nie bardzo się nawet tymi mężczyznami zajmowały. Na czym to polega?

Przychodzi mi wiele przykładów do głowy, ale jednym z najbardziej fascynujących w moim wspomnieniu jest pani Zofia Jamry. Pamiętamy ją wszyscy z filmu *Zakazane piosenki* jako atrakcyjną blondynkę, Marię Kędziorek. Pani Zofia była całe lata gwiazdą Operetki Łódzkiej. Mówią, że jej pojawienie się na Piotrkowskiej paraliżowało ruch na ulicy. Podobno jako pierwsza rozebrała się na scenie. Było to bodaj w roku 1953, siedziała, tyłem przy lustrze, śpiewając w *Madame Pompadour.* Dziś jest (jak to ładnie napisać, żeby jej nie urazić?) panią w latach. Poznałam ją na planie filmu *Modrzejewska* i przegadałam z nią wiele chwil. Zachwycała nas wszystkich, bawiła, rozśmieszała do łez, a kiedy znikała, tęskniliśmy do niej tak jak jej (wiele lat zresztą od niej młodszy) mąż, który towarzyszył jej całymi dniami na planie, często samotnie w samochodzie z ich ulubionym psem. Czekał po to, żeby po ujęciu móc znowu z nią być albo jej w czymś pomóc. Nie spuszczał żony z oka, śmiał się ciągle na nowo z jej opowiadań, patrzył zachwycony, jak gra, chłonął, dbał o wszystko, pomagał we wszystkim. Zmieniał na jej nadwerężonym podczas pracy barku bandaże. Przybiegał z gorącą herbatą i tęsknił podczas dłuższych ujęć.

Patrzyliśmy na to wszyscy zafascynowani, a ona opowiadała, opowiadała. Że chciałaby ochrzcić swojego ukochanego psa, bo jest pewna, że ma duszę, że zaczęła pertraktacje z proboszczem. O ugotowanym na przyjęcie daniu, które było tak okropne, że nikt go nie mógł zjeść. Komentowała wszystkie wydarzenia polityczne, i chciałabym, aby panowie zajmujący się polityką usłyszeli jej opinię o wielu sprawach. Myślę, że stanęliby jak wryci ze zdumienia. Opowiadała z miłością do świata, ludzi i wszystkiego, co jej ten świat przynosił.

Zapytałam niedawno mojego znajomego, który po wielu latach małżeństwa z kobietą niezwykłą i fascynującą rozwiódł się i związał z kimś, kto nie dorównuje tamtej ani urodą, ani inteligencją, niczym – dlaczego to zrobił. Odpowiedział: czy ty wiesz, co to za ulga budzić się co rano obok kogoś, kto jest uśmiechnięty?

PS. Od *Modrzejewskiej* upłynęło wiele lat. W tym czasie dotarła do mnie wiadomość, że mąż pani Jamry umarł i że ona to bardzo przeżyła. Dziś w nocy otworzyłam jakąś gazetę zostawioną znów w kuchni przez mamę. Zobaczyłam uśmiechniętą i szczęśliwą panią Zofię i wywiad, w którym mówi, że znowu przeżywa wielką miłość. Ale to jeszcze drobiazg. Żałuję, że nie możecie zobaczyć, jaki ten nowy pan jest na owych zdjęciach zadowolony! Podobno spotkali się na spacerze z psami! Ja też jestem szczęśliwa, bo przed chwilą otworzyłam list od jakiegoś dwunastolatka, w którym jest zdanie: „Moi koledzy mają Pamelę Anderson, a ja mam Panią...". No proszę! Idę to pokazać mężowi.

PS Przed chwilą mąż powiedział mi, że pies na pewno ma duszę w przeciwieństwie do niektórych kobiet. Ale ma duszę nieskalaną grzechem pierworodnym, w związku z tym nie potrzebuje chrztu.

Na planie filmu „Modrzejewska" poznałam panią Zofię Jamry.

Moje dzieci, cudze dzieci i ja

Mówię zawsze, że nie wychowuję swoich dzieci, że wychowują je inni, ale cały czas wierzę, iż to nieprawda. Spędzam w domu bardzo mało czasu, właściwie nigdy mnie tam nie ma. A jeśli chwilę jestem, stanowię problem, incydent, zaburzenie na tle spokojnego życia. Moje pomysły i projekty, moja witalność podobają się dzieciom, ale one wolą, żeby były realizowane beze mnie. Mówią: „Babciu! Tato! Chodźcie z nami! Tylko nie mama! Bez mamy! A czy mama idzie?". Pytają, bo jeżeli z mamą, to inni zwracają na nas uwagę, jest niepotrzebne zamieszanie, a dzieci tego nie lubią. Dzieci lubią spokój – żeby było tak jak zawsze i żeby się nie odróżniać od innych.

Nie mogę spełnić żadnego z tych warunków. W rezultacie jest tak, jakby przed oczami moich dzieci odgrywał się „teatr" mojego życia, tylko że to nie jest teatr.

Dziecka nie można oszukać, dziecku nie można skłamać głosem, tonem, miną, wobec dziecka nie można „grać", bo ono nigdy w to nie uwierzy – nawet w najlepiej zagraną rolę. To widz, który wykrywa fałsz bezbłędnie i natychmiast.

Nie kłamię, nie gram, niczego nie ukrywam. Żyję, reaguję, martwię się, wzruszam, oburzam i płaczę często w ich obecności. I tak je wychowuję. Czy są świadkami wszystkiego? Oczywiście nie. Czy jest w tym jakaś metoda? Żadnej, ale – moim zdaniem – dla dziecka, dla jego nadzwyczajnie czujnego oka i ucha, to jest metoda.

Dziecko uczy się przez obserwację. A skoro tak, to jakimi ludźmi powinniśmy być, żeby wychować nasze dzieci? Albo raczej – jaką walkę powinniśmy toczyć przed oczyma naszych dzieci, żeby być ludźmi doskonałymi? Nie, prawdziwymi... Najważniejszą sprawą – jak zawsze uważałam – i w rozwoju dziecka, i w wychowaniu niezbędną, jest poczucie bezpieczeństwa (najszerzej rozumiane). Zawsze wydawało mi się, że umiem moim dzieciom zapewnić poczucie bezpieczeństwa, stałość uczuć, nienaruszalność hierarchii, zorganizować cały system praw i obowiązków. Mimo że mnie nie ma. Kiedyś przeczytałam w jakiejś książce: „Zanim powiesz dziecku *nie*, zastanów się, czy na pewno *nie* i dlaczego *nie*... W ponad pięćdziesięciu procentach przypadków to może być *tak*. I z tym jest dużo łatwiej...".

Wielokrotnie przepraszałam dzieci za swoje pomyłki i niesprawiedliwości. Przychodziło mi to z trudem, a one to widziały i doceniały. Myślę, że moje dzieci mnie kochają. Myślę, że mnie szanują i nie lekceważą. Myślę, że potrafię je rozśmieszyć, ale bywa i tak, że się mnie boją – mnie jedynej. Myślę, że zapamiętują wszystko: co mówimy o książkach, jak komentujemy filmy, jak jemy, jak całujemy się z mężem, jak sadzimy z moją mamą drzewa, jak rozmawiamy przez telefon, jak płakałam, gdy zginął pies, jaka jestem smutna po nieudanej premierze. Nie wiedzą dokładnie, o co chodzi, ale zapamiętują. Nawet nie wysilam się, żeby im cokolwiek tłumaczyć.

Wierna swojej „filozofii" wychowywania dzieci posłałam mojego starszego synka (młodszy jest jeszcze w przedszkolu) do szkoły integracyjnej. Takiej, w której razem z dziećmi zdrowymi uczą się dzieci chore, opóźnione, kalekie, dzieci z zespołem Downa. Uznałam, że to będzie prawdziwa wartość w jego życiu, zrozumie i nauczy się wiele dzięki kontaktowi z tymi dziećmi.

Miałam rację – to niezwykła szkoła, niezwykłe miejsce. Byłam na uroczystości zorganizowanej przez tę szkołę z okazji Dnia Matki. Siedziałam godzinę, słuchając i oglądając występy: wiersze, tańce i piosenki, wykonywane przez szczęśliwe, uśmiechnięte „kalekie" dzieci, uczone z mozołem, latami, podstawowych, elementarnych funkcji życiowych. Siedziałam wśród ich matek – także szczęśliwych, uśmiechniętych, z wyciągniętymi rękami, powtarzających każde słowo, każdy gest swojego dziecka, gotowych pomóc w każdej chwili, w każdym momencie. Płakałam przez tę godzinę w plecy mojego synka, siedzącego mi na kolanach i zachwyconego występem.

Uciekłam jak najszybciej – z moimi łzami zupełnie nie na miejscu. Jadąc do teatru, myślałam o swoich problemach z premierami, rolami, o nocach przepłakanych z powodu niedobrych czy niesprawiedliwych recenzji, wyjazdach na długo z powodu jakichś głupich festiwali, o wywiadach, ambicjach, paznokciach, włosach, ubraniach, godzinach na to straconych, zdjęciach... Jakie to ma znaczenie wobec problemów tych kobiet, które całe życie, każdą chwilę, każdą radość, każdą ambicję zawodową, każde marzenie zamieniły na służenie kalekim dzieciom i wysiłek, by jakoś je wychować? Dzieci, które bez swoich matek nie mogą żyć, są całkowicie od nich zależne, a matki – skazane na swe dzieci. I nie mogłam zapomnieć tych uśmiechniętych, szczęśliwych – mimo wszystko – twarzy.

Kiedyś sfotografowali się we troje i dali mi to zdjęcie na imieniny, podpisując: To wszystko Twoje!

Więc tak, to wszystko moje!!!

To Marysia ich wychowała. Mamusia zamyślona pali. Nie przeszkadzać.

W Krakowie z dziećmi. Chyba mam jakiś problem. A co ja robię w Krakowie z dziećmi?

Będą jeszcze niespodzianki

Powiedzieć o nim, że jest wspaniałym aktorem, to banał.

A właściwie, co to znaczy: „wspaniały aktor"? Coś z tymi przymiotnikami przy nazwiskach jest nie tak, że pozwolę sobie na dygresję, istnieje tu pewna niejasność. Bo „wspaniały" to dobrze, no i w dodatku bezpiecznie, „fenomenalny" – lepiej, tyle że trochę specyficznie, i równie bezpiecznie, „wielki" – tego określenia używa się w stosunku do trzech, czterech nieżyjących; gdyby użyć go dzisiaj, byłoby bardzo niebezpieczne; „popularny" – średnio, właściwie nie wiadomo, czy to dobrze, czy źle, ale bezpiecznie, „znany" – całkowicie bezpiecznie i przyjaźnie, „dobry" – godnie, ale jak na nasze czasy zbyt szaro, „gwiazda" – oto słowo najczęściej używane, bez znaczenia, bez zobowiązań, całkowicie bezpieczne i całkowicie pozbawione oceny (o mnie na wszelki wypadek pisze się: „najgłośniejsza aktorka swojego pokolenia", co znaczy chyba, że najgłośniej krzyczę, bo nie wiem, co by to miało znaczyć innego, ot, taki jakiś przymiotnik dodany z konieczności). No więc powiedzieć o nim: „wielki aktor" to banał. Jest aktorem cudownym, nieobliczalnym, zaskakującym i kochanym przez publiczność. Od Janka Kosa, poprzez wiele innych ról, Tureckiego, do mojego oprawcy w *Przesłuchaniu* i wszystkich ról pochodnych, a skończywszy na bezradnym i zagubionym, wzruszającym bohaterze Kieślowskiego. Przez te wszystkie wielkie role – z najcudowniejszym dla mnie przystankiem – rolą w *Baalu* Brechta, w spektaklu Piotra Cieślaka w Teatrze Powszechnym, której nie zapomnę do końca życia.

Janusz Gajos. Ostatnie lata zawodowe spędzam, grywając często jego żony, ostatnio „panią Makbetową". To całkiem przyjemne zajęcie, a mąż poza sceną i ekranem jest miłym, cichym, ujmującym i wzruszającym swoją skromnością kolegą, z tak zwanym zajobem, czyli przyjaźnią z komputerem. Komputerem – jego miłością, jego cierpieniem, przyjacielem, wrogiem, nałogiem, nauczycielem cierpliwości i pokory, towarzyszem nieprzespanych nocy. Jedynym tematem jego opowiadań.

Kupił go kiedyś w Ameryce. Stało się to na moich oczach. Zawsze lubił zabawki. Budziki, aparaty fotograficzne, okulary, wyszukane notebooki, termosy, walkmany, słuchawki. Mam gdzieś jego zdjęcie, śpiącego w autobusie ze słuchawkami na uszach, w specjalnych jakichś okularach słonecznych, z aparatem fotograficznym w ręku i kamerą na kolanach. A kiedy patrzę na to zdjęcie, słyszę, jak dzwoni w jego kieszeni maszynka, która mu przypomina o jakimś terminie jego własnym głosem. Nigdy nie zapomnę pewnego lotu do Ameryki i z powrotem, podczas którego Janusz „obcował" sobie ze swoim przyjacielem komputerem. Na nieszczęście wszystkich pasażerów klasy biznesowej wgrał sobie w przyjaciela śmiech swojej ukochanej żony Elżbiety, który odzywał się za każdym razem, kiedy się Janusz pomylił. Śmiała się i śmiała, a gdy wreszcie zasnął w powrotnej drodze, obudził nas wszystkich jego przypominacz z kieszeni i radosnym głosem Elżbiety zawiadomił: „Witaj w domu!...". A mieliśmy siedmiogodzinne opóźnienie. Śmiałam się z tego długo, i tym razem bezduszność elektronicznych przyjaciół wydała mi się zachwycająca. Komputer Janusza. Wydaje mi się, że go znam. Jest mi bliski. Wiem, co się w nim kryje i jakie ma wady. Wiem, że kiedy się zbuntuje, Janusz dzwoni do pewnego znajomego w Chicago, ojca chrzestnego tego skomplikowanego urządzenia, żeby coś zaradził; drogo wypada, ale nieważne. Wiem, że Janusz z najwyższą pokorą pobierał w domu lekcje obcowania ze swoim skomplikowanym przyjacielem. Lubię go. Ale nie sądziłam, że spotka mnie taka niespodzianka.

Nigdy nie uważałam się za demona seksu, lecz komputer razem z Januszem postanowili to zmienić i obdarzyli mnie niespodziewanie, kilka nocy temu, ciałem Cindy Crawford. Nie mogę ochłonąć do dzisiaj, dlatego to państwu pokazuję, szczególnie że zapowiadają się nowe niespodzianki.

PS Niedawno ukazała się okładka w jakimś „Życiu na Gorąco", a na niej portret mój i mojej córki, która mnie obejmuje. Tylko że moja głowa była ze zdjęcia chyba pana Małeckiego, Marysi, przypuszczam, ze zdjęcia Renaty Pajchel, a ręce całkiem nieznajome, z długimi czerwonymi pazurami, których moja córka nigdy nie miała, i ze zdumiewającym zegarkiem. Była to całkiem ładna praca jakiegoś komputera, i mogę się jedynie cieszyć, że nie obejmuje mnie na przykład Jerzy Urban.

Jak u strusia albo u ptaka

Zostałam niedawno babcią, moi mali synowie wujkami. Patrzą na to nasze małe dziecko i na Marysię, ich siostrę, z niedowierzaniem. Wczoraj usłyszałam:

Jędrek: – Adaś, skąd się biorą dzieci?

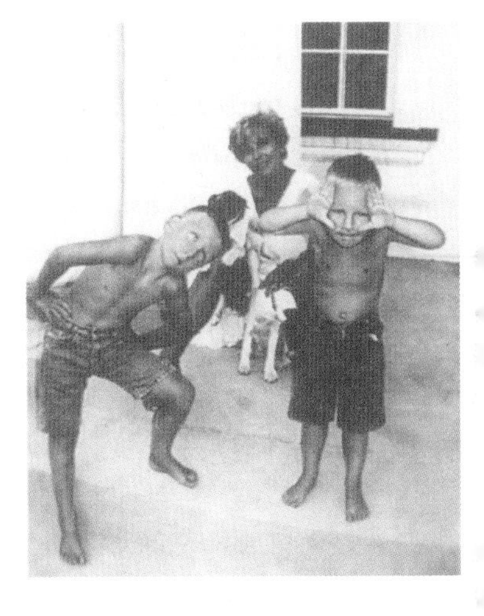

Adaś: – Normalnie, z brzucha.

Jędrek: – Jak z brzucha?

Adaś: – No, normalnie, najpierw jest, o, takie małe, o, tyciutkie, nie dziecko, tylko takie małe coś.

Jędrek: – Co?

Adaś: – Jak u strusia albo u ptaka.

Ja: – Jajeczko.

Adaś: – Tak. U kobiety jest takie coś, taki koszyczek, i takie małe podobne do kijanki płyną i tam się nie mogą przedostać, a jak się przedostaną, to jest to jajko, i z tego się robi dziecko.

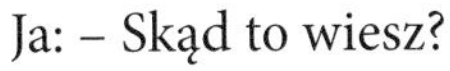

Ja: – Skąd to wiesz?

Adaś: – Z *I kto to mówi.*

Jędrek: – I takie też było w *Beethovenie dwa*, mamo, tam były te kijanki!

Ja: – A skąd te kijanki?

Adaś: – W takiej wodzie. U mężczyzny w ogóle tego nie może być. W kobiecie jest taka rzeka i te kijanki są w niej.

Ja: – Ale skąd one się tam biorą?

Adaś: – Już tam są?

Ja: – Nie, one najpierw, te kijanki, muszą być u mężczyzny, a potem się przedostają do kobiety, żeby było dziecko. Żeby było dziecko, musi być i kobieta, i mężczyzna.

Jędrek: – Jak one się tam przedostają, mamo?

Adaś: – Gupi, to jest taka wielka miłość, że się to nagle robi, to wszystko. Że nagle to dziecko powstaje, z miłości!

Jędrek: – Ale jak? Mamo!?

Ja: – Wiecie, co to jest seks?

Jędrek: – To jest taka gra komputerowa! Seksy, to jest seks, ona się tak zaczyna, mój kolega ją ma.

Adaś: – To jest kochanie albo coś koło tego. Po angielsku to jest albo kobieta, albo mężczyzna.

Jędrek: – Jak to jest, że z tego kochania robi się dziecko?

Adaś: – No taka wielka miłość, że nagle tego...

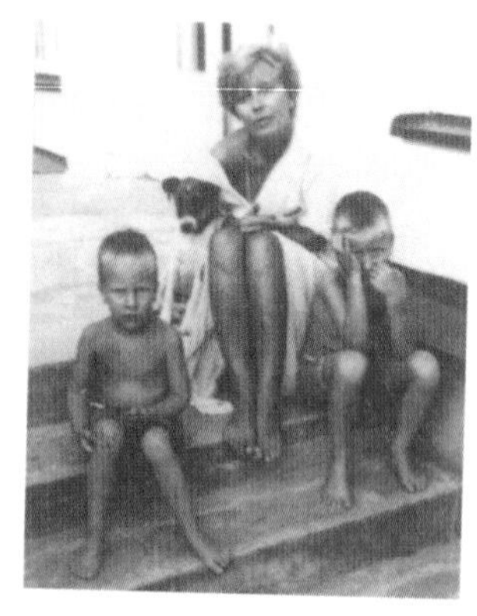

Ja: – Czasem nie ma miłości i jest dziecko. Słyszycie w telewizji, że jakiś mężczyzna zgwałcił kobietę i może być z tego dziecko, co to znaczy?

Adaś: – Jak zgwałcił kobietę, to już koniec. To już nie będzie tego pokolenia po niej. Bo jak nie ma kobiety, to już nic nie ma. To to pokolenie nie może się rozszerzać.

Ja: – Adasiu, co to znaczy „zgwałcił"?

Adaś: – Zabił albo coś.

Ja: – Mylisz „zgwałcił" ze „zgładził". „Zgwałcił" w tym wypadku znaczy, że uprawiał z nią seks na siłę.

Adaś: – Aha, tak.

Ja: – Co to znaczy uprawiać seks, uprawiać miłość, kochać się, iść z kimś do łóżka? Co kobieta z mężczyzną robią w łóżku?

Jędrek: – Śpią!

Ja: – Tak, ale jeszcze czasami coś innego tam robią, jak im się nie chce spać.

Adaś: – No, całują się i w ogóle.

Jędrek: – Uprawiają seks! Tak, mamo? A co to znaczy?

Ja: – Mężczyzna ma siurka, prawda, a kobieta ma nie siurka, tylko przeciwnie, prawda...

Adaś: – Ja wiem! Żeby powstało dziecko, to musi się tak stać, że siurek się wyprostuje i zrobi się duży. Jędrkowi się tak czasem robi.

Ja: – Tak, ale wy jesteście jeszcze mali i czasem wam się tak robi bez powodu, a dorosły mężczyzna, jak widzi kobietę, która mu się podoba, kiedy czuje, że się zakochuje, zaczyna pragnąć mieć z nią dziecko, i siurek mu się prostuje, wypełnia tymi kijankami. Wtedy kobieta i mężczyzna całują się, pieszczą, kochają, i ten siurek mężczyzna wkłada do tej dziurki, którą ma kobieta. Wtedy cały organizm mężczyzny wykonuje taki skurcz i wypycha te wszystkie kijanki do tej rzeki w kobiecie. W kobiecie ta rzeka zaczyna szybko płynąć i unosi te kijanki w głąb. Kijanki starają się dostać do tego jajeczka-koszyczka, co jest w kobiecie, i jeśli się to którejś uda, to będzie dziecko.

Jędrek: – Muszą się kochać, żeby było dziecko?

Ja: – Niestety, nie, ale to wszystko jest naprawdę piękne i przyjemne, jeśli się oboje kochają.

Adaś: – A Marzena powiedziała na religii, że jak się leży w łóżku z inną kobietą niż żona, to wiesz...

Ja: – I co powiedziała Siostra?

Adaś: – Że to jest grzech, a cała klasa się śmiała.

Ja: – Bo im pewnie było głupio, że się o takich rzeczach rozmawia publicznie.

Jędrek: – Mamo, a jak ja widzę w telewizji, że się całują, to mi takie pioruny po głowie latają!

Ja: – Jakie pioruny?

Adaś: – No wiesz, taki się czasem jakby skurcz w głowie robi.

Jędrek: – Tak mi się coś przyciska w głowie.

Adaś: – A mnie to też jakby takie ciarki w głowie przechodziły.

Ja: – To może ktoś w tej telewizji wam się tak podoba, jakaś kobieta?

Jędrek: – Nie, mnie się podoba Marysia i ty, tylko gdybyś miała dłuższe włosy...

Adaś: – Mnie też byś się podobała z dłuższymi włosami.

Ja: – Dobrze, będę zapuszczać.

Adaś: – Mamo, wiesz, że Jędrek raz polizał Łukasza?

Ja: – Dlaczego to zrobiłeś?

Jędrek: – Bo go lubię.

Ja: – A wiecie, że są mężczyźni, którym się nie podobają kobiety, tylko inni mężczyźni, i są kobiety, które wolą inne kobiety od mężczyzn, i chcą się z nimi całować?

Adaś: – Tak, ja to wiem. Oni się tacy rodzą, że tak wolą. A jest ich dużo?

Ja: – Nie. Ale też mogą być w ten sposób szczęśliwi, tylko nie mogą mieć dzieci.

Adaś: – A niektórzy nie chcą mieć dzieci i idą do szpitala na operację czy coś.

Ja: – To jest poważna sprawa, o tym porozmawiamy później.

Jędrek: – Wiem, co sobie takie dziecko w brzuchu myśli. Ono rusza rączką i myśli, że to jest trzecia nóżka, ha, ha...

Adaś: – Co to jest kondom?

Jędrek: – Adaś, nie pytaj się o takie głupoty!

Ja: – To jest takie gumowe opakowanie na siurka, żeby te kijanki się nie przedostały do kobiety i żeby nie było dzieci, których ktoś nie chce.

Adaś: – Pokażesz mi takie opakowanie?

Ja: – Tak.

Adaś: – A co się z nim potem robi?

Ja: – Wyrzuca. Ale wiecie, że jest też tak, że ludzie się najpierw bardzo kochają, żenią się i potem pewnego dnia przestają się kochać i rozwodzą się?

Jędrek: – Tak, Jurek tak miał z rodzicami.

Ja: – Uważacie, że to źle, że ludzie się nie powinni rozwodzić?

Jędrek: – Tak.

Ja: – Ale wiecie, że ja też kiedyś miałam innego męża?

Adaś: – Mamo, nie przejmuj się, tata też miał inną żonę.

Ja: – Tak, ale uważacie, że źle zrobiłam, że nie powinnam się rozstawać z ojcem Marysi?

Adaś: – Nie, tylko dobrze, że zrobiłaś to tak dawno, bo potem to już by ci było głupio.

Ja: – Chcielibyście mieć żony i dzieci?

Jędrek: – W życiu! Ja się brzydzę!

Ja: – Jasne, teraz jesteś mały, ale kiedyś kogoś pokochasz, zobaczysz, jakie to jest fantastyczne. Teraz kochasz mnie, tatę...

Jędrek: – Babcię bardziej.

Adaś: – Ja też nie lubię dziewczyn.

Jędrek: – Aha, mamo, jeszcze jedno, ja ciągle myślę, kim był ten „nieznany żołnierz"...

PS Widzę, że jeszcze kilka trudnych rozmów przede mną. Pozdrawiam.

Marysia dzwoni ze szpitala, dowiaduję się, że jestem od godziny babcią. Na planie Balzaka „Fizjologia małżeństwa".

Jaka jest dzisiaj

Jest marzec 1998 roku. Siedzimy przed magnetofonem i znowu chcę się dowiedzieć jak najwięcej o Krystynie Jandzie, tym razem tej z roku 1998. Poinformowała mnie bowiem od razu, że jest dziś innym człowiekiem.

Krystyna Janda – „inny człowiek" – odchowała w tym czasie dwóch małych synków (Adaś chodzi już do szkoły, Jędrek wkrótce pójdzie), doczekała się ślubu córki Marysi i narodzin jej córeczki Leny (mówiąc bez osłonek – wnuczki, lecz jakoś nie chce mi to spłynąć spod pióra), ujawniła kolejne talenty. Pisze felietony, zapowiadające być może następną fazę posługiwania się piórem, reżyseruje przedstawienia teatralne i telewizyjne, zrealizowała film. „Inny człowiek" – co mnie zaskoczyło – nie lubi tamtego, który otwarcie i szczerze opowiadał o sobie przed laty. Zapytałam, dlaczego nie lubi tamtej siebie? Odpowiedź wyjaśniła niewiele. Nie lubi, bo się zmieniła – i kropka.

Ja nadal lubię obie. Tę nową, dzisiejszą, i tamtą, dokonującą rekapitulacji swego życia w ważnym momencie naszej historii, tuż po wielkim przełomie. A jaka jest ta nowa – spróbuję dociec w tym wywiadzie (po drodze przeszłyśmy na ty).

W innej skórze

– Krysiu, opowiedziałaś mi kiedyś o pewnym pomyśle w związku z *Dwojgiem na huśtawce*. Przedstawienie dawno zeszło z afisza, lecz w tamtej propozycji było chyba coś więcej niż tylko chwyt teatralny.

– Pomysł wziął się stąd, że chociaż lubiłam grać dziewczynę z tamtej sztuki, od początku niezupełnie do niej pasowałam. Gizela ma dwadzieścia osiem lat, jest wychudzona, bo choruje na wrzód żołądka, a ja byłam wtedy niebywale żywotną, trzydziestoparoletnią kobietą tuż po urodzeniu dziecka. Reżyserował przedstawienie Andrzej Wajda. W czasie prób popatrywał na mnie z zakłopotaniem i mówił: „Krysiu, może byś włożyła na suknię jakieś bolerko, bo jesteś taka cielista" – co miało być delikatną aluzją, że jestem za tłusta. Zresztą dzięki temu, że nie bardzo byłam do Gizeli podobna, nauczyłam się czegoś, co potem ogromnie mi się przydało: w trakcie spektaklu przerzucałam się jakby z postaci w osobę, Krystynę Jandę, i natychmiast wracałam do postaci. Na pytanie partnera, ile mam lat, odpowiadałam: „dwadzieścia osiem", po czym wyskakiwałam z postaci, grałam prywatny komentarz do tej informacji, i porozumiawszy się z publicznością, wracałam do roli Gizeli. Grałam z Piotrkiem Machalicą (to mój ulubiony partner). Przedstawienie szło bardzo długo, ponad sto razy. Zaczęliśmy się wreszcie trochę starzeć i trochę się tych ról wstydzić. Pomyślałam, że można by zrobić coś takiego: zagramy z Piotrkiem pierwszy akt, potem zdejmiemy kostiumy i przekażemy je na oczach widzów młodszym kolegom, którzy dograją przedstawienie do końca. Później będzie szło już bez nas. Andrzej jednak się nie zgodził, nie wiem dlaczego.

– Potem przyszły następne role, nowe doświadczenia. *Kotka na rozpalonym blaszanym dachu*, klasyka amerykańskiego teatru.

– Nie przepadałam za tą rolą. Nie odważyliśmy się pokazać, o co tam naprawdę chodzi. Ukrywaną tajemnicą rodziny jest przecież homoseksualizm młodszego syna. Właśnie z tego powodu jego żona, którą grałam, czuje się niespełniona, nieszczęśliwa. Dziś można by było te sprawy przedstawić otwarcie, bez niedomówień.

– Muszę też odnotować *Śmierć i dziewczynę*. Ta pierwsza w Polsce prywatna produkcja teatralna skończyła się skandalem. Byłam na konferencji prasowej, którą po premierze zwołał producent. Oskarżył wtedy reżysera Jerzego Skolimowskiego o działanie na szkodę przedstawienia. Ze zdumieniem usłyszałam słowa: „Moje pieniądze, mogę wyrzucić, kogo zechcę". I wyrzucił Skolimowskiego, który też występował w tym spektaklu. Grałaś główną rolę kobiecą.

– Prawdę mówiąc, nie mam ochoty o tym mówić, wobec mnie wszyscy zachowywali się bez zarzutu.

– Czy podobne, nie najlepsze doświadczenia zdecydowały, że zwróciłaś się w stronę sztuk jednoosobowych?

– Zaczęłam wcześniej, pierwsza była *Biała bluzka*.

– Wielkie afisze w mieście obwieszczają właśnie trzechsetne przedstawienie *Shirley Valentine*. Czy przewidywałaś aż taki sukces?

– Ani przez chwilę. Tekst *Shirley*, od początku przeznaczony dla mnie, leżał długo w teatrze, lecz nikogo nie interesował. Żył wtedy jeszcze Zygmunt Hübner, ale nie bardzo miał ochotę na podobne przedstawienie. Potem przeczytał sztukę Andrzej Wajda i zawstydził się, że ktoś mógł coś podobnego napisać. Naprawdę, nawet się zaczerwienił. Maciej Wojtyszko, który w końcu spektakl reżyserował, też nie wykazywał specjalnego zapału. Przypomniałam sobie o *Shirley*, kiedy byłam w ciąży. Nie mogłam grać, pomyślałam więc, że przygotuję taką zabawkę dla własnej przyjemności. Bawiło mnie, że mogę się znaleźć jakby w innej skórze. Ale najzabawniejszy okazał się fakt, że to niechciane przedstawienie do dziś przynosi mnie i widzom tyle wzruszeń, teatrowi widzów i pieniędzy, a krytykom okazji do konstatacji, że to moje szczytowe osiągnięcie... Nawet socjologowie kultury zainteresowali się fenomenem popularności *Shirley*, nie mówiąc o psychiatrach, którzy zaczęli przysyłać na spektakl swoje grupy terapeutyczne.

– Ogromny sukces u publiczności podleczył chyba również rany, które zadali ci po premierze krytycy...

– Nie zostawili na mnie wtedy suchej nitki. W gazecie stawiającej dziś przy tym spektaklu pięć gwiazdek ukazała się po premierze recenzja już nawet nie miażdżąca, lecz pogardliwa. Pamiętam pełne obrzydzenia słowa: „Zapach podpaski unoszący się..." i tak dalej.

– Jakie są, twoim zdaniem, przyczyny popularności Shirley?

– Chodzi może o to, że ludzie zapominają, iż są w teatrze. Jeśli istnieje coś takiego jak żywy teatr – to chyba jest to. Oczywiście od *Shirley* do wielkiej literatury bardzo daleko. Ale to świetny tekst. I mądry.

– A co *Shirley* daje tobie jako aktorce?

– Pomaga mi zachować dobrą formę zawodową.

– Z *Shirley* i *Kobietą zawiedzioną*, teraz także z *Callas*, wyjeżdżasz często poza Warszawę. Dla pieniędzy?

– Wyjazdy są opłacalne, ale najważniejsze jest, że tylu ludzi chce mnie oglądać. Mam zawsze na widowni komplet, nawet jeśli gram o dwunastej w południe w sali na tysiąc osób. Poza tym są to wyjazdy prestiżowe, te spektakle są przewożone w absolutnie niezmienionym kształcie, nieraz i za ocean. A dzięki temu, że przynoszą dochód, towarzyszą mi w podróżach wszyscy. Pełna obsługa techniczna. Można je nazwać poważnymi trasami teatralnymi, szczególnie że często jedzie kilka spektakli naraz: *Shirley, Callas, Kobieta zawiedziona*.

– *Kobieta zawiedziona*: adaptacja książki Simone de Beauvoir, powieści u nas mało znanej i podobno nudnej. Trochę ryzykowałaś.

– Wyczułam, że to jest dobry temat na dziś. Niekochana, porzucona kobieta zaczyna sobie uświadamiać, że musi istnieć osobno, jako niezależny człowiek. Aktualny problem, także w Polsce.

– Pachnie feminizmem...

– „Newsweek" i kilka pism francuskich napisało nawet w tym duchu artykuły o mnie i o tym spektaklu. Ale to przede wszystkim piękny i ważny temat. Mnie feminizm – taki prymitywny, powierzchowny – po prostu wkurza. W *Kobiecie zawiedzionej* spodobało mi się najbardziej, że ona nie oskarża mężczyzny, lecz szuka winy w sobie. Grany jest zresztą w Europie monodram Simone de Beauvoir, utrzymany w innym duchu: że mężczyźni to łobuzy i dranie, trzeba się uniezależnić, żeby im przywalić. Postać z mojego monodramu uważa natomiast, że mężczyzna jest wspaniałą istotą, a kobieta powinna się postarać, by nie być od niego głupsza. Wtedy nic z jego strony nie będzie mogło jej zagrozić. I okazało się, że podobna refleksja ściąga ludzi do teatru. Bo w teatrze zawsze chodzi o to, żeby trafić w coś, co ludzi nurtuje. A czy to będzie monodram, czy duże przedstawienie – nie ma znaczenia. No i myślę, że nieźle to gram. Znalazłam dobry ton do rozmowy z ludźmi.

– Praktycznie wyglądało to tak, że na twoich monodramach były komplety, na wieloosobowych sztukach, granych w tym samym teatrze – nie zawsze.

– Ja też grałam w tamtych sztukach.

– Między monodramami wyreżyserowałaś Na szkle malowane. Reżyserski debiut, tym razem naprawdę duże życiowe ryzyko. W czasie prób robiłaś wrażenie nieustraszonej, ale tuż przed premierą usłyszałam od Marysi: mama płacze ze zdenerwowania.

– To miał być pomysł repertuarowy dla teatru, nie przychodziło mi do głowy, że mogłabym reżyserować.

– Serio?

– Naprawdę. Już trochę zapomnieliśmy, jaki to był trudny okres. Ponure nastroje, pesymizm, beznadziejność. W puste miejsce po dawnym systemie wlewały się amerykanizmy, swojskość nagle straciła na wartości, jakby to był śmietnik. I wtedy przyszedł mi na myśl tytuł: *Na szkle malowane*. Coś jasnego, wyrażającego dumę z czegoś, co jest nasze. Dopiero kiedy okazało się, że nie ma chętnego reżysera, dyrektor Krzysztof Rudziński zaczął się zastanawiać, czy nie mogłabym tego zrobić ja. A kiedy już wiedziałam, że będę reżyserować, poszło błyskawicznie. W ciągu tygodnia przygotowałam adaptację tekstu, znalazłam jako wykonawców muzyki zespół „Krywań", dotarłam do właściwego choreografa. Miał za sobą lata pracy w „Mazowszu" i „Śląsku", przedstawienie zawdzięcza mu bardzo wiele. W niespełna dwa miesiące nauczył zespół góralskich tańców, wymagających ogromnej sprawności fizycznej, a znajdowali się w tym gronie i tacy, którzy przedtem mieli trudności ze sforsowaniem schodów.

– Byłam na którejś próbie i widziałam, jak aktorzy z własnej inicjatywy ćwiczyli w czasie przerwy...

– Bo tylko prawdziwi zapaleńcy zdecydowali się wziąć udział w przedstawieniu. Tacy, którym po prostu odbiło, kiedy usłyszeli tę muzykę i przeczytali tekst. Najprawdziwsi entuzjaści.

– Po premierze widzowie nie chcieli puścić aktorów ze sceny. Któryś góral próbował nas wreszcie przepędzić okrzykiem „A pódzies"...

– Tak, to był oszałamiający sukces. A potem co wieczór sala tańczyła i śpiewała z nami.

– Krysiu, na razie dosyć o teatrze, chcę cię teraz zapytać o coś innego. Z obecnej wersji naszej wspólnej książki usunęłaś pewne fragmenty, dotyczące twojego pierwszego męża, Andrzeja Seweryna. Dlaczego?

– Wydały mi się za ostre. A generalnie – nie podobam się dzisiaj sobie z tej książki. Jestem już innym człowiekiem.

– Jakim?

– Chyba dużo łagodniejszym. I niewykluczone, że trochę zmądrzałam.

– Powiedziałaś niedawno w pewnym wywiadzie radiowym: trzeba być młodym, żeby być odważnym. Czy ma to jakiś związek z twoim „łagodnieniem"?

– Innymi słowy – czy złagodniałam, bo zaczęłam się bać? Niekoniecznie. W tamtym wywiadzie mówiłam wyłącznie o sposobie uprawiania sztuki.

– Na pewno nie złagodniałaś wobec mediów... Dzwonisz po policję, kiedy widzisz jakiegoś „paparazzo", który próbuje sfotografować twój dom, wdrapawszy się na latarnię.

– A co więcej – policja przyjeżdża. Media stały się żarłoczne, trzeba się przed nimi bronić. Zbudowałam więc wokół ogrodu mur, zamknęłam bramę i pozwalam ją przekroczyć tylko w wyjątkowych wypadkach. Przyrzekłam to moim bliskim, mamie, mężowi, dzieciom. Nie chcą, żeby nasza prywatność stała się własnością publiczną, i ja ich rozumiem.

– Zaczęłaś natomiast pisać sama o sobie w felietonach, drukowanych najpierw w „Szpilkach", a teraz w „Urodzie". Oczywiście prawdę, ale czy do końca? Bo – owszem – coś osobistego, ale tylko tyle, ile sama zechcesz. Prawie zwierzenia – ale zaraz unieważniasz je autoironią. O lękach i rozczarowaniach najwyżej żartem, bo przecież w felietonach trudno inaczej... Czy to nie jest po prostu czarująca maska?

– A jednak w tych tekstach można znaleźć więcej prawdy o mnie niż w wywiadach. Najwięcej mówi ton, wyraźnie autoironiczny. Na myśl o czymś zasadniczym, serio, robi mi się dziś po prostu niedobrze.

– Rozumiem, jesteś innym człowiekiem; ale ciągle nie mam pełnej jasności – jakim?

– Po pierwsze – jak zapewne zauważyłaś – rozmawiając z tobą, nie palę papierosów.

– Wzmocnił ci się charakter?

– Papierosy przestały mi być potrzebne, bo się nie denerwuję.

– Inaczej mówiąc, po prostu mnie olewasz.

– Kto wie, czy nie wszystkich...

– Powinnam chyba w tym momencie odnotować w nawiasie, tak jak to się robi w wywiadach: (śmiech).

– A poważnie – po prostu czuję się wolna. Jest taki czarny dowcip: ja się nie boję, ja mam raka. Ja się nie boję na podobnej zasadzie: bo już nic nie muszę.

– Nie musisz grać, reżyserować?

– Nie mam w sobie ani wilczego głodu „tworzenia", ani przekonania, że jestem wyjątkowa, a więc świat by stracił, gdybym się z nim sobą nie podzieliła.

– Nie musisz niczego zdobywać, bo albo wszystko osiągnęłaś, albo masz w zasięgu ręki. Ale co by było, gdyby to, co zdobyłaś, zaczęło cię zawodzić?

– Mój dzisiejszy problem polega na tym, że robiąc coś dalej, mogę mało zyskać, a bardzo dużo stracić. Widziałam takie przypadki. Wielu aktorów i reżyserów w pewnym momencie rezygnuje, bo nie chcą podjąć podobnego ryzyka.

– Wtedy przestają publicznie istnieć. Nie wiem, czy zdobyłabyś się na taką decyzję.

– Wcale nie muszę istnieć publicznie! Mogę się nie ruszać z Milanówka, siedzieć w altanie i czytać książki.

– Nie byłabym taka pewna... Grasz, bo lubisz.

– To prawda, uwielbiam wychodzić na scenę, uwielbiam grać, ale to, co chcę i jak chcę, w tonacji, którą uważam za właściwą. Więc to jednak wolność.

– W granicach uzależnienia... Podobno artysta czuje się raczej sługą niż panem własnego talentu, jest pod presją swego rodzaju wewnętrznego przymusu. Twojego zawodu bez publiczności uprawiać się nie da.

– Zgoda, ale to jest tak, jakbym widzów zapraszała do siebie z wizytą. Za tydzień zagram znowu Callas, będzie przyjemnie, i nic więcej. A kiedyś to nie była przyjemność, lecz tak jak mówisz: absolutny wewnętrzny mus. Dzisiaj już nie. Wiem, kim jestem, i wiem, kim nigdy nie będę.

– Myśląc o sobie jako o aktorce, porównujesz się z naszymi aktorami czy z aktorami o światowej renomie?

– Ze światem oczywiście. I porównując się ze światem, widzę, że nie mogę startować w tym wyścigu. Między mną a Meryl Streep jest taka odległość, że nie mam żadnych szans. Nie tylko dlatego że ją wspomaga cały system, a mnie nie; po prostu ona jest nieporównanie lepsza.

– Lekcja realizmu czy pokory?

– Realizmu. Mam swoje miejsce w światowych encyklopediach filmu, a przecież nie mogłam o tym nawet marzyć, kiedy zaczynałam. Ale jestem tam dzięki temu, co zrobiłam kiedyś, przed ćwierćwieczem. Patrząc z perspektywy świata, wszystko, co miało się stać, już się stało.

– Boli, że nie więcej?

– Nie boli. Nie było można więcej.

– Powiedziałaś w *Tylko się nie pchaj*, że na Zachodzie pracujesz dla pieniędzy, u nas nie zawsze. A dziś, kiedy twoje kontakty z Zachodem osłabły?

– Muszę teraz również u nas dla pieniędzy, ale o ileż przyjemniej u nas niż tam!

– Akceptowałaś kiedyś swój stan posiadania nie bez oporów etycznych. A dzisiaj?

– Mam duży dom, jego utrzymanie kosztuje, ale poza tym mój sposób życia nie różni się zasadniczo od tego, jak żyją inni, którzy w obecnych warunkach „sobie radzą". Nie jadam frykasów, nie mam ogromnej ilości ubrań, nie zapewniam dzieciom nadmiernych luksusów. A dom wziął się stąd, że pracowaliśmy z mężem długie lata za granicą. Zarobiliśmy pieniądze ciężką pracą, a nie sposobem, synekurą, robieniem interesów i czym tam jeszcze dziś się je zdobywa. Jeśli jest w tym jakiś problem, polega na czymś innym. Jako aktorka zarabiam tyle, ile urzędnik państwowy. Jak porównać to, co robię na scenie, z pracą urzędnika, wydającego jakieś decyzje, czasami dobre, a czasami złe albo takie, które jutro anuluje jego następca? Ile są warte mój wysiłek psychiczny i wzruszenie publiczności? Zdarzają się wieczory, kiedy wolałabym umyć podłogę na scenie, niż stanąć przed publicznością i zagrać. Wtedy myślę, że nie ma takich pieniędzy, które mogłyby opłacić gwałt, jakiego muszę na sobie dokonać.

– Zgodziłaś się jednak, że grasz, bo lubisz...

– Tak, dlatego jutro i pojutrze widzowie zobaczą mnie znowu, ale kosztuje mnie to coraz więcej. Nie mam już w sobie dawnej naiwności, która pozwalała mi eksploatować własną psychikę bez oglądania się na cenę, jaką się za to płaci. Ale też przez te lata doprowadziłam niemal do doskonałości umiejętność gospodarowania swoimi emocjami. Kiedy się gra tak dużo i tak „do końca", trzeba to umieć.

– Krysiu, przez minionych pięć lat odnosiłaś sukcesy, ale nie tylko. Role w *Makbecie* i w *Matce swojej matki* (film Roberta Glińskiego), inscenizacja Panny Tutli-Putli i reżyseria Pestki spotkały się z krytycznym przyjęciem prasy, mediów.

– Zdaniem krytyków były to moje przegrane, ale na przykład roli w *Matce swojej matki* ja za klęskę nie uznaję. Ty też uważasz, że to była zła rola?

– Tak, mimo że taka kolorowa. Bawiłaś się nią, rysując w istocie karykaturę zamiast postaci tragicznej.

– Bo grałam postać z innego filmu. Ale to nie ma znaczenia. Do dziś uważam, że beze mnie byłoby nudno. To był pokaz mojej sprawności zawodowej. Jeśli źle użytej – trudno. Wielu widzów uwielbia tę rolę. Ale z drugiej strony, czasem ludziom podoba się byle co.

– Nie ma dobrej roli, jeśli zaprzecza logice opowiadania, najwyżej „pokaz sprawności", a to nie to samo. Ale zostawmy nieszczęsną *Matkę swojej matki*, długo nie pożyła. A rola w *Makbecie*?

– Przez całe życie zarzucano mi brak aktorskiej subordynacji. Słyszałam, że nie umiem się podporządkować koncepcji reżysera, zwłaszcza jeśli jest niedoświadczony i młody. Tym razem postanowiłam więc podporządkować się całkowicie. Wysłuchałam, co, zdaniem reżysera, myśli Lady Makbet oraz jak to należy zagrać, i zastosowałam się ściśle do wskazówek. Zresztą nie tylko ja, również Janusz Gajos grający Makbeta. To wszystko. Ale lubię tę rolę. Ciągle coś sobie sprawdzam wobec publiczności.

– Zapytałam cię w „Kwestionariuszu osobowym", co uważasz za swoją największą klęskę. Odpowiedziałaś: „Mówią, że *Panna Tutli-Putli*, ale ja nie wiem". Co sama o tym myślisz?

– Lubię ten spektakl, uważam, że tekst nie zawiera więcej, niż z niego wydobyłam. Istotnym składnikiem przedstawienia miał być jednak wdzięk artystów.

Tymczasem nie wytworzyła się taka atmosfera, jak przy pracy nad *Na szkle malowane*. Nie zaiskrzyło. Zabrakło lekkości.

– Za *Pestkę* otrzymałaś na festiwalu w Gdyni nagrodę za debiut. Byłam tam wtedy i obijała mi się o uszy jedna z głupszych plotek, jakie zdarzyło mi się słyszeć: że to Andrzej Wajda kazał ci dać nagrodę, a jury oczywiście posłuchało i dało.

– Andrzej zobaczył film o wiele później, dopiero w telewizji.

– Krytycy w związku z tym filmem najwyraźniej coś odreagowywali. Co ty sama sądzisz dziś o *Pestce*?

– Uważam, że pod względem warsztatowym jest to film dobrze zrobiony, lepiej niż wiele innych filmów debiutanckich. A poza tym osobisty, niezależny w sposobie myślenia, płynący pod prąd wszystkiego, co dziś w kinie modne. Zmieniłabym jedynie drobiazgi.

– Kwestionowano pomysł, by historię miłości kobiety dwudziestoparoletniej przypisać o wiele starszej.

– Gdyby miała mieć w filmie dwadzieścia parę lat, nie zrobiłabym *Pestki* w ogóle, jej historia by mnie nie interesowała.

– Dlaczego?

– Jeśli kobieta zbliża się do czterdziestki, wszystko, co robi, ma inną wagę. Szalona miłość młodej dziewczyny do starszego pana wydaje mi się czymś banalnym. Naprawdę ważny jest dramat odpowiedzialności za cudze życie.

– Historia tamtej dwudziestoparolatki także miała wagę: oto młoda kobieta rzuca w twarz tym, którym przyzwoitsze wydaje się małżeńskie łoże bez miłości niż prawdziwa miłość bez małżeńskiej przysięgi, że ich życie jest brudne, a jej czyste. To chyba u nas też pod prąd?

– Książka opowiadała o buncie młodości, ale została napisana w latach sześćdziesiątych jako wyraz sprzeciwu wobec obowiązujących norm obyczajowych. To już dziś zupełnie nieaktualne, a poza tym mnie chodziło o coś innego.

– Atakowano także samobójstwo w zakończeniu filmu, chociaż w tej sprawie dochowałaś wierności książce. Dlaczego ona to zrobiła? Dobić do czterdziestki jako wolny człowiek i nagle tak się uzależnić? Bo to przecież jakby odwrócony wariant *Kobiety zawiedzionej*.

– Ona popełnia samobójstwo – jeśli je popełnia, to nie jest jednoznaczne – bo przegrała ze światem. Myślała, że obydwoje będą mogli żyć, zostawiwszy za sobą jego żonę i synów – i zobaczyła, że on tak żyć nie może. Mogła zrobić jedno: uwolnić go od siebie.

– No, ładnie go uwolniła... Trudno skuteczniej obciążyć kogoś na resztę życia... Przepraszam, wychodzę, zdaje się, poza ramy opowiadania.

– Dużo osób tak reaguje na *Pestkę*, odnajdują tam siebie. Nie ukrywam, że ja też widzę w tym opowiadaniu coś z własnej historii. Wiele moich przyjaciółek i przyjaciół znalazło się kiedyś w podobnej sytuacji i dla wielu był to prawdziwy dramat.

– Od kilku lat reżyserujesz również spektakle telewizyjne. Które cenisz najbardziej?

– Wszystkie. *Heddę Gabler, Cyda, Tristana i Izoldę*. Myślę, że są rozpoznawalne jako moje już po kilku pierwszych minutach. Są bardzo moje.

– Czy, twoim zdaniem, w ostatnich pięciu latach więcej miałaś sukcesów czy klęsk?

– Spróbuję sobie przypomnieć: Złota Kaczka, nagroda za debiut w Gdyni, Srebrna Maska „Expressu Wieczornego", Specjalna Złota Kaczka na Stulecie Kina, nagroda czytelników „Teletygodnia" (głosowało na mnie prawie pięćdziesiąt tysięcy widzów), w moim domu stoją też trzy srebrne kulki dla najlepszej aktorki roku w latach 1994, 1995, 1996 (nagrody Super TV). Prawie wszystkie – nagrody publiczności. To były sukcesy czy klęski?

– Czy bardzo zatruła ci życie agresywność krytyki?

– Miałam złą prasę, ale kto miał dobrą? Do zawodu krytyka wkroczyła grupa młodych ludzi, którzy chcą sobie wyrobić nazwiska. A nazwisko robi się negacją. Im ostrzej komuś dokopiesz, tym łatwiej cię zapamiętają, taki jest mechanizm. Nie trzeba wcale wdawać się w ocenę merytoryczną, czasami nawet – obejrzeć filmu. Mam w wycinkach prasowych tekst, który ukazał się, kiedy *Pestka* była jeszcze w fazie zdjęć, zatytułowany: *Ta „Pestka" stanie nam w gardle.*

– Jak myślisz, dlaczego atak był taki zmasowany?

– Film reklamowano jeszcze przed premierą, to może denerwować, ale główny powód był chyba inny. Jurek Radziwiłowicz przetłumaczył niedawno *Don Juana*; jego tłumaczenie spotkało się z podobnym przyjęciem. Zareagowało zupełnie inne środowisko, literaci i tłumacze. Obydwoje przekroczyliśmy granice swojego zawodu, swojego miejsca w naszym światku. Czasami rozumiem, dlaczego Modrzejewska wyjechała z Polski.

– Czy jesteś pewna, że gdzie indziej byłoby inaczej? Zacytuję ci fragment *Dziennika* braci Goncourt: „Bo też uważa się we Francji, że każda sława, każdy rozgłos, każde chwalebne echo wokół jednego francuskiego nazwiska stanowi krzywdę dla wszystkich Francuzów".

– No, jednak nie wyjeżdżam... I ani przez moment nie miałam takiego zamiaru. Wypożyczano mnie, ale też jako „cytat z Polski". Tu jest mój widz. Tu się rozumiemy. Tych widzów kocham i nienawidzę. Z nimi walczę. Tamtych nie rozumiem.

– Dlaczego zaczęłaś uprawiać „teatr jednoosobowy"?

– Nie jestem aktorką epizodu, sprawdzam się wówczas, kiedy mogę coś opowiedzieć od początku do końca, sama przeprowadzić jakąś myśl. Innymi słowy – główna rola albo monodram. A poza tym to najlepszy trening w tym zawodzie, najlepszy sprawdzian wszystkiego. I największa przyjemność.

– A dlaczego zaczęłaś reżyserować?

– Spodobało mi się, że wszystko może być tak, jak sobie wyobrażam. Cały film, całe przedstawienie.

– Zbrzydło ci realizowanie swoich pomysłów pod cudzym nazwiskiem?

– Doskonale wiesz, że reżyser to także ten, kto przyjmuje lub odrzuca pomysły współpracowników. Twoje pytanie jest manipulacją.

– Zaczęłaś pisać, usłyszałam też w jakimś wywiadzie radiowym, że chcesz wrócić do malowania. Malować można w Milanówku, na zmianę z czytaniem książek w altanie. Kolejna linia obrony? Na wszelki wypadek?

– Obrony – przed czym? Po prostu przyjemne zajęcie na starość. A poza tym, Sarah Bernhardt rzeźbiła.

– Jak malujesz?

– Dziwnie, niekonwencjonalnie. Różnie. Wczoraj na przykład poznałam nową technikę: na jedwabiu. Malowałam chustki w fabryce w Milanówku. Pójdą na licytację na rzecz dzieci chorych na raka.

– Kiedyś wspierałaś różne akcje pomocy dla rozbitych rodzin, opuszczonych dzieci. Zajmujesz się tym w dalszym ciągu?

– Już nie podejmuję własnych inicjatyw, ale staram się brać udział w takich przedsięwzięciach, jeśli mnie proszą.

– A czy nadal odpowiadasz na listy różnych dziewczyn i kobiet, które szukają w tobie psychicznego oparcia?

– Wolę, jeśli piszą, że pomogłam im dzięki temu, co zobaczyły na scenie. Ciągle dostaję morze listów. Niektórzy uzależnili się już od pisania do mnie. Czytam, lubię to. Są to często krytyki, ale pisane serdecznie, życzliwie. Czasem odpowiadam.

– Czym jest dla ciebie przedstawienie *Marii Callas*?

– Najbardziej osobistym spektaklem, w jakim zdarzyło mi się grać kiedykolwiek. Mogę podpisać się pod wszystkim, co ona mówi.

– Są tam akcenty pychy tak jawne, że aż rozbrajające. Pod tym też?

– Znasz mnie i wiesz, że nie.

– Krysiu, to manipulacja...

– Dla mnie czymś najbardziej osobistym jest ostatni monolog, mówiący o tym, że dzięki sztuce świat staje się lepszy, warto więc poświęcić jej wszystkie siły. Callas jest cudownym medium, poprzez które mogę powiedzieć coś dla mnie ważnego. Sama, we własnym imieniu, nie mogłabym przecież mówić w takim tonie do widzów. To wspaniały tekst. Niezwykła konstrukcja myślowa. Granie tego jest świętem.

– Czegokolwiek byśmy dotknęły, lądujemy w twoim aktorstwie. A masz przecież rodzinę. Poniekąd coraz bardziej, bo się rozrasta. Marysia wyszła za mąż, urodziła córeczkę. Obaj twoi synkowie przyszli na świat w takiej fazie małżeństwa, kiedy kobiety już zwykle „odpuszczają sobie" rodzenie dzieci.

– Adaś i Jędrek – to moje drugie życie. Jeśli za szybko przeżyje się pierwsze, trzeba sobie zafundować następne. Lepiej mieć nowe dzieci niż nowego męża.

– Marysia kończy studia aktorskie. Jak sobie wyobrażasz jej przyszłość zawodową?

– Myślę, że ma wielki talent, który w tej chwili jeszcze niełatwo dostrzec i ocenić. Żeby mógł zabłysnąć, powinna mieć warunki artystycznego dojrzewania. Niepokoi mnie świadomość, że żaden teatr czy grupa teatralna nie gwarantują dziś u nas takich możliwości. Chyba że młodzi ludzie sami próbują sobie stworzyć warsztat pracy, jak na przykład czterej chłopcy z „Montowni" (to grupa teatralna przy Teatrze Powszechnym).

– W Polsce aktorstwo jest profesją poniekąd dziedziczną. Czy uważasz to zjawisko za zdrowe?

– Dziedziczenie zawodu może być korzystne w wypadku lekarza, prawnika. Nasiąka się pewnym sposobem myślenia, poznaje terminologię, zasady postępowania. Lecz aktorstwo jest sztuką, a w sztuce dochodzi się do czegoś, tylko idąc własną drogą. Dziedziczenie może wyłącznie szkodzić.

– Słyszałam niedawno twoją rozmowę z mężem. Mówiłaś tonem, którego kobiety używają w pierwszym roku małżeństwa, potem już nie.

– Bo jestem dobrą aktorką.

– Chyba muszę znowu odnotować: (śmiech).

– Wiesz, jak z tym jest: kobiety po ślubie szybko zaczynają myśleć, że już nie ma po co.

– Przyszło mi kiedyś do głowy pytanie, czy rozwód z pierwszym mężem nie przyczynił się do twoich sukcesów zawodowych; bo musiałaś coś udowodnić?

– Nie trafiłaś, mogłabym wtedy równie dobrze przestać być aktorką.

– Krysiu, jak ci się oddycha dzisiejszym powietrzem? Pięć lat temu trochę się bałaś, że może być trudno.

– To nie tylko mój problem. Kiedyś myśleliśmy, że jak już będzie wolność, docenione zostaną takie ludzkie walory, jak inteligencja, kultura, przyzwoitość. A teraz okazało się, że sukces gwarantują inne cechy, tamte są właściwie niepotrzebne. Wystarczy spryt, upór, bezwzględność.

– I co ty na to?

– Nic, taki jest świat. Trzeba po prostu nauczyć się z tym żyć. A poza tym – teraz jestem tylko aktorką, a nie wyrazicielką opinii społeczeństwa. Przestało się liczyć, co myślę o podobnych sprawach.

– Dobrze ci z tym?

– Bardzo. Nareszcie. Nie mam temperamentu społecznika.

– Wywiad z *Tylko się nie pchaj* kończyło twoje wyznanie: „Nie wiem, jak się w tym odnaleźć". Jednak się odnalazłaś.

– Bo miałam coś do zaoferowania jako aktorka, okazałam się też niezłym własnym menedżerem. Umiałam wyczuć klimat, czas, trafić w to, co ludzi interesuje.

– Mówi się, że masz intuicję.

– Raczej umiejętność kojarzenia, pewną elastyczność, zrozumienie ludzkich potrzeb. Dziś jedynie Teatr Narodowy może sobie pozwolić na myślenie w dawnych kategoriach, my, z innych teatrów, tylko czasami. Na co dzień musimy dbać o „kasę". Podobać się publiczności, mówiąc ładniej. Ale tak jest wszędzie. Nie ma co się buntować przeciwko regułom gry, trzeba się ich po prostu nauczyć.

– Pięć lat temu byłaś zaniepokojona, że nowe reguły gry mogą wypędzić z teatru widzów ze środowisk inteligenckich, skazując cię na nową publiczność, tych z pieniędzmi. Powiedziałaś: „Nie mam ochoty dla nich grać". A dzisiaj?

– Wszystko jest inaczej, niż przypuszczaliśmy. To nie publiczność się zmieniła, lecz jej mentalność. Dziś widz wie, że nie on istnieje dla nas, lecz my dla niego. Kiedyś zgadzał się na różne niedoróbki, bo myślał: to na pewno nie ich wina. Teraz, przychodząc do teatru, siada w fotelu z taką miną, jakby mówił: pokaż, co potrafisz! Dzięki telewizji i kinu widzowie obcują na co dzień z aktorstwem czasami tak fantastycznym, że byle co ich nie zadowoli i nie przyciągnie. A jeśli widzom się nie podoba, wstają i wychodzą. Nieraz cały rząd, w trakcie przedstawienia.

– No, więc chyba jednak to jest inna publiczność, inteligent by dosiedział przynajmniej do przerwy...

– Czy zauważyłaś, jak zmieniły się ukłony aktorów po przedstawieniu? Kiedyś zginali się bez uśmiechu, z powagą i godnością, a teraz wychodzą rozpromienieni, nawet jeśli odegrali ponurą tragedię.

– Jako Callas mówisz jednak widzom bez owijania w bawełnę, że wobec wielkiej sztuki powinni być pokorni. Ona, zdaje się, coś odreagowywała; może ty też – odrobinę?

– Nie, ani trochę. Nie mam pretensji do publiczności, że się zmieniła. Uważam obecną sytuację za zdrową, tak powinno być. Jesteśmy dla widzów, to jedyna racja naszego istnienia. Chociaż istniejemy nie tylko po to, żeby ich bawić, po coś dużo ważniejszego. *Callas* idzie jeszcze dalej, mówi widzom: wasze życie bez nas nie ma sensu. Ale publiczność – tak to już jest – przede wszystkim lubi się śmiać.

– Może więc powinnaś zagrać w którymś filmie Machulskiego?

– Myślę o tym od dawna. Ale Machulski mówi, że nie ma pomysłu z rolą dla mnie.

– Musiałaby to być oczywiście rola komediowa.

– Niekoniecznie! Powiedz mi, dlaczego nie mogłabym zagrać na przykład killera?

– Żartujesz. Kompletnie mnie zastrzeliłaś.

– No więc – dlaczego nie?

– Bo killer to musi być facet.

– Ale dlaczego? Na Zachodzie podobne role grają teraz również kobiety. Nawet w najnowszym filmie o Bondzie. Takie przełamywanie stereotypu jest dziś jedną z atrakcji kina. Powiedz mi, dlaczego nie można spróbować również u nas?

– Między innymi dlatego, że mamy tradycję matki Polki. Krysiu, kończymy. To bardzo długi wywiad. Na razie tyle.

Warszawa, marzec 1998

Tuż obok placu Konstytucji

Będzie nowe wydanie *Gwiazd*, które „mają czerwone pazury". Umówiłam się z panią Krystyną na wywiad w teatrze Polonia. Gdyby teraz powiedziała o sobie, że jest już „innym człowiekiem", nie byłaby to autorefleksja, lecz stwierdzenie faktu.

Trochę się spóźnia, czekam. Już jest, kupowała w sklepie obok jakieś zabawki dla dzieci swojej córki Marysi. Jej własne „zabawki" – tak o nich za chwilę powie: „błyszczą jak zabawki na choince" – obejrzałam w holu, upchane w dużej oszklonej szafie, gdzie się ledwie mieszczą. To nagrody za role, przedstawienia, akcje, działanie na rzecz itd. Kiedy wywiad będzie szedł do druku, dopiszę datę: lipiec 2013.

Poczułam, że jestem na swoim

– Kilka dni temu w teatrze Polonia widziałam twój nowy monodram, *Danuta W.* To adaptacja sceniczna książki Danuty Wałęsowej *Marzenia i tęsknoty*. W roku 1997 twój teatr nie rysował się nawet na horyzoncie – i oto jest (a nawet są dwa). Miał być pierwszym prywatnym teatrem w powojennej Polsce. Skok w pustkę. Bałaś się?

– Ale to nie był skok w pustkę! Od początku dokładnie wiedziałam, dlaczego chcę, żeby powstał, i jaki ma być.

– Czyli jaki?

– Dobry, przyjazny widzom. Dla ludzi, nie głupi. Taki, w którym można będzie zobaczyć to, co sama chciałabym oglądać.

– Ryzyko jednak istniało.

– Długie lata pracy w teatrze nauczyły mnie czegoś bardzo ważnego: zrozumiałam, na czym polega kontakt z widzem. Zaczęłam myśleć o własnym teatrze, wiedząc, jak przyjmuje mnie widownia. I widziałam, jak mnie żegnała, kiedy odchodziłam z Powszechnego.

– Były nawet łzy na widowni.

– Mogłam mieć nadzieję, że moi widzowie poczekają i przyjdą do teatru, który zbuduję.

– Ale na razie istniał tylko w twoich marzeniach. Kiedy zaczęło się coś dziać naprawdę?

– Momentem zwrotnym stało się założenie Fundacji. Podpisaliśmy odpowiednie dokumenty pod koniec czerwca 2004 roku.

– Status prawny: Fundacja Rodzinna, nazwa: Fundacja Krystyny Jandy na rzecz Kultury, założyciele: Krystyna Janda, Edward Kłosiński, Maria Seweryn. Edward Kłosiński – mąż, znakomity operator filmowy, Maria Seweryn – córka, wybijająca się młoda aktorka.

– Podjęliśmy tę decyzję wspólnie, po długiej rozmowie. Wszyscy troje zdawaliśmy sobie sprawę, że zdecydujemy o czymś, co prawdopodobnie zmieni nasze życie. Główny cel Fundacji: propagowanie kultury i prowadzenie teatru – wybiegał daleko poza to, co robiliśmy do tej pory.

– Żeby mógł powstać teatr, potrzebne są środki finansowe. Czy nie łatwiej byłoby je zdobyć, tworząc spółkę z o.o.?

– Musiałabym przyjąć założenie, że na teatrze da się zarobić, ale ani w to nie wierzyłam, ani nie chciałam robić takiego teatru „dla zarobku". Miało powstać przedsiębiorstwo – bo teatr jest jednak przedsiębiorstwem – w którym cały wysiłek skierowany będzie na to, żeby nie trzeba było dokładać. Żeby wpływy z kasy mogły zrównoważyć wydatki na produkowanie kolejnych przedstawień. Poza tym założyłam Fundację, a nie spółkę z o.o., bo myślałam, że państwo będzie naszym partnerem, a nasza Fundacja – cennym partnerem dla państwa. Że będziemy we współpracy z państwem robić ważny, dobry, aktualny teatr.

– Najpierw wraz z mężem kupili państwo stare, przedwojenne kino Polonia. W stanie niezdatnym do użytku, ale w centrum Warszawy, tuż przy placu Konstytucji.

– Kupiliśmy to kino jeszcze jako osoby prywatne, za oszczędności zgromadzone przez trzydzieści lat naszego życia zawodowego, ponadto sprzedaliśmy dom w Warszawie – i za te pieniądze zaczęliśmy remont. Od tego momentu nie było odwrotu. Wcześniej braliśmy pod uwagę zmianę stylu życia. Kupno domu we Włoszech. Już był nawet wybrany.

– Chciałaś wyjechać z Polski? Co byś tam robiła?

– Byłam prawie umówiona z teatrem w Sienie. Siena jest ośrodkiem akademickim, ale nie ma stałego zespołu teatralnego. Miałam przygotować repertuar na dwa lata, na pewno też bym tam grała. Ale zdecydowaliśmy się zostać w Polsce.

Jako Tonka Babić w spektaklu „Ucho, gardło, nóż".

– Był jakiś konkretny powód?

– Dopóki tamten teatr nie zacząłby działać, nie mogłabym grać. Nie potrafiłabym wytrzymać tak długo bez grania.

– Chyba nie żałujesz, że zostałaś?

– Nie żałowałam ani przez chwilę, mimo że nigdy nie pracowałam tak ciężko jak przez ostatnie lata. Ale wybiłam się na niepodległość. Może nie do końca, bo nie wolno mi zapomnieć, że te dwa teatry muszą się same utrzymać. Ale jeśli będę chciała coś wystawić – to wystawię, będę chciała coś zagrać – zagram.

– Najpierw w Polonii szalał remont. To chyba dzięki twojemu mężowi, panu Edwardowi, teatr Polonia wygląda dziś tak, jak powinien.

– Ja budziłam się rano spocona ze strachu, a Edward był spokojny. Znalazł w tym nowym zadaniu – bo to było coś więcej niż remont, po prostu budowa teatru – nową pasję. Zgromadził wokół siebie grupę wspaniałych ludzi, którzy go wspierali, i doprowadził pracę do końca. A ja przestałam się bać dopiero na pierwszej próbie do pierwszej premiery. Poczułam, że jestem u siebie. Wszystko nabrało sensu.

– Polonia jest teatrem Śródmieścia. Ocalałe kamienice stanowią resztówkę dawnej, mieszczańskiej Warszawy. Twój teatr chce się w to wpisać?

– Tak. Cenię tradycję, nigdy jej nie odrzucałam. Dlatego zachowaliśmy nazwę istniejącego tu jeszcze przed wojną kina Polonia.

– Latem zapraszasz widzów do letniego salonu, czyli na plac Konstytucji. Przedstawienia są za darmo. Coś z *Buddenbrooków* Tomasza Manna: senatorostwo Buddenbrookowie z okazji świąt zapraszali ubogich krewnych...

– Zapraszamy także na Grójecką, przed Och-Teatr. Przychodzą tłumy ludzi. Z całej Warszawy, z Polski. Teatr za darmo. Naprawdę dobry i różnorodny. Literacki. Mówiący o aktualnych problemach i artystowski. Spektakle śpiewane i tańczone także. Trzy tytuły dla dzieci. Jestem z tego naszego ulicznego teatru bardzo dumna.

– Na placu Konstytucji także pokazujecie spektakle dla dzieci.

– Tak. Z dziećmi spotykamy się od dawna. Przez dwa lata nasi aktorzy występowali raz w tygodniu dla chorych dzieci w warszawskim szpitalu na

Niekłańskiej. W ciągu kilku lat istnienia Fundacji odwiedziliśmy z występami wiele domów dziecka, domów starców, szpitali. Nasza Fundacja przez cały czas prowadzi taką działalność.

– Czy nie odczuwałaś pokusy, żeby sprawdzić, jak twoja publiczność przyjęłaby jakiś awangardowy eksperyment?

– Sprawdziłam.

– I jak?

– Sztuka padła po pięciu przedstawieniach. A właściwie nie sztuka, lecz spektakl.

– Co to było?

– *Miłość Fedry* brytyjskiej pisarki Sarah Kane.

– Czego się dowiedziałaś z tej – niech będzie – lekcji?

– Niczego, bo gdyby to było lepiej zrobione, mogłoby być grane jeszcze wiele razy.

– A było zrobione źle?

– Moim zdaniem źle, a ściśle mówiąc, głupio. I z jakąś dziwną pogardą dla publiczności. To jest teraz częste. Tego nienawidzę.

– Nie rozumiem. Przecież jesteś kierownikiem artystycznym teatru. Jak to się przemknęło?

– Projekt przejęłam w połowie prób. Młoda reżyserka. Trafili do mnie, bo byli „bezdomni". Widziałam próbę i bardzo mi się podobała, ale premiera miała się odbyć dopiero za miesiąc. Dostali czas, scenę i pieniądze na scenografię, próbowali więc dalej. Tymczasem spektakl był lepszy, zanim go „dopracowano". Tak się zdarza.

– Mówi się zazwyczaj, że im więcej prób, tym przedstawienie lepsze.

– Nie zawsze. W teatrze – i chyba w ogóle w sztuce – najbardziej niebezpieczni są pracowici niezdolni.

– Zrezygnowałaś z dalszego sprawdzania odporności widzów na awangardę?

– Przede wszystkim byłabym ostrożna z używaniem określenia awangarda. Bardzo trudno je zdefiniować, należałoby więc może przyjąć, że nic takiego nie istnieje. To, co nazywamy awangardą, widzowie zaakceptują pod warunkiem, że nie jest puste, czcze. Mamy w repertuarze dwa takie przedstawienia. Co pewien czas je powtarzamy, chociaż na widowni jest nie więcej niż sto, czasami sto pięćdziesiąt osób. To zresztą zrozumiałe, bo jedna z tych sztuk, gdziekolwiek ją grano, wywoływała skandal.

– *Koza, albo kim jest Sylwia?* Edwarda Albeego?

– Tak. Historia na pozór mieszczańska, o zdradzie i zazdrości. Przyzwoite małżeństwo ma syna, który jest gejem. Rodzice jakoś to zaakceptowali, ale następnie mąż zakochuje się w kozie. Z tym żona pogodzić się już nie może i morduje tę nieszczęsną kozę. Fantastycznie napisane dialogi, przedstawienie świetnie zrobione, znakomicie zagrane. Spektakl ma pobudzać widza do zastanowienia się nad kwestią tolerancji w ogóle.

– Niewielu widzów, ale chyba doborowych przychodzi na *Jekyll/ Hyde* Jakuba Porcariego, monodram, w którym Krzysztof Globisz gra dziewięć ról.

– Przedstawienie ogromnie trudne, ale wybitne, ze wspaniałą rolą Globisza. Właśnie świetne aktorstwo sprowadza na tę sztukę nieliczną, za to gwarantowaną publiczność.

– Pojawił się już przed chwilą w naszej rozmowie gej – syn mieszczańskiej pary, w której mąż itd. Geje w teatrze – ten temat co pewien czas odżywa w mediach w postaci gwałtownego wybuchu emocji. Osoby z życia teatralnego wdają się wtedy w ostre polemiki. Ty tego nie robisz. Dlaczego?

– Nie warto rozmawiać o tym, czy ktoś jest gejem, czy nie jest. Może tylko byłoby lepiej, gdyby wszyscy geje mieli talent, bo wtedy teatr byłby lepszy. Teatr ma w tej chwili inne problemy. Fundamentalne. Organizacja. Prawo i finansowanie. Etyka zawodowa także.

– Słyszałam, jak w pewnej rozmowie radiowej wybuchłaś śmiechem, kiedy dziennikarz zapytał, czy uważasz, że Konopnicka była lesbijką, bo taką teorię głoszą feministki. Rozśmieszyła cię ta hipoteza czy śmiałaś się z feministek?

– Była to rozmowa po wydaniu przez Krytykę Polityczną książki zajmującej się życiorysami naszych wielkich także od tej strony. Ale lista jest długa, a nastała moda czy czas na tropienie takich spraw. Zajmowanie się tym wydało mi się śmieszne.

– A jak reagujesz na obowiązkową poprawność polityczną, która jest dzisiejszą postacią cenzury i autocenzury? Czy to nie ogranicza swobody programowania twoich teatrów?

– Nie mam takiego problemu, a poza tym rzecz nie w tym, co się pokaże, lecz jak to się zrobi.

– To znaczy jak?

– Pokazać można wszystko, ale na odpowiednim poziomie. W co drugiej sztuce, którą teraz gramy, pojawia się postać geja, tak się dziś pisze dla teatru. Na scenie odczuwamy to, co oni, nienawidzimy tego, co oni, płaczemy z nimi. Moim zdaniem temat jest nasycony. Tolerancja postępuje, jest w drodze. Oby jak najszybciej doszła – i to nie tylko w tej sprawie.

– Rewolucja obyczajowa, coraz ostrzejszy konflikt między głosicielami liberalizmu i rzecznikami postaw konserwatywnych – to są klimaty roku 2013. Teatr nie może przed tym uciec, bo z natury rzeczy jest jednym ze świadków swego czasu.

– Ale to nie znaczy, że podobne względy mają decydować o repertuarze. Wystawiamy rzeczy dobre. Dobrze napisane, interesujące, aktualne także. Kryterium jest jakość. Jeśli wystawiamy farsę – to najlepiej napisaną, klasy światowej. Moim zdaniem w myśleniu o repertuarze ważniejsze jest co innego. Warszawa ma stałą publiczność teatralną, na którą przy każdej premierze można liczyć, jest to około 50 tysięcy osób. Ci ludzie oczekują, że w teatrze, do którego chodzą, znajdą wszystko: komedię i dramat, powagę i śmiech, coś, co dobrze znają, i coś, co ich zaskoczy, zbulwersuje. Musimy to mieć w repertuarze naszych dwóch teatrów – i mamy. Jestem jak kulturalno-oświatowy na statku, który ma 50 tysięcy pasażerów.

– Ale ci pasażerowie nie chodzą przecież do teatru raz w roku?

– Rocznie do naszych teatrów w Warszawie przychodzi 250 tysięcy widzów.

– I dla nich – *Shirley Valentine* Willy'ego Russela i *Zmierzch długiego dnia* Eugene'a O'Neilla?

– Na przykład. Problem w tym, że nie stać nas na wieloobsadowe tytuły. Wieczory muszą się mniej więcej zamykać finansowo. Kiedy na scenę wchodzi więcej niż dziesięć, dwanaście osób, dokładamy do wieczoru, nawet jeśli widownia jest pełna. Wszystkie „szekspiry" choćby to sztuki o ogromnej obsadzie, ponad dwadzieścia pięć osób. Marzę o *Rewizorze*, *Weselu* czy nawet *Domu otwartym* Bałuckiego, ale dla nas to są tytuły za drogie w eksploatacji. Takie bolesne ograniczenia mają teatry prywatne. Koszty utrzymania budynków i podatki są mordercze.

– Teatry często ratują się klasyką. Czy akceptujesz forsowne uwspółcześnianie sztuk klasycznych, posługiwanie się nimi jako pretekstem dla własnych zabaw formalnych?

– Oczywiście. Ale sformułowanie: „Teatry ratują się często klasyką" mnie rozśmieszyło. Odwrotnie – to komedie, farsy współczesne zarabiają na repertuar klasyczny w teatrach. Teatry nie mogą sobie pozwolić zbyt często na granie klasyki, bo jest najkosztowniejsza. Teatr to sztuka wysoka, elitarna, nawet jeśli gra lżejszy repertuar.

– Mówiąc wprost – nie jest łatwo?

– Dokonujemy niewyobrażalnego wysiłku, żeby grać, istnieć i tworzyć. Państwo nas nie utrzymuje, ale powinno być dla nas partnerem.

– Nie zapytam, na czym by to miało polegać, bo obawiam się, że musiałoby się pojawić słowo „pieniądze"...

– Tymczasem pomaga nam tylko publiczność, chociaż proponujemy także repertuar wymagający. Oczekujemy od widzów partnerstwa, tyle że nie kosztem obniżenia poziomu, lecz na naszych warunkach.

– Polonia nie jest już jedynym teatrem Fundacji, przybył Och-Teatr. Mieści się, podobnie jak Polonia, w zaadaptowanym budynku dawnego kina, na warszawskiej Ochocie. Dlaczego ten drugi teatr?

– Z konieczności. Żeby teatr mógł się utrzymać z wpływów za bilety, musi mieć na widowni około 550 miejsc. Polonia ma 265, Och-Teatr dodał 450.

Balansujemy na granicy opłacalności. Polonia proponuje repertuar trudniejszy, a Och-Teatr jest w tej chwili sceną komediową. To się dobrze ułożyło. No, a poza tym Och-Teatr powstał trochę z *embarras de richesse*. Mieliśmy tak wiele sztuk w repertuarze, Polonia osiągnęła tak wielki sukces, także frekwencyjny, że ośmieliliśmy się myśleć o drugiej scenie.

– Och-Teatr zaczynał bardzo ambitnie, prawie misyjnie, lecz po roku zmienił repertuar. Z misji utrzymać się nie można?

– Zaczynaliśmy Gorkim, Witkacym, O'Neillem. Po dwóch sezonach musieliśmy się przestawić na lżejszy repertuar i po jednym sezonie sytuacja była uratowana. Groziło nam zamknięcie teatru. Ale ten budynek, ratowany przez nas od zagłady, latami przedtem nieremontowany, wymaga wiecznych nakładów. Sam wynajem to miesięcznie 46 tysięcy.

– W „Kwestionariuszu osobowym" nazwałaś teatr swoim najmłodszym dzieckiem. Straszliwie wymagające dziecko... Dobrze, że pozwoliło ci zagrać w czterech filmach... Trzy spośród nich były wysokiej klasy.

– Na realizację filmu *Parę osób, mały czas* Andrzeja Barańskiego czekałam dwanaście lat. To był projekt bardzo stary. Zresztą został w rezultacie zrealizowany jako mały film telewizyjny. Dopiero potem, po nagrodach, przepisano *Parę osób*... na taśmę filmową. Czyli znowu mówimy o pieniądzach i opłacalności misji. O polityce kulturalnej państwa... A wracając do filmu, w scenariuszu fascynowały mnie postacie i relacje między nimi. Pierwowzorami były osoby rzeczywiste, wyjątkowe.

– To wiernie odtworzona historia przyjaźni niewidomej poetki Jadwigi Stańczakowej i najbardziej oryginalnego poety lat powojennych Mirona Białoszewskiego. Przy czym ona opiekuje się nim, a nie on nią... Zagrałaś osobę niewidomą. Trudne zadanie aktorskie?

– Fascynujące. Także niezwykła do zagrania relacja między postaciami filmu.

– *Rewers* Borysa Lankosza jest najlepszym polskim filmem o tym, jak po zakończeniu wojny ludzie próbowali się przystosować do życia w nowych warunkach. W postaci, którą grasz, jest wszystko: przedwojenny sposób myślenia nałożony na powojenne realia, trzeźwa ocena nieodwracalności

tego, co się stało, i szukanie szans, żeby się uratować. Twoja bohaterka chce przede wszystkim zabezpieczyć przyszłość córki, to znaczy wydać ją za mąż.

– Bardzo przytomna osoba. Najpierw popiera kandydata na zięcia, chociaż ma on wyraźne braki w dobrym wychowaniu, ale narzeczony okazuje się ubekiem, szukającym nie tyle żony, ile agentki. Wtedy matka niedoszłej mężatki załatwia sprawę radykalnie, a następnie rozpuszcza denata w kwasie solnym. To taka kobieta, która wie, że jeśli pojawia się jakiś problem, trzeba go rozwiązać, niezależnie od kosztów.

– A kończy się wszystko w sposób potwierdzający istnienie paradoksów historii. Wreszcie *Tatarak* Andrzeja Wajdy, film wyjątkowy. Po pokazie na festiwalu w Berlinie pisano, że to młodzieńczy eksperyment mistrza. Tymczasem *Tatarak* ma tak niezwykłą formę z konkretnego powodu – i ty, i Andrzej Wajda chcieliście upamiętnić kogoś, kto odszedł: wybitnego operatora i niezwykłego człowieka, twojego męża, Edwarda Kłosińskiego.

– Z *Tatarakiem* było tak: przez dwa lata pracowaliśmy z Andrzejem Wajdą nad tym projektem, ale zdaniem Andrzeja scenariusz według opowiadania Jarosława Iwaszkiewicza nie był dobry. Potem z powodu choroby mojego męża przerwaliśmy prace i zawiesiliśmy projekt. Po roku od śmierci Edwarda zaczęliśmy myśleć o tym filmie na nowo. Istniało już osiem wersji, ja napisałam kolejną, a właściwie wariant części współczesnej. Miałam we wszystkich tych wersjach grać siebie, aktorkę Krystynę Jandę, grającą w filmie Andrzeja Wajdy. Tekst w tym miejscu scenariusza nie miał nic wspólnego z moimi osobistymi sprawami, ale nie wiadomo dlaczego wprowadziłam taką scenę: wchodzę do apteki i chcę kupić lekarstwo dla bohatera tej współczesnej części. On jest chory na serce, to lekarstwo ma uratować mu życie, a ja nie mam recepty. Błagam farmaceutkę, żeby mi je sprzedała, mówiąc, że to dla Andrzeja Wajdy. Dostaję ten lek. Wychodzę z apteki ze słowami: „Do widzenia pani, życzę wszystkiego dobrego", a ona wybiega za mną i mówi: „Ja pani też, ja też jestem wdową".

– Dlaczego napisałaś taką odpowiedź farmaceutki?

– Nie mam pojęcia. A w tym, co napisałam, Wajdę uderzyło tylko to jedno zdanie. Pojechałam z dziećmi do Włoch, w to samo miejsce, dokąd jeździliśmy razem z mężem. Pierwszego wieczoru usiedliśmy przy stoliku i zamówiłam

Kadr z „Tataraku”.

Na planie „Rewersu".

campari, jak robiliśmy zawsze, kiedy był z nami. Zamówiłam campari także dla niego, nieobecnego. Za chwilę, nie wiadomo skąd, sfrunęła sroka. Siadła na stole przy nas i zaczęła pić to campari. Patrzyliśmy na nią w milczeniu i nagle syn powiedział: „To tata". Opisałam to w swoim dzienniku internetowym. Następnego dnia zadzwonił Andrzej Wajda: „Czytałem twój dziennik. Siadaj i pisz monolog o Edwardzie, tylko pamiętaj, że piszesz do filmu". Napisałam w ciągu dwóch godzin. Wysłałam tekst. Przeczytał, zadzwonił i tego samego popołudnia usłyszałam: „Krysiu, kręcimy". Mój monolog jest na ekranie dokładnie w takiej wersji, w jakiej został napisany, Wajda tylko skrócił.

– W filmie to jedno bardzo długie ujęcie, w jednym kadrze, z obrazem Hoppera w tle.

– Tak to nakręcił Paweł Edelman, w jednym dublu. Wajda powiedział: to są granice kadru, rób, co chcesz, my będziemy tylko prowadzili ostrość. Zagrałam jeden dubel każdego fragmentu.

– Aż przykro po tej niezwykłej opowieści zapytać o rolę w *Sponsoringu* Małgorzaty Szumowskiej, o studentkach zarabiających na utrzymanie (w Paryżu) prostytucją. Film był pomyślany jako przebój, ale szybko przepadł. Twoja rola – matka studentki z Polski – to epizodyczna postać bez znaczenia. Po co?

– Przyjaźnię się z Małgosią. Podobno reakcja widzów na moją scenę jest bardzo żywa.

– Tu kropka?

– Kropka.

– Widziałam niedawno – po latach – *Białą bluzkę*, twój monodram z tekstem Agnieszki Osieckiej i jej piosenkami, w adaptacji Magdy Umer. To nowa wersja, tło stanowią rzutowane na ekran dokumentalne zdjęcia, dopełniające obraz tamtego czasu. Przed laty *Biała bluzka* była spektaklem kultowym. Powstała tuż przed stanem wojennym, grałaś ją potem w wielu miastach Polski, chyba do końca lat osiemdziesiątych.

– Prawie.

– A w 1992 roku powiedziałaś tak: „Potem zmieniły się czasy, atmosfera, ja sama – i nagle z *Białej bluzki* wyrosłam. Już nie mogłam jej grać. I myślę, że dziś nie ma już tamtej widowni". Dlaczego zdecydowałaś się wrócić do tego przedstawienia?

– Bo zrozumiałam, że istnieje następna młoda widownia, dla której warto je wznowić.

– Sala w Och-Teatrze była pełna. Co tych nowych widzów przyciąga?

– Tamten czas, tamta Warszawa, tamci ludzie, wszystko widziane oczyma niezwykłej poetki, jaką była Agnieszka Osiecka. Jej wyobraźnia, jej język, *esprit*, przewrotny dowcip, słowem jej talent. Ona nie ma następców. Nikt nie tylko nie potrafi jej dorównać, lecz nawet zbliżyć się do tego, co pisała. A Elka z *Białej bluzki* to fantastyczna postać do zagrania.

– Miała autentyczny pierwowzór: modelem była popularna wówczas aktorka Elżbieta Czyżewska.

– To portret zbiorowy, utkany ze szczegółów, z opowiadań różnych ludzi. Jest w tym także coś z samej Agnieszki. Nie potrafię patrzeć na tę historię chłodnym okiem, z zewnątrz.

– „Nie wiem, czy to w ogóle można uznać za postać teatru. Może raczej postać psychodramy. Gdy zaczęłam grać *Białą bluzkę* w różnych miastach Polski, zorientowałam się, że jeżdżą za mną gromady dziewczyn. Oglądały spektakl dziesiątki razy. Trafiłyśmy chyba – Agnieszka, Magda i ja – w stan ducha młodego pokolenia, tej jego części, która nie widziała przed sobą żadnych perspektyw. Dziewczyny identyfikowały się z tamtą z *Białej bluzki*". To ty o spektaklu przed dwudziestoma laty. Temat dla reportera albo socjologa: odnaleźć te dziewczyny i zapytać, co robiły potem, jak im się ułożyło życie, kim są i co myślą dzisiaj...

– Mam nadzieję, że się uratowały.

– Dokładnie tak powiedziałaś dwadzieścia lat temu: „Gdybym grała osobę, która już się nie uratuje, nikt by nie przyszedł. Nie wolno odbierać nadziei, w banalnych sformułowaniach, że trzeba bronić postaci, chodzi

„Biała bluzka"
w nowej odsłonie.
PZPR

w istocie właśnie o to. Nie odbierać nadziei; na tym opiera się cała moja aktorska wiara".

– Mogę to tylko powtórzyć.

– Twój nowy monodram, *Danutę W.*, zobaczyłam w Polonii. Widzowie z wejściówkami siedzieli nawet na schodach. Ktoś, z kim byłam na tym przedstawieniu, przyzwyczajony do skromnej frekwencji w kinach, zastanawiał się, co przyciągnęło ten tłum widzów: bohaterka spektaklu czy aktorska kreacja, Danuta W. czy Krystyna J.

– Nie potrafię odpowiedzieć na to pytanie. Kiedy gram w *Zmierzchu długiego dnia*, sala wcale nie jest pełna. Ale *Danuta W.* to nie tylko kreacja aktorska, podstawę stanowi moja adaptacja książki Danuty Wałęsowej. Książka ma pięćset stron, mój scenariusz osiemdziesiąt. Każdy może z tej książki wybrać swoją Danutę W. Ja wybrałam swoją.

– Czyli jaką?

– Chciałam, żeby to było o matce, kobiecie, o żonie, ale także o Polsce. O historii, widzianej oczami bohaterki mojego monodramu. O zderzeniu zwykłego życia zwykłych ludzi z wielką historią. Ale niewątpliwie podmiotem lirycznym jest Lech Wałęsa. To w gruncie rzeczy historia o miłości i lojalności małżeńskiej. Ale także spektakl o historii tego kraju.

– Bohaterka monodramu jest jednak konkretną osobą. Czy nie stanowiło to problemu?

– To nie jest dokument o Danucie Wałęsowej, lecz kompozycja teatralna, dla której ta książka stanowiła wspaniały materiał. Nie gram Danuty Wałęsowej, pozostaję na scenie sobą. To ja, aktorka, Polka, Krystyna Janda, opowiadam historię pani Danuty w taki sposób, w jaki ją widzę. To ona, jej prostota i duma, szczerość są powodem i sercem tego, co opowiadam. Podpisuję się pod tym. Zrobiłam ten spektakl także dlatego, że uważam, iż jest nam dziś potrzebny.

– Siedząc na sali, chwilami miałam wrażenie, że to coś więcej niż teatr.

– Chciałabym, żeby tak było. Żeby widzowie zobaczyli w tej opowieści swoje życie. Swoje losy i swoją Polskę. Tak jest ze mną.

„Danuta W."

– Każda reakcja widzów stanowiła natychmiastowy odzew na sygnał przychodzący ze sceny. To wyglądało jak twój dialog z widownią.

– Może dlatego, że nie potrafię grać *Danuty W.* bez emocji. Ta historia głęboko mnie porusza. Grając Danutę W., mimo prostoty i skromności środków przedstawienia, czuję się trochę tak, jakbym śpiewała hymn Polski... Jestem przecież nie tylko aktorką..

– Ale coś musiało cię zafascynować również w realnej postaci, której historię relacjonujesz.

– Przede wszystkim odwaga powiedzenia tego, co powiedziała, szczerość. Mogła w swojej książce zrobić z siebie kogoś zupełnie innego, niż jest, a z całą odwagą opowiedziała o sobie prawdziwej. To skromna, zwykła kobieta, którą los wplątał w wielką historię, postawił przed nią, matką ośmiorga dzieci, zadania ponad siły, a ona potrafiła wyjść z tego z szacunkiem dla siebie i wszystkich dookoła. To książka bez żalów i nienawiści. Swoją opowieścią pani Danuta zwróciła nam także takiego Wałęsę, jakim był na początku, po prostu jako człowieka. Ona Wałęsę na nowo jakby uczłowieczyła.

– Widział twój spektakl?

– Tak.

– Jak zareagował?

– Podziękował, pocałował i mnie, i żonę. Publicznie, na scenie.

– A jak przyjęła spektakl pani Danuta?

– Jest mi wdzięczna. Nie zgadniesz, jaki prezent dałam jej z okazji premiery.

– Coś z rekwizytów przedstawienia?

– Nie, kamień. Wiedziałam, że zbiera ciekawe kamienie. To był kamień z jej rodzinnego pola w wiosce pod Węgrowem. Mam letni domek cztery kilometry od Kryp, gdzie się urodziła, nadal mieszka tam jej rodzina. Poszłam na to pole, znalazłam kamień i podarowałam jej w pięknym pudełku.

– Jak zareagowała?

– Zapytała: „Poszłaś na to pole?".

– Uwierzyła?

– Tak, bo to była prawda. Warto było iść te cztery kilometry, żeby jej zrobić przyjemność. Podziwiam ją i szanuję za to, że wytrzymała wszystko, co musiała wytrzymać, że umiała się w tym wszystkim odnaleźć, że sobie poradziła, a dziś jest miłą, otwartą, serdeczną osobą. Wobec wszystkich.

– Ale wróćmy do ciebie. Kilka miesięcy temu spotkałyśmy się przypadkiem na placu Konstytucji. Czekałaś na kogoś, kto się spóźniał. W podobnej sytuacji aktorki z popularnych seriali mogłyby się czuć trochę zagrożone.

– Zagrożone? Czym?

– Podobno wielbiciele potrafią podejść do swojej idolki i uszczypnąć.

– Szczypią? Dlaczego?

– Może po to, żeby się przekonać, czy jest prawdziwa. Ciebie przed natręctwem i natrętami coś broni. Co to jest?

– Nie wiem. Do mnie ludzie się uśmiechają, witają się. Dziękują za to, co robię. Czuję często serdeczność i szacunek.

– Dziś spotkałyśmy się w teatrze Polonia w twoim gabinecie. Trzy metry na cztery, stolik, kanapka, szafka, krzesło, wszystko solidnie podniszczone. Gablota z twoimi nagrodami i odznaczeniami ani by się tu nie zmieściła, ani by nie pasowała. Stoi w holu.

– Kiedy tamtędy przechodzę, myślę: „O Boże! Skąd się tyle tego wzięło!". A to nie wszystko, część poszła na różne aukcje.

– Czekasz sama na placu Konstytucji, żartujesz z nagród; to ty sprzed lat. Czym tak naprawdę różni się Krystyna Janda z 1992 i 1997 roku od Krystyny Jandy z roku 2013?

– Mogłabym chyba powiedzieć, tak jak Danuta Wałęsa w swoich wyznaniach: dziś jestem samotna. Tyle że każda z innego powodu. Nadal najbardziej lubię grać, to ciągle jest czymś najważniejszym, ulubionym. Ale kiedy byłam tylko aktorką, „gwiazdą", myślałam przede wszystkim o sobie, o swoich ambicjach zawodowych. Teraz myślę tylko o innych, moje ambicje podporządkowane są Fundacji. Żeby te dwa teatry mogły funkcjonować, musi wyjść na scenę wielu aktorów – młodych, starych, debiutantów. To oni mają być gwiazdami, ja jestem na końcu w tym szeregu. To ich sprawy, problemy, dobre samopoczucie i satysfakcja są ważniejsze od moich. Dla dobra Fundacji. Zresztą ja i tak jako aktorka sobie poradzę. Nawet jeśli mam zły nastój, problemy i źle się czuję. Jestem maszyną do grania. Dla dobra Fundacji...

– Ale masz wpływ na ostateczny kształt przedstawienia, także od ciebie zależy, czy te gwiazdy będą świecić. Przecież im pomagasz.

– Jestem na próbach, jeśli coś trzeba uratować – ratuję, jeżeli to konieczne – poprawiam tekst, po cichu robię adaptację. No i czasami reżyseruję sama.

– Przed laty, gdy reżyserowałaś w Teatrze Powszechnym *Na szkle malowane*, zdarzało ci się wbiegać na scenę i pokazywać młodszym, jak powinni coś zagrać.

– Robię tak nadal. To dla mnie najprostszy sposób komunikowania się, przekazania aktorom, o co mi chodzi. Gdybym chciała dokładnie wyjaśniać, trwałoby to dłużej, a jeśli pokażę – aktor od razu się orientuje, z intonacji głosu odbiera sygnał, w czym rzecz.

– Jest więc w czyjejś roli coś z twojego talentu. Straty własne?

– Nie. Ja już swoje zagrałam, ja już byłam – jak mówiła Agnieszka Osiecka. Mogę się czuć najbardziej usatysfakcjonowaną aktorką w naszym kraju. I ciągle jestem chyba najbardziej czynną aktorką w kraju. Tyle że dziś jestem instytucją.

– Ale czas pracuje nad tym, żeby był ciąg dalszy. Co może jeszcze przynieść?

– Nie wiem. Zapytaj mnie o to za następne dwadzieścia lat, jeśli dożyjemy. W każdym razie ja się jeszcze nie pakuję na drogę ani w zaświaty, ani w zapomnienie.

Warszawa, lipiec 2013

Role teatralne Krystyny Jandy

ATENEUM

Bloomusalem Jamesa Joyce'a, reż. Jerzy Grzegorzewski (zastępstwo) - 1974

Bal manekinów Bruno Jasieńskiego, reż. Janusz Warmiński, <**Manekin 34**> - 1974

Śluby panieńskie Aleksandra Fredry, reż. Jan Świderski, <**Aniela**> - 1976

Czajka Antoniego Czechowa, reż. Janusz Warmiński, <**Nina Zarieczna**> - 1977

Dusia, Ryba, Wal i Leta Pameli Gems, reż. Agnieszka Holland, <**Wal**> - 1978

Tryptyk listopadowy Stanisława Wyspiańskiego, reż. Janusz Warmiński, <**Maria**> - 1978

Niebo zawiedzionych, songi Bertolta Brechta, reż. Lena Szurmiej - 1982

Edukacja Rity Willy'ego Russela, reż. Andrzej Rozhin, <**Rita**> - 1984

Balkon Jeana Geneta, reż. Andrzej Pawłowski (zastępstwo) - 1985

Garaż Emila Bragińskiego i Eldara Riazanowa, reż. Janusz Warmiński (zastępstwo) - 1987

Hemar, scenariusz i reż. Wojciech Młynarski - 1987

Dziewięćdziesiąty trzeci Stanisławy Przybyszewskiej, reż. Jan Błeszyński, <**Maud**> - 1988

Opera za trzy grosze Bertolta Brechta, reż. Ryszard Peryt, <**Jenny**> - 1988

MAŁY

Portret Doriana Graya Oscara Wilde'a, reż. Andrzej Łapicki, <**Dorian Gray**> - 1976

PREZENTACJE

Heloiza i Abelard Ronalda Duncana, reż. Romuald Szejd, <**Heloiza**> - 1979

„Człowiek z marmuru", a też łagodna.

Jedyne zdjęcie, na którym jestem łagodna. „Granica" Jana Rybkowskiego.

Co ja tu grałam? Gdzie ja jestem?

„Dyrygent"

„Shirley"

STARA PROCHOWNIA

Pokojówki Jeana Geneta, reż. Jacek Zembrzuski, <**Claire**> – 1981
Biała bluzka Agnieszki Osieckiej i Magdy Umer, reż. Magda Umer, monodram, <**Elżbieta**> – 1987

POWSZECHNY

Z życia glist Pera Olova Enquista, reż. Zygmunt Hübner, <**Johanne Luise Heiberg**> – 1984
Panna Julia Augusta Strindberga, reż. Andrzej Wajda, <**Julia**> – 1988
Medea Eurypidesa, reż. Zygmunt Hübner, <**Medea**> – 1988
Dwoje na huśtawce Williama Gibsona, reż. Andrzej Wajda, <**Gizela**> – 1990
Shirley Valentine Williama Russella, reż. Maciej Wojtyszko, <**Shirley**> – 1990
Na szkle malowane Ernesta Brylla i Katarzyny Gärtner, <**Anioł**> – 1993
Mąż i żona Aleksandra Fredry, reż. Krzysztof Zaleski, <**Elwira**> – 1993
Kobieta zawiedziona Simone de Beauvoir, reż. Magda Umer, monodram, <**Monika**> – 1996
Makbet Williama Szekspira, reż. Mariusz Treliński, <**Lady Makbet**> – 1996
Maria Callas. Lekcja śpiewu Terrence'a McNally'ego, reż. Andrzej Domalik, <**Maria Callas**> – 1997
Kotka na rozpalonym blaszanym dachu Tennessee Williamsa, reż. Andrzej Rozhin, <**Maggi**> – 1997
Harry i ja Nigela Williamsa, reż. Andrzej Strzelecki, <**Tracy**> – 1998
Fedra Jeana Racine'a, reż. Laco Adamik, <**Fedra**> – 1998
Noc Helvera Ingmara Villqista, reż. Zbigniew Brzoza, <**Karla**> – 2000
Kto się boi Virginii Woolf? Edwarda Albeego, reż. Władysław Pasikowski, <**Martha**> – 2002
Czego nie widać? Michaela Frayna, reż. Juliusz Machulski, <**Dotty Otley**> – 2003

STUDIO

Śmierć i dziewczyna Ariela Dorfmana, reż. Jerzy Skolimowski, <**Paulina**> – 1992

Mała Steinberg Lee Halla, reż. Krystyna Janda, monodram <**Steinberg**> - 2001
Mewa Antoniego Czechowa, reż. Zbigniew Brzoza, <**Irina Arkadina**> - 2003

SALA W PODZIEMIACH KOŚCIOŁA W WARSZAWIE NA ŻYTNIEJ

Wieczernik Ernesta Brylla, reż. Andrzej Wajda, <**Maria Magdalena**> - 1985

CENTRUM SZTUKI IMPART

Marlene, reż. Magda Umer, <**Marlena**> - 1999

KOMEDIA

Opowiadania zebrane Donalda Marguliesa, reż. Krystyna Janda, <**Ruth Steiner**> - 2001

TEATR WIELKI - OPERA NARODOWA W WARSZAWIE

Siedem grzechów głównych Kurta Weilla i Bertolta Brechta, reż. Janusz Wiśniewski, <**Anna I i Anna II**> - 2001

POLONIA

Ucho, gardło, nóż Vedrany Rudan, reż. Krystyna Janda, monodram <**Tonka Babić**> - 2005
Skok z wysokości Leslie Ayvazian, reż. Krystyna Janda, monodram - 2006
Szczęśliwe dni Antoniego Czechowa, reż. Piotr Cieplak, <**Winnie**> - 2006
Boska! Petera Quiltera, reż. Andrzej Domalik, <**Florence Foster Jenkins**> - 2007
Wątpliwość Johna Patricka Shanleya, reż. Piotr Cieplak - 2007
Dancing Marii Pawlikowskiej-Jasnorzewskiej, reż. Krystyna Janda - 2008
Pan Jowialski Aleksandra Fredry, reż. Anna Polony, Józef Opalski, <**Szambelanowa**> - 2010
32 omdlenia Antoniego Czechowa, reż. Andrzej Domalik, <trzy role> - 2011
Danuta W. Danuty Wałęsy i Piotra Adamowicza, reż. Janusz Zaorski, <**Danuta Wałęsa**> - 2012
Zmierzch długiego dnia Eugene'a O'Neilla, reż. Krystyna Janda, <**Mary**> - 2012

OCH-TEATR

Wassa Żeleznowa Maksyma Gorkiego, reż. Krystyna Janda, <**Wassa Żeleznowa**> – 2010

Biała bluzka Agnieszki Osieckiej i Magdy Umer, reż. Magda Umer, monodram, <**Elżbieta**> – 2010

Weekend z R. Robina Hawdona, reż. Krystyna Janda, <**Clarice**> – 2010

Role filmowe Krystyny Jandy

1976
Człowiek z marmuru, reż. Andrzej Wajda, <**Agnieszka**>

1977
Pani Bovary to ja, reż. Zbigniew Kamiński (TV), <**Krystyna**>
Na srebrnym globie, reż. Andrzej Żuławski (premiera 1988), <**Gea**>
Granica, reż. Jan Rybkowski, <**Elżbieta**>

1978
Bestia, reż. Jerzy Domaradzki, <**Anna**>
Aktorka (krótkometrażowy, dokumentalny), reż. Grzegorz Skurski, <**Ona sama**>
Bez znieczulenia, reż. Andrzej Wajda, <**Agata**>
Rodzina Połanieckich, reż. Jan Rybkowski (serial TV, odcinek V), <**Christina**>

1979
Doktor Murek, reż. Witold Lesiewicz (serial TV), <**Arletka**>
Golem, reż. Piotr Szulkin, <**Rozyna**>
Dyrygent, reż. Andrzej Wajda, <**Marta**>
Der Grüne Vogel, reż. Istvan Szabo (TV, RFN), <**Katzka**>
Manchmal besucht der Neffe die Tante, reż. Jens Ehlers, Michał Ratyński (RFN)

1980
Uoni, reż. Władymir Ikonomow (Bułgaria), <**Kira**>
Mefisto, reż. Istvan Szabo (Węgry–RFN), <**Barbara**>
W biały dzień, reż. Edward Żebrowski, <**Ewa**>

1981

Człowiek z żelaza, reż. Andrzej Wajda, <**Agnieszka**>

Wojna światów – następne stulecie, reż. Piotr Szulkin, <**Gea**>

On, ona, oni (nowela II), reż. Krzysztof Tchórzewski, Andrzej Mellin, Włodzimierz Szpak, <**Pani psycholog**>

Fik-mik, reż. Marek Nowicki (TV), <**Anita**>

Espion, lève-toi, reż. Yves Boisset (Francja), <**Anna**>

1982

Przesłuchanie, reż. Ryszard Bugajski (premiera 1989), <**Antonina**>

C'était un beau été, reż. Jean Chapot (TV, Francja), <**Wanda**>

1983

Bella donna, reż. Peter Keglovic (RFN), <**Lena**>

Synteza, reż. Maciej Wojtyszko, <**Gloria**>

Stan wewnętrzny, reż. Krzysztof Tchórzewski (premiera 1989), <**Ewa**>

To tylko rock, reż. Paweł Karpiński, <**Majka**>

Glut, reż. Thomas Koerfer (Szwajcaria–RFN), <**Anna**>

1984

O-bi, o-ba, koniec cywilizacji, reż. Piotr Szulkin, <**Gea**>

Der Bulle und das Mädchen, reż. Peter Keglović, <**Gerlinde**>

1985

Kochankowie mojej mamy, reż. Radosław Piwowarski, <**Krystyna**>

Eine blassblaue Frauenhandschrift, reż. Axel Korti (serial TV, Austria), <**Amelia**>

Vertiges, reż. Christine Laurent (Francja), <**Maria**>

1986

Laputa, reż. Helma Sanders-Brahms (RFN), <**Małgorzata**>

W zawieszeniu, reż. Waldemar Krzystek, <**Anna**>

Ta praca to ↑
praca górnika.
Noże tylko ja
rawiam tak ten
awód. Lubię się
eczyć i ubrudzić.

1987

Krótki film o zabijaniu, reż. Krzysztof Kieślowski, <**Dorota**>

1988

Dekalog II, *Dekalog V*, reż. Krzysztof Kieślowski (TV), <**Dorota**>
Wilder Westen inclusive, reż. Dieter Wedel (serial TV, RFN), <**Marianne**>

1989

Modrzejewska, reż. Jan Łomnicki (serial TV), <**Helena**>
Stan posiadania, reż. Krzysztof Zanussi, <**Julia**>

1991

Kuchnia polska, reż. Jacek Bromski, <**Margaret**>

1992

Zwolnieni z życia, reż. Waldemar Krzystek, <„**Francuzka**">
Der große Bellheim, reż. Dieter Wedel (Niemcy), <**Maria**>

1995

Pestka, reż. Krystyna Janda, <**Agata**>
Tato, reż. Maciej Ślesicki, <**Magda**>

1996

Matka swojej matki, reż. Robert Gliński, <**Ewa**>

1997

Niepisane prawa, reż. Krzysztof Zanussi (cykl TV „Opowieści weekendowe"), <**Halina**>
Ostatni rozdział, reż. Yves Angelo (Polska–Francja–Belgia), <**Pani Leduroy**>

2000

Weiser, reż. Wojciech Marczewski, <**Elka**>

Życie jako śmiertelna choroba przenoszona drogą płciową, reż. Krzysztof Zanussi, <**Anna**>
Żółty szalik, reż. Janusz Morgenstern (cykl TV „Święta polskie"), <**Aktualna kobieta bohatera**>

2001
Przedwiośnie, reż. Filip Bajon, <**Jadwiga**>

2003
Superprodukcja, reż. Juliusz Machulski, <**Ona sama**>
Męskie-żeńskie, reż. Krystyna Janda (serial TV), <**Lilka**>

2005
Wróżby kumaka, reż. Robert Gliński, <**Aleksandra**>
Parę osób, mały czas, reż. Andrzej Barański, <**Jadwiga**>

2007
Ryś, reż. Stanisław Tym, <**Maria**>
Niania, reż. Jerzy Bogajewicz (serial TV), <**Ona sama**>

2009
Tatarak, reż. Andrzej Wajda, <**Marta**>
Rewers, reż. Borys Lankosz, <**Irena**>

2012
Sponsoring, reż. Małgorzata Szumowska, <**Matka Alicji**>
Bez tajemnic, różni reżyserzy (serial TV), <**Barbara**>

Role telewizyjne Krystyny Jandy

Trzy siostry Antoniego Czechowa, reż. Aleksander Bardini, <**Masza**> - 1974
Dziewięć lat Jerzego Szaniawskiego, reż. Janusz Majewski, <**Anna**> - 1976
Ostatnie dni Michaiła Bułhakowa, reż. Maciej Wojtyszko, <**Natalia**> - 1977
Dla szczęścia Stanisława Przybyszewskiego, reż. Ignacy Gogolewski, <**Olga**> - 1977
Wesele Figara Pierre'a Beaumarchais, reż. Czesław Wołłejko, <**Natalia**> - 1977
Mąż przeznaczenia George'a B. Shawa, reż. Czesław Wołłejko, <**Dama**> - 1978
Długie pożegnania Jurija Trifonowa, reż. Janusz Majewski, <**Ludmiła**> - 1978
Wielki kawałek tortu Catherine Arley, reż. Janusz Majewski, <**Hildegarda**> - 1978
O wpół do jedenastej wieczór, latem Marguerite Duras, reż. Marek Bargiełowski, <**Klara**> - 1978
Śnieg Stanisława Przybyszewskiego, reż. Tadeusz Pałka, <**Ewa**> - 1979
Dancing, recital śpiewany z wierszy Marii Jasnorzewskiej-Pawlikowskiej, muz. Jerzy Satanowski, reż. Stefan Szlachtycz - 1980
W malinowym chruśniaku, recital śpiewany z wierszy Bolesława Leśmiana, z Markiem Grechutą, muz. Marek Grechuta, reż. Stefan Szlachtycz - 1980
Niemcy Leona Kruczkowskiego, reż. Andrzej Łapicki, <**Ruth**> - 1981
Dzień jego powrotu Zofii Nałkowskiej, reż. Andrzej Łapicki, <**Monika**> - 1981
Balladyna Juliusza Słowackiego, reż. Olga Lipińska, <**Balladyna**> - 1982
Pożądanie w cieniu wiązów Eugene'a O'Neilla, reż. Grzegorz Skurski, <**Abbie**> - 1983
Mówi Chandler Raymonda Chandlera, reż. Tomasz Zygadło, <**Lola**> - 1986
Bliski nieznajomy Aleksandra Ścibor-Rylskiego, reż. Jerzy Domaradzki, <**Magda**> - 1987

Premiera „Callas"
w Poznaniu
Uczę się tekstu. Nigdy go
w filmie nie umiem. Praktyka
nauczyła mnie, że w polskich
scenariuszach są złe dialogi,
i tak trzeba improwizować
i zmieniać na planie.
Ale to jest film francuski.
FILM
PESTI
68

Dom kobiet Zofii Nałkowskiej, reż. Magdalena Łazarkiewicz, <**Joanna**> - 1987
Heloiza i Abelard Ronalda Duncana, reż. Magda Umer, <**Heloiza**> - 1987
Hymn György'ego Schwajdy, reż. Robert Gliński, <**Aranka**> - 1988
Silniejsza Augusta Strindberga, reż. Andrzej Wajda, <**pani X**> - 1991
Gorzkie łzy Petry von Kant Rainera Fassbindera, reż. Piotr Chołodziński, <**Petra**> - 1993
Kim pani jest? Andrzeja Niedoby, reż. Bogdan Tosza, <**Astrid Keller**> - 1993
Uciekła mi przepióreczka Stefana Żeromskiego, reż. Agnieszka Glińska, <**Księżniczka**> - 1994
Elektra Eurypidesa, reż. Piotr Chołodziński, <**Elektra**> - 1995
Amfitrion Heinricha Kleista, reż. Michał Kwieciński, <**Alkmena**> - 1995
Bożyszcze kobiet Neila Simona, reż. Edward Dziewoński, <**Ellen**> - 1995
Kobieta zawiedziona Simone de Beauvoir, reż. Andrzej Barański, <**Monika**> - 1995
Wiśniowy sad Antoniego Czechowa, reż. Andrzej Domalik, <**Raniewska**> - 1996
Odbita sława Ronalda Harwooda, reż. Janusz Zaorski, <**Susan**> - 1997
Adrianne Lecouvreur Augustina Scribe'a, reż. Mariusz Treliński, <**Księżna Bouillon**> - 1997
Heldenplatz. Plac bohaterów Thomasa Bernharda, reż. Piotr Szalsa, <**Anna**> - 1997
Fizjologia małżeństwa Honoriusza Balzaka, reż. Krystyna Janda, <**Ona**> - 1998
Wybór Jerzego Włoska, reż. Jerzy Stuhr, <**Marta Pogan**> - 1998
Równy podział Ronalda Harwooda, reż. Janusz Morgenstern, <**Renata Taylor**> - 1998
Lalek Zbigniewa Herberta, reż. Zbigniew Zapasiewicz, <**Matka**> - 1999
Od czasu do czasu Alana Ayckbourna, reż. Juliusz Machulski, <**Ela**> - 1999
Piękny widok Sławomira Mrożka, reż. Janusz Kijowski, <**Żona i Turystka**> - 2000
Związek otwarty Franki Rame i Daria Fo, reż. Krystyna Janda, <**Barbara**> - 2000
Okruchy czułości Neila Simona, reż. Ryszard Bugajski, <**Evelyn**> - 2000
Klub kawalerów Michała Bałuckiego, reż. Krystyna Janda, <**Pelagia Dziudziulińska**> - 2001

Zazdrość Esther Vilar, reż. Krystyna Janda, <**Helena**> - 2001
Wizyta starszej pani Friedricha Dürrenmatta, reż. Waldemar Krzystek, <**Klara Zachanassian**> - 2002
Piękna pani Seidenman Andrzeja Szczypiorskiego, reż. Janusz Kijowski, <**Pani Seidenman**> - 2003
Porozmawiajmy o życiu i śmierci Krzysztofa Bizia, reż. Krystyna Janda, <**Matka**> - 2003
Śluby panieńskie, czyli magnetyzm serca Aleksandra Fredry, reż. Krystyna Janda, <**Dobrójska**> - 2003
Małe zbrodnie małżeńskie Érica-Emmanuela Schmitta, reż. Krystyna Janda, <**Lisa**> - 2006
Rosyjskie konfitury Ludmiły Ulickiej, reż. Krystyna Janda, <**Natalia**> - 2009

Reżyseria filmowa, telewizyjna i teatralna

Na szkle malowane Ernesta Brylla i Katarzyny Gärtner, Teatr Powszechny – 1993

Pestka, film fabularny na motywach powieści Anki Kowalskiej *Pestka* – 1995

Hedda Gabler Henryka Ibsena, Teatr TV – 1995

Cyd Pierre'a Corneille'a, Teatr TV – 1996

Tristan i Izolda, opracowanie tekstu Ernest Bryll, Teatr TV – 1997

Panna Tutli-Putli Stanisława Ignacego Witkiewicza, Teatr Powszechny – 1997

Fizjologia małżeństwa Honoriusza Balzaka, Teatr TV – 1998

Na szkle malowane Ernesta Brylla i Katarzyny Gärtner, Teatr im. A. Mickiewicza w Częstochowie – 2000

Związek otwarty Franki Rame i Daria Fo, Teatr TV – 2000

Opowiadania zebrane Donalda Marguliesa, teatr Komedia – 2001

Mała Steinberg Lee Halla, teatr Studio – 2001

Klub kawalerów Michała Bałuckiego, Teatr TV – 2001

Zazdrość Esther Vilar, Teatr TV – 2001

Porozmawiajmy o życiu i śmierci Krzysztofa Bizia, Teatr TV – 2003

Śluby panieńskie, czyli magnetyzm serca Aleksandra Fredry, Teatr TV– 2003

Janosik albo Na szkle malowane Ernesta Brylla i Katarzyny Gärtner, Teatr Muzyczny w Gdyni – 2004

Namiętność Petera Nicholsa, Teatr Nowy w Poznaniu – 2005

Lekcje stepowania Richarda Harrisa, Teatr Powszechny w Łodzi – 2005

Stefcia Ćwiek w szponach życia Dubravki Ugresić, teatr Polonia – 2005

Ucho, gardło, nóż Vedrany Rudan, teatr Polonia – 2005

Kopciuszek Jana Brzechwy, Teatr TV – 2005

Małe zbrodnie małżeńskie Érica-Emmanuela Schmitta, Teatr TV – 2006

Lino Ventura

adne zdjęcie. Ładne,
ale mam zmarszczki
od słońca.

Cannes. Tuż przed
uroczystością. Jeszcze
nie wiem, że za chwilę
dostanę Złotą Palmę.

Rysiek Bugajski

Anioł z jedną złotą nóżką,
ale na twarzy?
–reżyser

Krysia
Cierniak

Skok z wysokości Leslie Ayvazian, teatr Polonia - 2006
Trzy siostry Antoniego Czechowa, teatr Polonia - 2006
Lament na placu Konstytucji Krzysztofa Bizia, teatr Polonia (spektakl grany na placu Konstytucji) - 2007
Kobiety w sytuacji krytycznej Joanny Murray-Smith, teatr Polonia - 2007
Grube ryby Michała Bałuckiego, teatr Polonia - 2008
Bóg Woody'ego Allena, teatr Polonia - 2008
Dancing Marii Pawlikowskiej-Jasnorzewskiej, teatr Polonia - 2008
Bagdad Café Percy'ego Adlona, teatr Polonia - 2009
Rosyjskie konfitury Ludmiły Ulickiej, Teatr TV - 2009
Wassa Żeleznowa Maksyma Gorkiego, Och-Teatr - 2010
Przygoda Sándora Máraiego, teatr Polonia - 2010
Weekend z R. Robina Hawdona, Och-Teatr - 2010
Kontrakt Mike'a Bartletta, teatr Polonia - 2011
Seks dla opornych Michele Riml, koprodukcja teatru Wybrzeże i teatru Polonia - 2012
Mayday Raya Cooneya, teatr Polonia - 2012
Pocztówki z Europy Michaela McKeevera, Och-Teatr - 2012
Związek otwarty Franki Rame i Daria Fo, teatr Polonia (spektakl grany na placu Konstytucji) - 2012
Zmierzch długiego dnia Eugene'a O'Neilla, teatr Polonia - 2012
Mayday 2 Raya Cooneya, teatr Polonia - 2013

Spektakle wystawione na scenie teatru Polonia
Stefcia Ćwiek w szponach życia Dubravki Ugresić - 2005
Ucho, gardło, nóż Vedrany Rudan - 2005
Badania terenowe nad ukraińskim seksem Oksany Zabuzhko - 2005
Shirley Valentine Willy'ego Russella - 2006
Darkroom Rujany Jeger - 2006
Miss HIV Macieja Kowalewskiego - 2006
Pchła Szachrajka Jana Brzechwy - 2006
Patty Diphusa Pedra Almodovara - 2006
Trzy siostry Antoniego Czechowa - 2006

Lament na placu Konstytucji według „lamentu" Krzysztofa Bizia - 2007
Szczęśliwe dni Samuela Becketta - 2007
Konik Garbusek Piotra Pawłowicza Jerszowa - 2007
Rajskie jabłka Raszyda Tuguszewa - 2007
Boska! Petera Quiltera - 2007
Metoda Jordiego Galcerana - 2007
Miłość Fedry Sarah Kane - 2007
Wątpliwość Johna Patricka Shanleya - 2007
Kobiety w sytuacji krytycznej Joanny Murray-Smith - 2007
Miłość ci wszystko wybaczy Przemysława Wojcieszka - 2008
Dowód Davida Auburna - 2008
Grube ryby Michała Bałuckiego - 2008
Starość jest piękna Esther Vilar - 2008
Bóg Woody'ego Allena - 2008
Ciało kobiety, młot Judith Depaule - 2008
Dancing Marii Pawlikowskiej-Jasnorzewskiej- 2008
Romulus Wielki Friedricha Dürrenmatta - 2009
Dżdżownice wychodzą na asfalt Stanisława Tyma - 2009
Pani z Birmy Richarda Shannona - 2009
Hej Joe! Jana Jangi-Tomaszewskiego - 2009
Bagdad Café Percy'ego Adlona - 2009
Ojciec polski Michała Walczaka - 2009
Krzysztof M. hipnoza Krzysztofa Materny - 2009
Pan Jowialski Aleksandra Fredry - 2010
Kantata na cztery skrzydła Roberta Bruttera - 2010
Jeszcze będzie przepięknie Przemysława Wojcieszka - 2010
Kobieta z widokiem na taras Stanisława Tyma - 2010
Przygoda Sándora Máraiego - 2011
Dobry wieczór państwu Krzysztofa Materny - 2011
Ojciec Bóg Katarzyny Wasilewskiej i Jacka Wasilewskiego - 2011
32 Omdlenia Antoniego Czechowa - 2011
Po co są matki? Hindi Brooks - 2011
Jekyll/Hyde Jakuba Porcariego - 2011

Kontrakt Mike'a Bartletta - 2011
Moja droga B, Krystyny Jandy - 2012
Seks dla opornych Michele Riml - 2012
Pod Mocnym Aniołem Jerzego Pilcha - 2012
Kopciuszek Jana Brzechwy - 2012
Zbrodnia z premedytacją Witolda Gombrowicza - 2012
Związek otwarty Franki Rame i Daria Fo - 2012
Danuta W. Danuty Wałęsy - 2012
Matka Polka terrorystka Katarzyny Wasilewskiej - 2012
Zmierzch długiego dnia Eugene'a O'Neilla - 2012
Baba Chanel Nikołaja Kolady - 2013
Kalina Małgorzaty Głuchowskiej, Justyny Lipko-Koniecznej - 2013
Konstelacje Nicka Payne'a - 2013
Czerwony Kapturek Jana Brzechwy- 2013

Spektakle wystawione na scenie Och-Teatru
Wassa Żeleznowa Maksyma Gorkiego - 2010
Weekend z R. Robina Hawdona - 2010
Koza albo kim jest Sylwia? Edwarda Albeego - 2010
Zielone zoo Jana Brzechwy - 2010
Kubuś Fatalista i jego pan Denisa Diderota - 2010
Zaświaty, czyli czy pies ma duszę Jana Andrzeja Masłowskiego - 2011
Biała bluzka Agnieszki Osieckiej i Magdy Umer - 2011
The Rocky Horror Show Richarda O'Briena - 2011
W małym dworku Stanisława Ignacego Witkiewicza - 2011
Pocztówki z Europy Michaela McKeevera - 2012
Trzeba zabić starszą panią Grahama Linehana - 2012
Mayday Raya Cooneya - 2012
Czas nas uczy pogody Krzysztofa Materny - 2012
Zemsta Aleksandera Fredry - 2013
Mayday 2 Raya Cooneya - 2013

Wybrane nagrody i wyróżnienia

1978 – Nagroda tygodnika „Ekran" im. Zbyszka Cybulskiego

1978 – Nagroda SPATiF-u-ZASP-u im. Leona Schillera

1981 – Nagroda XIX MFFF w Trieście – Srebrna Asteroida – za rolę w filmie *Golem*

1988 – Nagroda prezydenta Warszawy za tytułową rolę w *Medei*

1988 – Nagroda miesięcznika „Teatr" im. Aleksandra Zelwerowicza za tytułową rolę w *Medei*

1989 – Nagroda Fundacji Kultury Polskiej na XIV FPFF w Gdyni za wybitne kreacje aktorskie

1989 – Złota Kaczka, nagroda czytelników tygodnika „Film" dla najlepszej polskiej aktorki

1989 – Nagroda Ministra Kultury i Sztuki I stopnia

1990 – Nagroda im. Vittoria De Sica, Sorrento – Neapol

1990 – Złota Palma Festiwalu w Cannes za najlepszą rolę kobiecą w *Przesłuchaniu*

1990 – Nagroda Szefa Kinematografii za rolę w *Stanie posiadania*

1990 – Złote Lwy Gdańskie, nagroda XV FPFF w Gdyni za najlepszą rolę kobiecą w *Przesłuchaniu*

1991 – Wiktor, nagroda telewidzów

1991 – Krzyż Kawalerski Republiki Francuskiej za zasługi dla kultury francuskiej

1991 – Nagroda Ministra Spraw Zagranicznych

1991 – Nagroda I Belgradzkiego Festiwalu Filmów Śródziemnomorskich dla najlepszej aktorki za rolę w *Przesłuchaniu*

1992 – Srebrna Muszla, nagroda Festiwalu w San Sebastian za rolę w *Zwolnionych z życia*

1992 – Byk Sukcesu, nagroda miesięcznika „Sukces"
1992 – Złota Kaczka, nagroda czytelników miesięcznika „Film" dla najlepszej polskiej aktorki
1993, 1994, 1995 – nagroda czytelników tygodnika „Super TV"
1994 – tytuł Osobowości Roku w ogólnopolskim Rankingu Teatralnym
1995 – nagroda za reżyserski debiut na XX FPFF w Gdyni
1996 – Złote Jabłko, nagroda Stowarzyszenia Kobiet Filmu i Telewizji za *Pestkę*
1996 – Srebrna Maska z okazji 50-lecia „Expressu Wieczornego"
1996 – Specjalna Złota Kaczka dla najlepszej polskiej aktorki w historii polskiego kina
1998 – Telekamera, nagroda czytelników „Teletygodnia"
2000 – Korona Kazimierza Wielkiego dla najlepszego spektaklu Teatru Telewizji na Festiwalu Filmowym i Artystycznym w Kazimierzu Dolnym za spektakl *Związek otwarty*
2001, 2002 – Telemaska, nagroda czytelników „Teletygodnia", dla najpopularniejszej aktorki w Teatrze TV
2002 – Krzyż Oficerski Orderu Odrodzenia Polski
2002 – nagroda na VI Międzynarodowym Festiwalu Teatrów dla Dzieci i Młodzieży, Korczak 2002, za *Małą Steinberg*
2002 – Busola 2002, nagroda tygodnika „Przegląd"
2003 – Nagroda Teatrów Telewizji za reżyserię spektaklu *Porozmawiajmy o życiu i śmierci*
2005 – nagroda dla najlepszej aktorki na festiwalu filmowym w Madrycie za rolę we *Wróżbach kumaka*
2005 – Gloria Artis, Złoty Medal Zasłużony Kulturze
2005 – nagroda za najlepszą rolę kobiecą na XXX FPFF w Gdyni za rolę w filmie *Parę osób, mały czas*
2005 – Róża Róż, nagroda tygodnika „Gala"
2006 – Wdecha Publiczności w kategorii Człowiek Roku
2006 – nagroda dla najlepszej aktorki podczas Festiwalu Sztuk Przyjemnych i Nieprzyjemnych w Łodzi
2006 – Feliks Warszawski za najlepszą pierwszoplanową rolę kobiecą w spektaklu *Ucho, gardło, nóż*

2007 – Hiacynt, nagroda Fundacji Równości
2007 – Neptun, nagroda Prezydenta Miasta Gdańska za trwały wkład w kulturę
2007 – Złota Kaczka dla najlepszej aktorki ostatniego 50-lecia kinematografii polskiej
2008 – Medal im. Profesora Tadeusza Kotarbińskiego
2009 – Złoty medal Polskiej Akademii Sukcesu
2009, 2010 – Złota Kaczka dla najlepszej polskiej aktorki
2011 – Medal Komisji Edukacji Narodowej
2011 – Nagroda Kisiela w kategorii przedsiębiorca za „kolejną rolę życia"
2012 – Polonicus 2012 za „wybitny dorobek aktorski, zaangażowanie w europejskie porozumienie między Polską i zachodnią Europą oraz walkę o równouprawnienie kobiet"
2012 – Diament Trójki, nagroda przyznawana przez Program Trzeci Polskiego Radia

W książce wykorzystano zdjęcia:

Bernarda Bisson/Visions [na s. 187], Piotra Bujnowicza [na s. 20], Czesława Chwiszczuka [na s. 98], Jarosława M. Goliszewskiego [na s. 295], M. Grotowskiego [na s. 287], Jerzego Kośnika [na s. 98, 99, 295], Lecha Kowalskiego [na s. 13, 207], Aleksandry Laski [na s. 13, 179, 237–240], Michela Levieux [na s. 281], Güntera Linke [na s. 96], Michała Mrowca/Forum [na s. 104], Renaty Pajchel [na s. 72, 73, 97, 98, 207, 287], Jakuba Pajewskiego [na s. 287], Włodzimierza Piątka [na s. 287], Ireneusza Sobieszczuka [na s. 287], Włodzimierza Wasyluka [na s. 7], Krzysztofa Wellmana [na s. 291, 295], Tomasza Wesołowskiego [na s. 231, 291] oraz klatki z „filmu" Edwarda Kłosińskiego. Zdjęcia z charakteryzacji Krystyny Jandy do spektaklu *Maria Callas. Lekcja śpiewu* [na s. 195, 224] - Goliszewski & Woźniak s.c. Epoka; charakteryzację wykonał Evgeny/Guerlain, z archiwum Fundacji Krystyny Jandy na rzecz Kultury [na s. 14, 16, 19, 260, 274, 276], z planu filmu *Tatarak*, reż. Andrzej Wajda, rok produkcji 2009, fot. Piotr Bujnowicz, producent: Akson Studio [na s. 268–269], z planu filmu *Rewers*, reż. Borys Lankosz, rok produkcji 2009, fot. Krzysztof Wojciewski, produkcja: Studio Filmowe KADR [na s. 270–271].

Pozostałe zdjęcia pochodzą z archiwum prywatnego Krystyny Jandy.

Wydawnictwo dziękuje Jackowi Petryckiemu za udostępnienie zdjęcia Krzysztofa Kieślowskiego.

Grupa Wydawnicza Foksal informuje, że dołożyła należytej staranności w rozumieniu art. 355 par. 2 kodeksu cywilnego w celu odnalezienia aktualnego dysponenta autorskich praw majątkowych do fotografii na s. 13, 96, 98, 99, 187, 231, 281, 287, 291, 295.

Z uwagi na to, że przed oddaniem niniejszej książki do druku poszukiwania te nie przyniosły rezultatu, Grupa Wydawnicza Foksal zobowiązuje się do wypłacenia stosownego wynagrodzenia z tytułu ich wykorzystania aktualnemu dysponentowi autorskich praw majątkowych, niezwłocznie po jego zgłoszeniu się do Grupy Wydawniczej Foksal.

Redakcja: Wiesława Karaczewska
Korekta: Dorota i Jacek Ring, Marianna Sokołowska, Bogusława Jędrasik

Projekt okładki i stron tytułowych: Magdalena Antoniuk
Fotografia wykorzystana na I stronie okładki: © Robert Wolański / Gala

Skład i łamanie: Michał Olewnik
Druk i oprawa: Druk-Intro, Inowrocław

Grupa Wydawnicza Foksal Sp. z o.o.
00-372 Warszawa, ul. Foksal 17
tel. 22 828 98 08, 22 894 60 54
biuro@gwfoksal.pl
wab.com.pl

ISBN 978-83-7747-967-4